LE CONTINENT DE LA DOUCEUR

AURÉLIEN BELLANGER

LE CONTINENT
DE LA DOUCEUR

roman

GALLIMARD

L'histoire européenne, malgré d'innombrables convulsions, n'a pas trouvé nécessaire, encore, de faire exister la petite principauté du Karst. L'ouvrage que vous tenez entre les mains relève ainsi, par sa faute, de l'histoire contrefactuelle. Si le lecteur retrouve ou croit reconnaître, cependant, certaines personnes réelles, il devra se résoudre à les traiter comme les protagonistes d'une histoire parallèle et fantaisiste : celle où le Karst aurait réussi à accéder à l'indépendance.

Je n'aime pas vraiment les mathématiques,
à proprement parler elles m'ennuient.

L. E. J. BROUWER

PROLOGUE

Les mathématiciens étaient passés avec facilité, comme une seconde naissance, à travers les bassins en nylon tissé des baudriers fluo et ils évoluaient déjà dans les branchages luminescents par grappes de trois ou quatre – les plus beaux fruits de la terre, les ramifications dernières des sciences mathématiques, les cerveaux les plus légers du monde. Accrochés les uns aux autres par la même ligne de vie, leurs corps dessinaient un long théorème qui transformait le ciel chlorophyllien en un grand tableau verdâtre d'université.

Beaucoup avaient déjà pratiqué l'escalade en club et l'accrobranche ne représentait aucune difficulté pour eux. Ils portaient des tee-shirts dont les lettres réfléchissantes rappelaient les codes d'identification des sociétés à la Bourse : PICS, WBCA, DBNY.

On reconnaissait, prêt à s'élancer sur une tyrolienne, Ewan Finley, de la Perth Indoor Climbing Society, un spécialiste de l'optimisation et des points fixes de Brouwer. Alice Tempter, de la Waterval Boven Climbing

Association, la principale représentante de l'école autrichienne dans l'hémisphère Sud, connue pour sa puissante réfutation des théories de l'équilibre général, était juste derrière lui, sur la petite plateforme. Encore sur le pont de corde qui menait à elle, Chris Salomon, le pionnier des cryptomonnaies – certains journalistes d'investigation avaient parfois voulu voir en lui l'insaisissable Satoshi Nakamoto, l'inventeur du bitcoin en personne –, portait un tee-shirt vintage du Dumbo Boulders of New York. La cordée comprenait également Bénédicte Martin, la *chief mathematician* de la Société générale, une spécialiste de l'analyse quantitative des marchés, et une rescapée de l'affaire Kerviel.

Les idéogrammes d'un club d'escalade indoor de la préfecture de Nara, à côté d'Osaka, étaient floqués sur le débardeur en résille jaune de Sakura Imento, l'un des pionniers du deep learning, qui vivait depuis quelques mois reclus dans le Nebraska, où il développait, pour Warren Buffett, longtemps réticent – « *Never invest in a technology that you're not sure you understand* » –, le premier réseau neuronal de Berkshire Hathaway, la société d'investissement du vieux milliardaire. Cheng Lu, le *chief engineer* du high-frequency trading à Chase Manhattan, portait un débardeur simplement siglé NYC, du même orange que le tee-shirt Wolfram Society du Belge Mokthar Berudikc, le spécialiste des logiques non standard, et l'auteur, l'année précédente, d'un article remarqué : « From the Lack of Regulator to the Absence of Third Excluded : For an Intuitionistic Theory of the Market », qui décrivait les marchés financiers comme des mathématiciens idéaux.

Le dernier Prix Nobel d'économie n'avait pas pu faire le voyage, mais il s'était fait représenter par l'une de ses étudiantes, l'Ivoirienne Alaba Aighewi, dont un récent article contestait les critiques de la théorie du ruissellement contenues dans le dernier best-seller de Bruno Paretti. Elle aidait justement l'actuelle titulaire de la bourse Spitz, Minda Hernandez, qui avait elle découvert de graves manquements méthodologiques dans les prophéties de Stiglitz sur le futur effondrement de l'euro, à accrocher sa poulie à son baudrier. Le Brésilien Leandro de Souza, enfin, portait, comme les années précédentes, un grand tee-shirt Karl Marx, sans que cela nuise en rien à la fluidité de ses gestes, ni à la finesse de ses analyses du modèle de Black-Scholes, dont il venait encore de généraliser les résultats pour permettre son application à des situations de plus en plus concrètes – il jurait, comme à chacune de ses apparitions depuis vingt ans qu'il venait là le premier dimanche de septembre, qu'on n'était plus qu'à une année ou deux de développer un outil qui rendrait les marchés intrinsèquement prévisibles : il n'y aurait alors plus jamais de crises économiques et ce serait pour l'humanité une aussi grande avancée que la conquête du feu, aussi beau que si l'économie planifiée des marxistes avait eu la moindre chance de posséder cet ordinateur central qui lui avait toujours fait si cruellement défaut.

Les hauts fonctionnaires européens, plus empruntés, s'étaient fait prêter des shorts Adidas identiques et des tee-shirts multicolores, et ils n'en étaient encore qu'à la première moitié du parcours, de l'autre côté de la clairière. En vert : la Slovène Violeta Bulc, la commissaire aux Transports. En bleu et jaune : les Baltes Vigor Retyk et Marten Volger, l'architecte des partenariats spéciaux de l'Union européenne avec les micro-États et le conseiller en charge des régions ultrapériphériques auprès du commissaire à la Politique régionale. En rose : l'Allemand Viktor Schlenk, le délégué de la Commission, l'œil et la voix de Jean-Claude Juncker, d'habitude plutôt maussade, mais soudain émerveillé par la cité végétale qui s'ouvrait devant lui, avec toutes ces plateformes, ces escaliers, ces passerelles vertigineuses et joyeusement piranésiennes. En orange, l'Anglaise Nadine Robb, de la Direction générale du développement et de la coopération, ses cent vingt kilos de gourmandise technocratique serrés par un baudrier trop étroit et sur le point de disparaître dans un tunnel aérien tendu entre deux arbres. En rouge : le Polonais Viktor Chelinktov, le responsable des écosystèmes forestiers auprès du Fonds européen agricole pour le développement rural, qui n'avait, singulièrement, encore jamais grimpé à aucun arbre, et qui s'étonnait de la facilité avec laquelle il avait rejoint la plateforme accrochée au tronc lisse d'un hêtre à plus de trente mètres du sol. Il ne put d'ailleurs s'empêcher de vérifier que celle-ci était fixée à l'arbre de façon réversible : elle tenait bien sur des cales trapézoïdales en bois tendre dans lequel le câble s'enfonçait en laissant le tronc du hêtre intact. Toute cette Atlantide suspendue aux branchages, cette seconde Bruxelles conforme à tous les règlements forestiers, à tous les codes sylvestres, pourrait se résorber en quelques heures sans laisser aucune trace sur la forêt, comme un ruban de lierre qu'on tirerait doucement jusqu'au sol : cela constituait, se dit le fonctionnaire européen, une indéniable prouesse – et il frissonna un instant à l'idée d'un monde qui serait ainsi débarrassé des humains et rendu à la cruelle mollesse des forêts primitives.

D'autres VIP, encore indiscernables, venaient à leur suite – des points colorés à travers les branches, parmi lesquels devaient se trouver le Miraculé et son frère. Ceux qui avaient été exemptés d'accrobranche s'étaient regroupés dans une clairière au milieu des arbres, en attendant que retombent leurs confrères, mathématiciens, archanges technocratiques, fonctionnaires étincelants. C'était ainsi la première apparition publique de Manuel Barroso, l'ancien président de la Commission, depuis son transfert polémique chez Goldman Sachs, aussitôt son mandat fini – le Forum était peut-être le seul endroit du monde où l'accusation de cynisme ne portait pas et où l'on voyait dans la fusion possible entre les pouvoirs politique et bancaire une aussi bonne nouvelle que l'avait été autrefois le mariage de Catherine de Médicis et d'Henri II, ou la lente transmutation des Rothschild en dynastie princière : l'aboutissement de cette longue évolution politique, qui remontait au moins aux croisades, et qui avait toujours été le moteur secret de l'Europe – Jean Monnet n'avait-il pas été lui-même banquier ?

Dominique Strauss-Kahn, l'ancien président du FMI, effectuait lui aussi l'une de ses premières réapparitions sur la scène internationale, après la désastreuse affaire du Sofitel ; assis sur une chaise, au pied d'un chêne, il terminait une partie d'échecs sur son BlackBerry en discutant de la dette grecque et de la crise de l'euro avec le ministre des Finances serbe. Son ami Stéphane Fouks, du groupe Havas, qui prenait en charge, comme chaque année, l'organisation du Forum, venait de les rejoindre, et il soutenait, avec une certaine truculence, les vues orthodoxes de l'ancien ministre français sur la dette : la laisser filer, ainsi que le voulaient les keynésiens, était absurde, comme il était inutile de la rembourser trop vite. Il fallait tenir le cap, réduire les déficits et afficher une solvabilité insolente, pour éviter de devoir tout acheter cash au prix anormalement élevé qu'on réservait aux mauvais payeurs « servis au cul du camion ». Quelques-uns des négociateurs du Traité de libre-échange transatlantique qui visait à éloigner définitivement les pays d'Europe de ce quai de déchargement cauchemardesque étaient justement présents, mais ils avaient fait vœu de silence, et il leur était impossible de rien révéler sur les négociations secrètes qu'ils menaient pour harmoniser les normes douanières entre l'Amérique et l'Europe.

Malgré la présence un peu vexatoire de sa plus brillante contradictrice, Paretti, l'économiste à la mode, était finalement venu. Son *Livre noir du libéralisme* avait été traduit dans le monde entier, sans que les promesses de révolution marxiste de ses pages conclusives – peu de lecteurs avaient été jusque-là – soient prises au sérieux. Obama l'avait cité dans l'un de ses discours, et l'économiste avait passé la décennie à donner des conférences à travers la planète, de Singapour à Davos – ses appels à une refondation du capitalisme étaient toujours bien entendus, et continueraient à l'être. Il était alors en pleine discussion avec la titulaire de la bourse du prince Jan von Karst pour la pensée économique, Ute Lindberg, la sensation du moment. La plupart des invités avaient lu, au minimum, une recension de son ouvrage, paru au début de l'année, livre dont il se disait qu'il était le plus grand ouvrage d'économie en langue allemande depuis *Le Capital*, sinon depuis la Bible de Luther : *De la grâce aux taux d'intérêt, pour une théorie unifiée du rachat.*

Les Clinton, déjà en campagne pour les primaires démocrates du printemps 2016, n'avaient pas pu faire le déplacement, mais Christopher Hill, le dernier des négociateurs de Dayton après les disparitions de Richard

Holbrooke et de Warren Christopher, participerait cette année à une table ronde sur les vingt ans de leur signature.

Alan Greenspan était bien venu, lui, et ce pour la quatrième fois, mais il était reparti le matin même, excusé par son âge. Le fait que l'homme qui avait tenu l'avenir du monde entre ses mains, qui avait vaincu l'URSS et permis le passage harmonieux d'un siècle de domination américaine à un autre soit encore en vie était une source de ravissement général. Il avait été un ami d'Ayn Rand, ainsi que de la chancelière de la principauté à l'époque où elle était la reine incontestée de Wall Street, et il avait plusieurs fois déclaré qu'elles étaient les deux personnes les plus brillantes qu'il ait eu l'occasion de rencontrer. Les habitués s'étonnaient d'ailleurs de l'absence d'un autre grand ami de la chancelière, le célèbre philosophe français QPS, l'un des meilleurs esprits de ce monde.

Plusieurs responsables turcs avaient, eux, fait le déplacement pour assister à ce Forum qu'on considérait souvent comme l'antichambre de l'Europe, au pied d'une citadelle dont certains aimaient rappeler qu'elle marquait le point d'extension maximale de l'Empire ottoman, d'autres qu'aucun siège n'avait jamais pu la faire tomber. L'un d'eux avait même tenu à se joindre, en gage d'amitié, aux groupes des grimpeurs, et on lui avait prêté une tenue rose fluo qu'il portait avec une dignité étonnante. Il fumait de longues cigarettes blanches et avait dépassé la soixantaine, mais il avait surpris la plupart des mathématiciens par la souplesse de ses mouvements, ainsi que par l'excessive sophistication de son briquet.

On se répétait, de branche en branche et de table en table, le bon mot de l'élégant diplomate : la crise de 2008 avait été moins une crise qu'un changement de paradigme, qu'un coup de balancier vers l'est. La Chine avait en tout cas envoyé deux interprètes de sa future hégémonie, l'un qui rappelait à tous les racines confucéennes de la Chine, d'où découlait son penchant naturel pour l'équilibre et son anti-impérialisme métaphysique, l'autre qui vantait, auprès d'un ingénieur indien inquiet des nouvelles installations portuaires de la Chine au Pakistan et dans la corne de l'Afrique, le programme des nouvelles routes de la soie – les ministres tadjik et éthiopien des Transports, assis à sa gauche, semblaient eux approuver, en hochant la tête, ce qu'ils entendaient de leurs échanges.

L'Afrique était d'ailleurs bien représentée : on avait donné cette année-là des noms de pays africains aux tables du pique-nique en forêt qui devait clore de façon informelle, avant un dîner de gala à la citadelle, les échanges du XXe Forum – peut-être le plus réussi de tous. Il y avait ainsi, répartis à toutes les tables, de l'Algérie au Zimbabwe, une cinquantaine de journalistes, venus du monde entier, comme l'Italien Roberto Garnieri, le correspondant du *Corriere della Sera*, en poste à Bruxelles depuis si longtemps qu'on disait qu'il était, pour tous les aspirants commissaires, comme un faiseur de roi – et pourquoi pas, dès lors, lui accorder le pouvoir à peine plus grand d'élever un micro-État à la dignité d'État membre ? Ce serait sans doute le sujet de son article du lendemain : « Et si les micro-États, de Saint-Marin à Monaco, d'Andorre au Liechtenstein et au Karst, étaient les dernières frontières de l'Europe ? », qui les comparerait habilement à des forteresses médiévales, laissées en arrière par l'avancée fulgurante de l'Europe démocratique, et finissant néanmoins par menacer son hégémonie si on continuait à les négliger ainsi.

Le juriste flamand Victor Bramqueert prononcerait tout à l'heure le discours de clôture. Son livre, *L'Empire du droit*, s'était imposé, l'année précédente, comme un étonnant best-seller européen. Sa thèse, diversement appréciée, mais provocatrice, était que l'Europe n'avait jamais cessé d'être un empire, une fantastique survivance du droit romain. Il faisait même de Bruxelles une nouvelle Rome, et la fantasmagorie inaugurale de son livre – une balade, en l'an 4000, à travers les arcades de verre du quartier européen de Bruxelles – était plutôt convaincante. Verninkt lui-même, le directeur scientifique du Forum, s'était essayé à la vulgarisation, avec un petit livre qu'on avait lu avec intérêt : *Les Mathématiques, la Finance et le Monde*. Sa couverture reprenait la célèbre photo du siège hongkongais de la banque HSBC par Andreas Gursky et le résumé, au dos du livre, était résolument provocateur : « L'incroyable efflorescence de l'économie-monde, les prodigieuses profondeurs de la finance n'auraient pu exister sans une croyance sous-jacente aux vérités mathématiques, de l'analyse aux probabilités. Mais c'est sans nul doute à l'intuitionnisme que le capitalisme emprunte son incroyable puissance, physique et intellectuelle : la croyance, à la fois simple et vertigineuse, que, si le vrai est implacable, il n'est jamais connu à l'avance, il n'est connu qu'en tant qu'il est expérimenté. D'où la thèse révolutionnaire de ce livre : que la finance mathématique est l'histoire du vrai. » Verninkt était assis à côté de l'un de ses anciens étudiants, qui avait longtemps servi de plume à Barroso : c'était notamment lui qui avait rédigé son discours de Stockholm, quand l'Union européenne avait reçu le Nobel de la paix – « l'Europe devenue une fonction récursive », avait joliment dit Verninkt, qui s'amusait à comparer son élève à

Leibniz, autre brillant mathématicien devenu diplomate, et inlassable artisan d'une réconciliation entre catholiques et protestants. Il avait d'ailleurs suivi son patron chez Goldman Sachs, où il rédigeait diverses notes stratégiques en rêvant d'une réconciliation entre l'Europe endettée du Sud et celle du Nord aux budgets impeccables.

Les habitués des grands sommets, la cour itinérante de la mondialisation, étaient aussi représentés. Un start-upper hongrois, Rad Munkozy, distribuait des stickers pour un mystérieux fonds alimentaire mondial, une plateforme intelligente de régulation des échanges de céréales et d'oléagineuses destinée à supplanter la Bourse de Chicago, tandis que le mathématicien monténégrin prodige Milo Slipic menait l'offensive de la fintech, avec une plateforme de gestion révolutionnaire appelée Cassander, qui avait la réputation à peine exagérée de lire les marchés financiers avec quelques secondes d'avance.

Le prix Joachim-Spitz avait été remis la veille à JPMorgan pour ses remarquables efforts d'intégration des mathématiques financières à ses décisions stratégiques. C'était son ambassadeur de prestige, Tony Blair, qui avait reçu des mains du prince Jan l'imposant cube de verre, une œuvre de l'artiste suisse Mina Sloberski qui avait enfermé un morceau compact de calcaire blanc cubique dans une boîte en verre étanche. Celle-ci ne présentait pour l'heure que ses six faces immaculées et lisses, mais l'artiste avait préalablement imbibé la pierre d'une eau légèrement acide et promettait, pourvu qu'on expose l'objet à la lumière, qu'on y verrait bientôt apparaître un système karstique au complet, un réseau étincelant de grottes, de siphons et de gouffres.

I

Plus ancienne banque du continent européen et vénérable institution financière, la Venezia aurait financé la première croisade, les voyages de Marco Polo et ceux de Christophe Colomb. C'est logiquement qu'elle a ainsi fini par rejoindre le Nouveau Monde, où, solidement arrimée au rocher de Manhattan, elle figure aujourd'hui parmi les cinq plus grandes banques américaines. Mais elle s'apprête à vivre la plus grande de ses révolutions, en accueillant une femme à sa tête. Et comme un clin d'œil à la longue histoire de la banque, celle-ci, après avoir fait toute sa carrière à la Venezia, où elle dirigeait jusque-là les opérations financières, a grandi dans un palais de la Sérénissime.

Time Magazine, décembre 1982.

> L'étui au long doigt du christianisme trinitaire a laissé
> filer l'âme humaine.
>
> *Le Nombre de Gorinski*

C'est la première monnaie, celle avec laquelle on peut
tout acheter, l'outil universel.

À chaque rentrée, le mois de septembre est consacré aux billes, dans le grand bac à sable de la cour de
récréation. Les billes ont toujours été là, par un commerce mystérieux. La règle implicite veut qu'on n'en
achète jamais ; on les gagne seulement. Les billes, aussi
éternelles que les grains de sable, sont un des éléments
de l'univers. Mais chacune possède une histoire et une
valeur propre. Les plus anciennes sont en terre cuite.
Plus légères que les autres, un peu moins rondes, plus
archaïques, elles roulent mal, peuvent se casser, perdre
leurs couleurs. Les billes hélices, à peine plus récentes,
sont en verre transparent et on observe à l'intérieur une
petite spirale torsadée de couleur dont on se demande
comment elle a pu être introduite ici – l'objet semble
impossible à fabriquer. Les billes agates, enfin, en por-

celaine blanche, mais teintées d'un fuseau coloré, complètent cette génération – la génération des origines. Flavio pressent qu'on y jouait bien avant sa naissance. Il est peut-être né des anciennes trajectoires déterministes qu'elles ont tracées en des temps reculés, l'étincelle de hasard qui l'a sorti du néant pourrait provenir de ce léger accroc à la surface immaculée de ces cailloux surnaturels, cette hélice pourrait être un fragment agrandi de son code génétique, ce pourraient être les mains d'un de ses ancêtres préhistoriques qui auraient roulé cette bille argileuse, ce premier symbole d'un infini futur. Il ignore comment elles ont dévalé le temps jusqu'à lui pour finir là, à l'intérieur d'un sac en velours, bien à l'abri de la lumière dans sa table de nuit.

Les autres billes apparaissent progressivement. Il faut heurter une bille adverse pour s'en emparer. Flavio agrandit sa collection. Le miracle, c'est que le nombre de billes en circulation semble augmenter toujours. Les richesses s'accumulent dans le bac à sable. Les billes elles-mêmes grossissent et les règles évoluent. On doit les déterminer très vite, la bataille devient essentiellement verbale, des formules bloquent celles de l'adversaire, des contre-sorts existent, tout se passe en quelques secondes, comme lors de cette vente à la criée à laquelle Flavio a assisté un jour en classe de mer – ce n'étaient pas les bêtes aux entrailles éventrées et aux milliers de tentacules qui l'avaient le plus impressionné, mais la vitesse indiscernable des mouvements des humains quand il s'agissait de déterminer la valeur des choses.

Et de nouvelles billes apparaissent, sans cesse et de plus en plus vite. Des billes chinoises, œils-de-chat, banquises ou amazonies. Des billes si précieuses qu'il devient dangereux de les jouer. La plus grande perte qu'aura à subir Flavio, c'est celle d'une bille neptune, toute bleue, qui devient immense quand il l'approche de son œil – aucune mer, aucun océan n'égalera plus jamais cet infini, une fois qu'il l'aura jouée, et perdue, contre son double rougeâtre un instant convoité.

Alors Flavio se retire de la compétition pendant quelques semaines. Il reste là, sans jouer, dans l'immense désert de sable, en repensant à sa planète disparue. Et il découvre, sous ses pieds, d'étranges formes, des formes inconnues. Ce sable est plein d'éclats de silex, aussi appétissants que des bonbons. Certains sont noirs, comme des réglisses, d'autres orangés et presque transparents, comme des bonbons au miel. Il n'hésite pas à les sucer pour les rendre aussi brillants que des billes, des billes aux formes anormales, fascinantes et injouables – existe-t-il un univers si monstrueux qu'elles pourraient y rouler comme elles roulent dans sa bouche ?

Les choses s'accélèrent encore et on voit apparaître les billes météores, énormes et violacées, métallisées en surface mais encore transparentes – elles ont l'air d'avoir été vraiment découpées dans le fond nébuleux du cosmos.

Flavio commence à faire d'étranges rêves de richesse. Il remplit, en pensée, le bâtiment de la cantine de la plus grande collection de billes qu'on ait jamais rassemblée – un jour, les femmes de la cantine, en débarrassant, ont joué à celle qui saurait empiler le plus de pots de yaourt vides, et les piles, en équilibre instable, ont atteint le plafond. Flavio rêve de quantités similaires, d'un immense déséquilibre, de portes qu'on ne peut plus fermer, de fenêtres qui éclatent sous la pression cumulée de toutes les billes de l'univers.

Mais l'infini est là, déjà, autour de lui dans le grand bac à sable. Des billes nouvelles arrivent du monde entier.

Des combats spéciaux s'organisent, même, avec l'arrivée de maxicals, qui valent trois ou quatre fois les plus gros météores, et qu'on appelle les galaxies – le calcul de la valeur est à la fois instantané et toujours juste, c'est là que s'exerce la véritable habileté des joueurs, bien plus que dans le jeu à proprement parler. Une sorte d'intelligence collective, de logos mathématique flotte au-dessus du bac à sable et Flavio répugne un peu à voir le hasard des parties le troubler.

Aucune singularité ne résiste aux estimations, toujours exactes, qu'on fait des nouvelles entrantes, le consensus se forme en quelques secondes. On finit ainsi par rejeter les minibilles, moins en raison de leur manipulation délicate que d'un rapport ambigu qu'elles établissent dans l'échelle des valeurs, qui privilégie la grosseur. De plus, sous leur incarnation métallique, celles-ci semblent proliférer anormalement, déréglant le calcul de la rareté sur laquelle est fondé tout l'édifice de la valeur. Flavio comprend enfin, après qu'on a vu apparaître les mêmes billes métalliques, mais grosses cette fois comme des noix, d'où vient la tentative de fraude, quand il entend un professeur parler de roulements à billes de camion.

La crise est cependant rapidement résorbée, avec l'apparition des billes nacrées, elles aussi gigantesques, mais dont les imperfections nombreuses ne laissent cette fois-ci aucun doute sur leur authenticité, sur leur origine incontestablement humaine, et non machinique.

Cela aurait pu durer toujours si on n'avait pas recouvert, un été, le bac à sable d'un asphalte définitif. C'est la fin de la saison des billes à la rentrée de septembre.

Flavio jouera encore une saison ou deux, seul, sur la moquette grise de sa chambre, mais sans le danger de perdre ou de gagner, l'intérêt du jeu n'existe plus vraiment.

La dernière fois qu'il jouera aux billes, ce sera sur l'écran de sa Game Boy, en faisant rouler une grosse bille blanche sur un labyrinthe tridimensionnel gris – la peur du néant, à chaque chute dans le vide, le conduira à arrêter très vite, et il finira même un jour par céder toutes ses billes à un jeune voisin qui l'aurait sans doute moins remercié s'il avait compris, comme lui, leur nature profondément mélancolique.

Il s'était d'ailleurs souvenu d'où étaient venues ses premières billes indifférentes et cette neptune qui lui manquait encore : du grenier d'une maison en Bretagne où on l'avait autorisé un jour à venir puiser à pleines mains dans un tonneau en plastique rempli à ras bord – le trésor pirate d'un enfant disparu.

La Renaissance comme réaction de l'Europe à deux événements distincts et accidentels – deux percées simultanées dans le grand dais constellé de son ciel mental, deux apparitions, au sens strict du mot, l'une géographique, l'autre archéologique. De pures intuitions de l'Histoire. En 1492, Christophe Colomb, parti chercher les Indes par l'autre côté de la Terre, s'égare dans les Antilles. L'aventure confine au grotesque : parti en ligne droite sur l'océan infini, Colomb parvient à s'échouer sur le premier obstacle venu, une île qu'il s'empresse de nommer du nom de son sauveur et qui ne fait même pas la taille d'un astéroïde mineur. La malchance de Colomb donnera lieu à une intéressante opération de recalibrage géographique quand le globe dut être déplié pour y loger le fuseau immense de l'Amérique inconnue.

Le Nombre de Gorinski

C'est un pays et c'est un village, c'est une montagne et c'est une vallée. C'est un bloc de calcaire brut, charrié par le Grave à travers les Alpes orientales et qui se serait finalement arrêté, après sa lente traversée de l'Autriche, au bord du territoire slovène, quand le lit du fleuve s'était rétréci jusqu'à former une gorge étroite et vertigineuse. Ou bien, rendu de plus en plus léger par le développement d'un vaste réseau de galeries souterraines, le rocher serait remonté à la surface des Alpes et serait resté coincé entre les parois cristallines des duchés rivaux et des empires millénaires.

Le Karst semble ainsi flotter au-dessus de l'histoire européenne – l'histoire européenne comme un glacier invisible et tragique qui aurait laissé sur son parcours quelques blocs erratiques perplexes, quelques principautés inexplicables.

Les gorges du Grave protègent encore aujourd'hui, en amont et en aval, le rocher et ses dépendances – un bourg isolé, une petite plaine limoneuse qui sert de bassin industriel et, à l'aplomb du rocher, un bois ombreux et impénétrable, la forêt du Horvdt, gardée par des sentinelles de pierres déchiquetées. On peut à peine marcher, là-bas, entre les mousses et les branches pourries où le pied s'enfonce dans des enfers silencieux, c'est comme si la terre n'avait plus de surface – et les rares endroits où le sol résiste indiquent moins la présence d'un sentier que la crête tourmentée d'un lapiaz invisible. C'est une des dernières forêts primaires d'Europe et l'un des lieux les plus reculés du monde. Les arbres qui la bordent ont tout au plus alimenté en matière première les fabricants de mobilier miniature pour maisons de poupées de la Josefstrasse, ainsi que les fours dans lesquels on faisait cuire des assiettes en porcelaine aussi petites que des ongles – cela avait été, pendant des siècles, toute l'industrie de la principauté, avant qu'on ne découvre qu'en chauffant mieux l'argile locale, une variété particulièrement pure de kaolin, on pouvait produire des dents de toutes les formes, humaines et mécaniques, ou les billes incassables des roulements de précision. À l'âge d'or de l'industrie karste, ces engrenages et ces billes de céramique blanches donnèrent naissance à d'étranges objets qui firent un temps la renommée du Karst, des petits calculateurs cylindriques poussés là comme une espèce particulièrement insolite et sophistiquée de champignons.

La vieille forteresse construite au sommet du rocher servit longtemps de borne frontière entre les trois grands duchés du sud-est du Saint Empire : la Carinthie, la Styrie, la Carniole. Des raisons dynastiques complexes, ainsi que le caractère supposément imprenable de la citadelle, ont cependant préservé le duché du Karst de toute annexion, et l'ont même laissé, au sein des empires et des fédérations ultérieures, dans un état de relative indépendance – ou de sujétion multiple.

L'histoire drôle a été souvent racontée : c'est l'histoire d'un Karste qui raconte qu'il a été dans plus de cinq pays. Alors tu aimes voyager ? lui demande-t-on. Non, je n'ai jamais bougé de chez moi. Je suis né dans l'Empire austro-hongrois en 1900, j'ai eu vingt ans dans le royaume des Serbes. Au milieu de ma vie, j'ai même été un citoyen du Reich, puis je suis devenu yougoslave, et maintenant que je suis vieux, pour la première fois de ma vie, je suis karste – mais je mourrai peut-être citoyen de l'Europe.

Le rattachement en apparence contre-nature du Karst, germanophone et catholique, à la jeune fédération yougoslave, plutôt qu'à l'Autriche, tient sans doute à l'examen trop rapide de sa situation ambiguë par les négociateurs du traité de Saint-Germain, destiné à statuer sur le sort de l'Autriche-Hongrie après la Première Guerre mondiale : le duché dut être jugé trop petit pour constituer un candidat valable au titre d'État-nation, et on dut surinterpréter certains signes qui plaidaient pour son rattachement à l'aire slave ou orthodoxe, comme ces spécialités culinaires à base de boulettes de viande, ces costumes trop bariolés des bergers ou encore cette légende, fréquemment rapportée par des ethnologues, d'une tribu grecque nomade oubliée qui aurait erré pendant des millénaires à travers les Balkans avant de s'établir ici, comme en attestait la survivance de certaines traditions mathématiques, à commencer par cette façon toute pythagoricienne qu'avaient gardée les commerçants de représenter les quantités sous forme pyramidale. On aimait aussi faire remarquer que les rues de Karstberg, la capitale, étaient disposées de telle sorte, autour de la place triangulaire de la cathédrale, qu'elles formaient une démonstration visuelle du théorème de Pythagore. Plusieurs voyageurs avaient également rapporté qu'on interdisait aux enfants d'apprendre à compter jusqu'à dix, pour garder au concept de nombre sa fraîcheur cardinale, et que plutôt que d'exiger d'eux qu'ils connaissent leurs tables de multiplication par cœur, on les incitait à construire leurs propres outils pour arriver, dans un délai presque égal, à des résultats identiques : 6×7, c'était $2 \times 3 \times 7$, c'était 2×21, c'était 3×14 – l'échafaudage, disait Gorinski, partage avec le dôme une forme commune.

Stanislas Gorinski, le réformateur des mathématiques, *le Gauss des Balkans*, était alors le Karste le plus célèbre d'Europe. Et il semblait avoir lui-même accrédité ces légendes protochronistes quand il s'était proclamé l'héritier direct de Pythagore. Son hostilité envers son grand adversaire, le mathématicien allemand David Hilbert, devait d'ailleurs l'emmener encore plus loin en terre orthodoxe : de sa décision initiale de ne plus écrire de mathématiques qu'en caractères cyrilliques jusqu'à sa disparition inexpliquée pendant les purges staliniennes. Privé de son génie national, le Karst put à son tour disparaître, comme le traité de Saint-Germain l'y incitait fortement. Seuls quelques rares spécialistes de l'intuitionnisme, cette logique nouvelle à partir de laquelle Gorinski avait voulu refonder toutes les mathématiques, se souvenaient encore de la principauté.

Les grandes nations d'Europe nommèrent, de loin en loin, quelques consuls dans la province yougoslave inutile, où ils dépérissaient d'ennui, fleurissant à dates régulières le monument d'hommage aux partisans karstes, et accumulant, sous le calculateur cylindrique qu'on leur offrait rituellement le jour de leur installation – dont ils échouaient en général à comprendre le fonctionnement et dont ils finissaient toujours par faire un presse-papiers –, les rares demandes de visa des mathématiciens qui désiraient voir le lieu de naissance de la doctrine ésotérique.

Mais même dans le domaine restreint des mathématiques exotiques on finit par se désintéresser du Karst. La figure légendaire de Gorinski s'effaça, remplacée, à l'Est, par celle de Kolmogorov, le stakhanoviste des mathématiques soviétiques, et à l'Ouest, par celle de Grothendieck, le pacifiste génial et apatride qui vivait en ermite dans les Pyrénées.

La société karste qui fabriquait ces cylindres mathématiques faisait dans le même temps face à la concurrence massive des calculatrices électroniques solaires – véritable miracle de la miniaturisation japonaise, à peine plus épaisses que des cartes de visite et faites pour tenir dans tous les portefeuilles du monde – qui devaient mettre définitivement fin au règne des calculateurs Spitz. La société, sur laquelle l'existence du Karst reposait presque exclusivement, au sein d'une Yougoslavie indifférente, s'était alors lancée dans la fabrication d'un autre fétiche susceptible d'encrypter à son tour l'évanescent génie national : une montre mécanique qu'on avait surnommée un peu vite « la Swatch des Balkans », et dont les possesseurs ironiques pouvaient à raison affirmer que si l'âme karste se confondait avec ses engrenages, celle-ci était assez mal en point.

Malgré ces rares réalisations, le statut de la nation karste était de toute façon indécidable et les quelques négociateurs du traité de Saint-Germain ayant été amenés à visiter le Karst, très attachés, pourtant, au caractère sacré de la doctrine Wilson sur l'autodétermination des nations, étaient logiquement passés à côté de son existence. « Qui sont vraiment les Karstes, avait écrit un diplomate français : des Germains égarés, des Slaves balkaniques ? Ils parlent allemand mais se proclament les héritiers de Pythagore, ils sont catholiques mais ont développé pour les chiffres arabes une sorte de culte. Qui sont-ils vraiment, d'autres Magyars, des Bohémiens, des Basques ? Il est même impossible d'exclure totalement qu'ils soient turcs. Cependant, il semble acquis qu'ils maîtrisent très largement, sinon le serbo-croate, du moins le russe. »

Ce jeune diplomate observateur et perplexe, envoyé dans cette vallée perdue des Balkans, avait en effet été frappé par l'abondance des publications en cyrillique qu'il avait vues dans les devantures des librairies – mais il ne possédait pas les connaissances en mathématiques, ou en russe, qui lui auraient permis de reconnaître, dans toute cette littérature, le bulletin mensuel de la Société karste de mathématiques, dirigée par Gorinski et largement soutenue par le prince Anatol, l'héritier présomptif du trône, qui avait eu autrefois Gorinski pour précepteur, qui aimait les mathématiques et qui voyait dans son soutien constant à son ancien maître une façon subtile de réaffirmer la singularité karste. Le plus ancien duché de l'Empire austro-hongrois se rêvait alors en principauté indépendante.

L'Histoire en décida autrement et le traité de Saint-Germain marqua la fin de ces velléités, comme la rupture définitive avec Vienne, qui entraîna le duché dans les eaux troubles des Balkans yougoslaves, puis du monde communiste.

Le prince Anatol, dont la présence en France n'avait pas été jugée nécessaire au moment des négociations, fut assassiné en pleine rue par un étudiant en mathématiques rendu prétendument fou par les théorèmes d'incomplétude de Gödel – on suppose que le déséquilibré aurait été manipulé par la police d'Alexandre, l'ancien roi des Serbes devenu, après la guerre, le premier souverain du royaume agrandi de Yougoslavie, un souverain décidé à se débarrasser des dernières structures vestigiales de l'Empire des Hohenstaufen et des Habsbourg, auquel se rattachait la lignée du prince.

Une autre hypothèse implique Gorinski. Il avait déjà disparu en Russie soviétique, mais il aurait échangé quelques lettres avec le meurtrier du prince.

Le prince Anatol laissait un unique héritier, le prince Emanuele, âgé d'à peine un an, qui mourrait en exil, à Monaco, sans avoir jamais revu son duché. Son fils, Jan, né en 1950, hériterait de son titre, essentiellement honorifique. Il serait le premier von Karst à exercer une activité civile, en devenant le mandataire monégasque d'une banque vénitienne, avant de se mettre à son compte, comme gestionnaire de fortune. Il deviendrait ainsi l'un des banquiers privés les plus appréciés d'Europe – même s'il demeure principalement connu, en dehors des cercles financiers, pour son éphémère aventure avec une princesse de Monaco.

L'Europe va se projeter, comme dans l'expérience des fentes Young, ondes et caravelles, sur la surface qui s'ouvre, par intermittence, de l'autre côté des pointillés de l'arc antillais.

Le Nombre de Gorinski

Flavio avait grandi au sud de Paris, au cœur de la forêt de Dourdan, dans la dernière maison avant les arbres, chez un couple sans histoire. Ils étaient plus âgés que les parents de ses camarades d'école et il les appellerait toujours, sans vraiment de certitude, papi et mamie. Flavio était orphelin. Il ignorait de quoi ses parents étaient morts, et même s'ils l'étaient vraiment. Il ne connaissait même pas leurs prénoms, et son nom à lui, c'était le leur, un nom aussi banal, aussi standard que la porte de sa chambre, mais un nom contre lequel son prénom sonnait faux. Les animaux contorsionnistes qui dessinaient celui-ci en lettres colorées sur cette porte s'étaient peu à peu détachés, emportant la peinture. Sa chambre, qui donnait sur les arbres, était légèrement humide et Flavio apercevait, derrière son prénom, le contreplaqué qui se gondolait un peu. Il y avait mis le doigt un jour. Le bois s'était enlevé écaille par écaille, comme l'écorce des platanes. Il avait découvert, enfin, après quelques séances de travail nocturne derrière le furet dressé sur ses pattes arrière du F majuscule, une étonnante structure cartonnée en nid d'abeille. Il avait pu rentrer tout son doigt à l'intérieur. Par une initiative qu'il s'expliquait mal, il avait déposé là un enfant Playmobil, qu'il n'arriverait pas à faire ressortir. Les années avaient passé et un jour il avait retrouvé, en rentrant du collège, sa porte repeinte. Les lettres avaient disparu, le trou était rebouché et il n'oserait jamais demander à son grand-père s'il avait ressorti la figurine ou si elle était prisonnière pour toujours.

Flavio n'osait jamais poser de questions. Il devinait, sans doute, qu'il existait un secret et qu'on ne lui dirait jamais la vérité. Il imaginait les choses les plus tristes : un accident, un assassinat, un double suicide.

Le plus ancien souvenir de Flavio remontait à la fabrication d'un livre illustré qu'il avait assemblé avec les divers écussons que son grand-père avait retirés de la voiture, une longue 604, qu'il venait d'acheter d'occasion. C'étaient de grandes images naïves venues de toute l'Europe, de Lourdes, d'Aix-la-Chapelle, de Saint-Jacques-de-Compostelle et même du Vatican, toute une Europe ancienne et touristique que Flavio avait transformée en une sorte de retable, réutilisant leurs faces autocollantes pour les attacher entre elles, ce qui avait fait de son maniement une expérience assez contre-intuitive : si les images commençaient bien par défiler dans le sens conventionnel, il fallait repartir à l'envers une fois passées les Pyrénées et monter soudain, après Monte-Carlo, en accompagnant la surrection alpine, avant d'aller se perdre vers les Alpes autrichiennes.

La maison était très propre. La voiture était lavée chaque dimanche. Ils allaient à la messe quatre ou cinq fois par an. Flavio avait fait sa communion et sa profession de foi. C'était dans une petite chapelle au milieu des champs. Cette après-midi-là, dans une ambiance atemporelle, Flavio croirait en Dieu quelques heures. Mais c'est un autre bâtiment qui marquerait son enfance. Un musée de la préhistoire, en béton brut, une masse lourde et caverneuse, entouré de grès transformés par les hommes préhistoriques en polissoirs. Le temps lui était soudain apparu, à l'image du porte-à-faux qui surmontait l'entrée, comme quelque chose d'énorme, d'intimidant et de sacré. De dangereux, aussi : la structure était à l'image de ces masses galbées et menaçantes qu'il retrouverait, plus tard, sur la côte atlantique, une sorte de lave venue d'en dessous du monde, et à laquelle il pensait, parfois, comme à sa famille véritable. Une dimension tragique et inconnue du monde lui adressait ainsi quelques rapides appels.

En même temps qu'il avait découvert grâce à différents indices – un virement mensuel aperçu sur un relevé de compte, un passeport, rapidement caché, qui ne correspondait pas à la norme française – que ses grands-parents n'étaient pas ses grands-parents, Flavio avait découvert qu'ils étaient des petits-bourgeois. La chose ne l'affectait pas comme si c'était une tare familiale, mais l'amusait plutôt. Ils étaient pudiques. Travailleurs. Elle était comptable dans une entreprise locale qui cultivait et qui congelait des herbes aromatiques. Il venait, lui, de prendre sa retraite de l'Office national des forêts – il avait fini sa carrière en tant qu'administrateur des grandes étendues de sable blanc de la forêt de Fontainebleau, et c'était comme si les grès de celle-ci, en forme d'animaux pétrifiés, appartenaient aussi à son histoire familiale – des dragons vaincus.

Flavio avait accompagné un jour son grand-père à Paris, au siège circulaire, pareil à un donjon, de l'ONF – aucune administration, même quand il serait, beaucoup plus tard, amené à visiter des palais présidentiels ou des chancelleries, ne l'impressionnerait jamais plus que cette modeste tour de dix étages qui décidait du sort des plus vieux chênes de France et des mers disparues.

> Le globe comme un lustre déposé sur le sol avec tous
> ses cristaux taillés rendus facilement accessibles.
>
> *Le Nombre de Gorinski*

Jan von Karst rencontra sa future épouse à New York en 1985, dans l'atrium en marbre rouge de la tour Venezia, siège de la banque que celle-ci dirigeait et dont il avait l'habitude de recommander les produits financiers à ses clients.

Ils parleraient toujours d'un coup de foudre.

Jan était au firmament de sa carrière de play-boy, de cette vie indolente qu'il se voyait bien continuer toujours auprès de sa clientèle raffinée et festive entre Gstaad et Davos, Saint-Tropez et Ibiza. Mais il se savait trop pauvre pour résister longtemps à un mariage et Ida représentait l'épouse idéale. Elle n'était pas la plus riche ni la plus belle de ses prétendantes, mais elle était d'origine karste comme lui, et comme lui condamnée à l'exil – une sombre histoire de mésentente familiale.

Elle était aussi plus âgée que lui, ce qui rendait improbable qu'elle lui donne un jour un héritier – mais le royaume de Jan n'existait plus, et cela faisait longtemps qu'il avait subi une vasectomie pour se mouvoir plus librement dans le royaume de substitution qu'il avait choisi, un royaume rempli de princesses amoureuses et de mannequins opportunistes.

Elle s'appelait Ida Spitz et avait été surprise que ce nom ne lui dise rien – la famille Spitz, lui avait-elle appris, avait quasiment remplacé les von Karst : son oncle Ferdinand avait ainsi été le premier président de l'État fédéré du Karst.

Jan ignorait tout cela. Son père avait fui le duché cinquante ans plus tôt, et il n'avait plus aucun contact avec le Karst. Il était citoyen monégasque. La Yougoslavie ne l'avait jamais vraiment intéressé. Il avait tout au plus failli se rendre aux jeux de Sarajevo, l'année précédente, pour accompagner l'unique représentant de la délégation monégasque, un ami à lui, un très bon skieur, qui était arrivé quarante-septième de la descente, à seulement dix secondes du médaillé d'or. Mais il avait dû suivre la compétition à la télévision car son visa lui avait été refusé. À cause de son nom, apparemment. Comme s'il préparait un coup d'État, une restauration. Alors qu'il devait rester dix personnes tout au plus, dans toute l'Europe, à lui donner le titre de prince – et la plupart du temps de façon ironique. Il n'était même pas convié aux cérémonies officielles monégasques – quoique la raison en fût peut-être à chercher ailleurs, avait-il ajouté, songeur.

— Vous avez donc travaillé cinq ans pour la Venezia à Monaco : quelle étrange coïncidence, et quel dommage que je ne l'aie jamais su. J'ai été votre patronne, et vous, vous êtes mon prince, avait-elle dit en rougissant, dans ce restaurant de Wall Street où elle l'avait invité à déjeuner.

Vous êtes mon prince et si le Karst existe encore un peu, c'est grâce à ma famille, hélas.

Elle avait alors entrepris de raconter à Jan l'histoire du groupe Spitz, fondé par son père et son oncle, et détenu, encore aujourd'hui, par son cousin Gabriele.

— Si "détenir" a un sens au pays des conseils ouvriers et de la participation, l'avait interrompue Jan, qui avait dit là à peu près tout ce qu'il savait de la Yougoslavie communiste.

— Vous avez raison. Mais le régime a su très tôt s'attirer les soutiens de l'oligarchie industrielle naissante – la Yougoslavie de 1945 était encore très majoritairement paysanne, et ses rares usines devaient être protégées. Le minuscule Karst, où mon oncle venait d'inaugurer sa première usine, est apparu très vite comme un centre industriel vital. Les Karstes ont par ailleurs l'avantage d'être relativement indifférents au conflit larvé entre nationalités qui mine, depuis l'origine, l'histoire de la Yougoslavie : appartenir à une minorité germanophone en 1945 rend plutôt conciliant. Mon oncle s'est ainsi toujours bien entendu avec Tito, et l'un de ses deux fils compte aujourd'hui parmi les hommes forts de Belgrade, un proche de Stambolić et de Milošević – mais je doute que ces noms vous disent quelque chose. Le groupe Spitz est en tout cas rapidement devenu un élément central du nouveau régime, un élément fédérateur, même, quand ses premiers succès industriels ont commencé à être visibles de l'étranger. Je suis sûre, au moins, qu'à défaut de connaître mon nom vous avez vu quelque part – pas aux poignets de vos clients mais dans les boutiques des aéroports – l'objet qui l'a rendu mondialement célèbre : la Spitz 2000, la "Swatch des

Balkans", l'une des toutes dernières productions de l'usine historique de Karstberg.

— Bien sûr ! La fameuse montre qui est allée dans l'espace ! Je n'avais pas fait le lien.

— Exactement. Je vois que mon cousin maîtrise à la perfection le marketing à l'occidentale. Sa petite montre est allée jusqu'à la station spatiale Saliout, au poignet d'un cosmonaute, où elle a effectué plusieurs milliers de révolutions autour de la Terre. J'ignore par quel miracle mon cousin a réussi à convaincre Baïkonour de se mettre ainsi au service de l'industrie un peu bancale d'un pays non aligné – ou plutôt je crois le savoir, je crois voir d'où peut venir la connexion, mais cela nous entraînerait beaucoup trop loin. Vous connaissez Gorinski, le grand mathématicien karste ?

— Je connais ce nom. J'ai entendu mon père l'évoquer quand il était ivre. Il disait qu'il était responsable de la mort de son père et de la fin du duché du Karst. Il ne parlait d'ailleurs de tout cela, de son royaume perdu et de l'assassinat de son père, que quand il était ivre. Mais ma mère finissait toujours par le faire taire – comme si ça pouvait l'empêcher de boire. Et pour finir, il n'a presque plus rien dit, mais il a continué à boire, et il est mort quand j'avais quinze ans. Il avait trente-cinq ans, l'âge que j'ai aujourd'hui. Trente-cinq ans, dont trente-quatre années d'exil.

— J'étais à son enterrement. Ma mère avait tenu à faire le voyage de New York avec moi. Je vous ai vu, ce jour-là, à la cathédrale Notre-Dame-Immaculée de Monaco. C'était une cérémonie étrange. L'Europe princière enterrait l'un des siens dans un parfait anonymat. Les princes et les rois avaient envoyé des délégations restreintes mais aucun chef d'État, aucun ambassadeur n'avait fait le déplacement. Même Rainier n'est pas venu. Les couronnes de fleurs étaient gigantesques. On voyait à peine le cercueil.

— Oui. La principauté a interdit qu'on les emporte jusqu'à la tombe. Le cimetière était trop petit, et il fallut tout charger dans un camion blanc. Je me souviens de ce camion bien mieux que du corbillard.

— Je suis désolée, vraiment.

Elle avait alors posé sa main sur la sienne et leurs doigts avaient fini par s'entremêler.

— Vous aviez déjà beaucoup de charme, ce jour-là. On aurait dit le mélange entre un petit garçon et un homme mûr. En fait vous n'avez pas changé, vous êtes resté cet homme, ce prince mélancolique.

Il lui avait souri et elle s'était demandé, devant ses adorables fossettes et ses dents impeccables, si elle n'avait pas un peu fantasmé toute cette mélancolie. Jan était à cet instant parfaitement fidèle à son image publique, au portrait habituellement dressé par la presse à scandale – celui d'un play-boy irrésistible. Ida avait approché son visage du beau prince en exil et c'est ainsi qu'ils s'étaient embrassés, moins de deux heures après leur première rencontre dans le hall en marbre rouge de la tour Venezia.

On voit dans l'Europe le plus grand empire qu'il y ait jamais eu dans le monde : les empires espagnol et portugais d'abord, si grands qu'ils occupaient chacun un hémisphère complet, les empires anglais et français ensuite, qui couvraient ensemble près de la moitié des terres émergées. Mais l'idée d'empire, qui prit partout et qui cerna le globe, était condamnée à échouer en un seul lieu du monde, et là même où elle était née – comme si l'Europe l'avait expulsée d'elle.

Le Nombre de Gorinski

Il y avait un grand cerisier dans le jardin de Dourdan. Chaque année, avec l'arrivée des cerises, le temps s'arrêtait, l'année interminable dérapait, juste avant l'été, sur les milliers de noyaux qu'on abandonnerait bientôt sur la terrasse. C'était la seule occasion pour laquelle Flavio avait le droit d'inviter des amis de sa classe, et ils passaient alors toute l'après-midi à récolter les cerises dans des seaux, à en manger encore plus, à se lancer des défis sur le nombre de cerises qu'ils pourraient avaler et à se tromper sur les nombres, sautant de la dizaine à la centaine et pour finir oubliant de compter, avant d'atteindre des infinis nauséeux, accrochés au grand arbre à la sève translucide.

Flavio serait surpris d'apprendre un jour que l'arbre ne donnait qu'une année sur deux, et il se demanderait où étaient passées ces années disparues.

Il avait été encore plus surpris d'apprendre qu'il avait presque le même âge que lui – il lui aurait donné au moins cent ans. Il commença dès lors à se sentir une sorte de responsabilité à son égard, et renonça, pour ne pas l'abîmer avec des clous, à s'y construire une cabane. Son rôle de gardien allait même devenir problématique quand son grand-père lui offrit, pour ses sept ans, un petit lance-pierre à manche en bois clair, qui tenait parfaitement dans sa main, et dont le gros élastique de caoutchouc permettait de lancer des billes d'acier, à peine plus grosses que des noyaux, sur les merles qui dévoraient les cerises.

La possibilité de tuer avait représenté un choc pour Flavio, comme le serait, quelques années plus tard, la découverte d'un harpon à air comprimé dans le local de son club de plongée. Il avait jusque-là considéré ces merles moins comme une nuisance que comme d'excellents complices et informateurs : les cerises sur lesquelles ils avaient laissé l'empreinte de leur bec étaient censées être les meilleures de toutes. La présence du lance-pierre, sur sa table de nuit, pendant les courtes semaines qui avaient séparé, cette année-là, la floraison de l'arrivée des cerises, avait soulevé le premier dilemme moral de son existence ; il avait, finalement, rendu l'objet à son grand-père sans l'avoir utilisé, et ils n'en avaient jamais reparlé – comme d'ailleurs ils n'avaient jamais évoqué ensemble la chasse, cette autre composante centrale de l'activité forestière.

Son grand-père lui avait en revanche longuement parlé de sa première affectation, bien avant Dourdan. C'était à une heure d'ici, au tout début des années 60, quand on avait décidé de faire passer l'autoroute Paris-Lyon tout droit à travers la forêt de Fontainebleau – et de saccager ainsi des centaines d'hectares de son beau sable blanc, de ravager des dizaines de blocs de son bestiaire de grès. L'autoroute primitive était constituée, à l'imitation des autobahns allemandes, de grandes plaques de béton séparées par des joints sonores. On ne construisait alors ni écoducs souterrains ni passages à faune pour assurer la continuité des écosystèmes, et cela avait été une véritable souffrance – il avait montré à Flavio des photos aériennes d'une immense trouée blanche qui lui avait évoqué la Transamazonienne. Flavio n'avait jamais entendu son grand-père lui parler de la guerre et tout ce qu'il en saurait, pendant longtemps, tiendrait à l'existence de ces plaques de béton posées à la va-vite sur le sable presque tropical de la forêt de Fontainebleau.

Le partage des tâches domestiques possédait, à Dourdan, un caractère immémorial. Rien n'avait changé, au fond, depuis des millénaires. Sa grand-mère cuisine et nettoie, son grand-père jardine et repeint, Flavio range sa chambre et aide à débarrasser la table. Le ramassage des mûres, à la fin de l'été, au milieu des fougères, et la confection de confitures, constitue un des événements de l'année. La première fois où sa grand-mère avait demandé à Flavio de l'aide pour ouvrir un pot trop fortement scellé à la place de son grand-père, qui regardait la scène en souriant, avait représenté un rite de passage aussi marquant que sa communion. À cet instant, Flavio avait appris qu'il n'était plus seulement un enfant, mais qu'il était destiné à devenir un homme.

Un arbre recouvert d'épines faisait la fierté du jardin familial. C'était un araucaria du Chili, qu'on appelle aussi *désespoir des singes*. Flavio le voyait de sa fenêtre. Il lui évoquait la théorie d'un anthropologue qui racontait, à la télévision, que le creusement du Grand Rift, venu couper la forêt primaire en deux, avait permis la naissance de l'homme, par l'apparition soudaine d'une savane : les grands singes n'ayant plus d'arbres où s'accrocher étaient devenus bipèdes. Flavio, le soir, avait l'impression de contempler ici, dans cette espèce exogène, vert sombre et mélancolique, le destin de l'humanité entière.

Flavio s'intéressait à la science. Il avait lu et relu, dans le petit coin documentation de sa classe de CE2, un livre illustré sur les inventeurs, ainsi que la totalité des brochures pédagogiques que la compagnie électrique nationale mettait alors à la disposition des élèves pour vanter les merveilles du monde qu'elle venait de construire : le barrage de Serre-Ponçon, l'usine marémotrice de la Rance, le surgénérateur Superphénix. Tout cela lui plaisait infiniment plus que les livres de la bibliothèque familiale : c'était un enfant de vieux, dans une maison où tout s'était arrêté un peu avant l'époque de sa naissance. On trouvait, dans la bibliothèque, les livres de Peyrefitte sur le réveil de la Chine et ceux de Labro sur l'Amérique – c'est au dos de l'un d'eux que Flavio avait découvert, avec une crudité qui l'avait étonné, qu'on pouvait *coucher* avec une femme. Il y avait aussi quantité de livres sur les plantes, quelques manuels d'écologie, comme des livres sur l'Atlantide ou les soucoupes volantes, des prix Goncourt, des recueils, reliés et chronologiques, des meilleurs romans de tous les Prix Nobel, une biographie de Giscard, un recueil de Pompidou, un livre sur Tabarly, un autre sur de Gaulle. Quelques œuvres complètes, parfois dépareillées, de Racine et Hugo, qui ressemblaient à des livres fictifs, et qui n'avaient jamais été ouvertes. Parmi eux l'*Essai sur les mœurs* de Voltaire, en deux énormes tomes. Flavio avait été attiré par le mot « mœurs », qui laissait présager une œuvre érotique.

Ce serait bientôt son livre préféré, un livre plein d'empires perdus, de civilisations à conquérir et de royaumes oubliés.

Les Espagnols et les Portugais se sont perdus dans le Nouveau Monde, ils ont détruit des civilisations par mégarde, fait fondre leur Dieu en lingots et ruiné en retour leurs royaumes hébétés. Les Français, plus au nord, ont laissé aux Indiens les rudiments d'une république fondée sur le commerce de la fourrure – une république sadomasochiste qu'ils importeront bientôt chez eux, en attachant leur roi à un appareil de torture inédit.

Le Nombre de Gorinski

Jamais elle ne le lui avouerait, mais leur rencontre avait été préméditée. L'idée en avait germé quelque mois plus tôt dans l'esprit d'Ida – une idée de vengeance. Une idée italienne, un argument d'opéra : il était un play-boy cosmopolite, elle était l'une des reines de Wall Street, ils avaient une lointaine origine commune, un pays qui n'existait plus, mais qui, comme dans une vieille légende, pourrait peut-être réapparaître à chaque fois qu'ils seraient réunis.

C'était en tout cas ce qu'elle avait entrepris de lui raconter aussitôt après leur baiser.

Jan l'avait laissée faire, il avait l'habitude de jouer au prince charmant, c'était une modalité courante de ce genre de premiers rendez-vous, cela fonctionnait toujours assez bien – un fantasme féminin universel. La fantaisie était cependant cette fois plus précise que d'habitude : Ida semblait vraiment se prendre au jeu. Elle était née en 1945, elle aurait bientôt quarante ans. Un âge terrible, dans la conception que Jan se faisait des femmes, surtout quand on n'avait pas eu d'enfant, comme il le supposait. C'était sans doute un aspect douloureux de sa vie, et il s'était retenu de l'interroger à ce sujet. Cela présentait néanmoins, de son point de vue d'amant, un certain nombre d'avantages. Il avait expérimenté toutes les formes de seins, toutes les formes de vagin, et les vagins des femmes qui n'avaient pas enfanté lui avaient paru plus étroits, et leurs seins plus fermes – il avait souvent eu cette discussion à la tombée du jour, sur le pont d'un yacht, avec tel ou tel de ses clients : les atouts physiques des femmes sans enfants étaient incontestables ; elles étaient, dans ses fantasmes sexuels, les équivalents un peu vieillis des vierges.

Ida portait un tailleur strict, qu'elle avait cependant laissé entrouvert sur une chemise en soie blanche transparente. Elle n'avait pas de soutien-gorge et on distinguait parfaitement ses seins, dont les tétons fonçaient légèrement le tissu. Des seins petits, c'était un inconvénient, mais fermes, c'était une consolation.

Ida avait deviné la question que le prince s'était abstenu de lui poser, et elle n'était pas certaine qu'elle ne lui aurait pas menti – elle préférait pour l'instant parfaire son image de businesswoman infaillible, de banquière carriériste. Jusque-là habitué à des créatures outrancièrement dépensières plutôt qu'à leur créancière inatteignable,

Jan était fasciné. À cet instant, Ida dominait toutes les femmes de sa vie : aucune d'elles, aussi riche soit-elle, ne pouvait se passer de l'existence des banques, de l'existence d'Ida qui dirigeait l'une des dix plus grosses banques mondiales, la Venezia de New York – la seule qui soit dirigée par une femme. Le *Time* avait fait d'elle son homme de l'année, entre Wałęsa et Reagan, mais elle avait toujours évité d'entrer dans les détails de sa vie privée. Au risque, parfois, d'être désignée comme une proie ou un trophée.

C'était de cette façon, elle le sentait, que Jan la regardait alors. Allait-il jusqu'à se dire qu'il serait celui qui parviendrait à épouser « la fiancée de Wall Street » ? Cette comédie n'était pas entièrement désagréable et elle ne lui apprendrait que beaucoup plus tard qu'elle avait eu un enfant, autrefois, il n'y avait pas si longtemps, mais presque dans une autre vie. Elle venait d'entrer à la Venezia. C'était un accident. Ou une expérience. Elle sortait alors avec un Français, un jeune étudiant en philosophie venu un semestre à Columbia. Il avait reconnu l'enfant, qui avait toujours vécu à Paris, c'était plus facile ainsi – l'étudiant avait un père très fortuné. Elle traversait l'Atlantique une fois par mois pour passer le week-end dans l'hôtel particulier du jeune homme, devenu un intellectuel en vue, le leader de ceux qui se faisaient appeler, là-bas, les Néophilosophes – à la différence de Sartre, ils avaient juré de choisir les États-Unis, plutôt que l'URSS, en cas de réchauffement soudain de la guerre froide.

Ida était belle, en réalité. Jan n'avait jamais imaginé que les Yougoslaves puissent l'être, et encore moins celles de la minorité karste – des Yougoslaves des montagnes, aux traits durs et aux yeux noirs. Il se souvenait de Maria, la domestique de sa mère, une Karste authentique, une femme repoussante. Sa mère avait été une femme superbe, mais elle était autrichienne – une ancienne danseuse de l'Opéra de Vienne. C'était d'elle qu'il tenait ses yeux bleus, les premiers à apparaître, après des générations d'yeux noirs, dans la famille von Karst, des yeux dont il était intensément fier, comme de ce corps athlétique qui faisait généralement l'admiration de ses maîtresses.

Il avait soudain hâte de le montrer à Ida.

Il se demandait, en attendant – mais elle devait faire du sport comme toutes les Américaines –, si son corps à elle était marqué par l'âge. Son visage était en tout cas impeccable. Chirurgicalement impeccable. Il visualisa un instant les crèmes qu'il avait aperçues chez l'une de ses clientes milliardaires, des pots de verre dépoli remplis de substances blanches vendues plus cher que du caviar, et il se dit qu'Ida devait en posséder des flacons pharaoniques.

Il aimait déjà le fait qu'elle soit la femme la plus puissante qu'il ait séduite, plus puissante, plus princière que lady Diana. Il repensa avec excitation à leur rencontre, quelques heures plus tôt, dans l'atrium de la tour Venezia. Elle était là-bas chez elle, connue à chaque étage. Il se souvint de la déférence du réceptionniste et du concierge. Elle habitait peut-être même un penthouse au sommet de l'édifice. Il se mit à l'écouter avec une passion soudaine.

Ida était donc la fille de Joachim Spitz, le fondateur, avec son frère Ferdinand, du groupe Spitz, dont le cœur d'activité lui échappait pour l'instant – quelque chose entre les prothèses dentaires et les ordinateurs. Joachim avait été l'âme du groupe, l'inventeur à l'origine de ses premiers succès, quand Ferdinand était plutôt l'organisateur, le spécialiste des questions pratiques. Les deux frères étaient complémentaires, jusque dans leurs passions symétriques. Ferdinand aimait l'escalade ; il avait ainsi rejoint un jour la vieille citadelle en escaladant le rocher sur lequel elle était construite, presque à l'aplomb de Karstberg. Joachim, lui, préférait la spéléologie, et prétendait qu'il existait un souterrain, aménagé dans une grotte naturelle, qui permettait d'effectuer le même parcours à couvert. C'était cette obsession qui l'aurait tué : il avait disparu lors d'une énième tentative de rejoindre la citadelle.

Des légendes affirmaient que le Karst était l'une des portes des enfers, ou qu'un vaste royaume souterrain gisait sous la principauté, cette petite anomalie calcaire des Karavanke, la pointe sud-est des Alpes, dont le Karst bloquait l'une des vallées cristallines, à la manière, étrange métaphore, d'un calcul rénal.

Jan l'interrompit. Il avait eu une illumination, suivie d'un long frisson – pour la première fois de sa vie, il s'était senti karste, et dépositaire d'une partie de l'héritage de la principauté perdue :

— Mon père possédait quelque chose qui ressemblait à cela, quelque chose de monstrueux – plus un objet de folklore qu'un véritable trésor. C'était une pierre semi-précieuse, trouvée dans une carcasse de baleine, et enchâssée dans un bâton noueux. Je me suis toujours demandé comment on l'y avait fait entrer. C'est ma mère qui s'est chargée de la vendre après la mort de mon père, il y a presque vingt ans. Une excellente affaire : l'objet lui a permis d'acheter l'appartement que nous louions. Nous en avons beaucoup voulu à mon père, rétrospectivement, d'avoir conservé inerte une telle fortune.

— Vous ignoriez vraiment la nature de cet objet ?

— Absolument. Il m'a toujours inspiré un certain dégoût. Ainsi qu'à mon père, qui m'a hurlé dessus la fois où il m'a vu jouer avec, et m'a dit que c'était une chose maudite. Je n'y ai jamais retouché.

— Vous étiez pourtant parfaitement en droit de le manipuler. Il s'agit du sceptre de la monarchie karste, le principal instrument du sacre, offert à votre ancêtre Rodolphe II par Charles Quint lui-même. On dit qu'une baleine s'était échouée dans la lagune de Venise, tout près de la place San Marco. Cela avait été l'attraction de la ville pendant une semaine, et la nouvelle était parvenue à toutes les cours d'Europe – on retrouve encore des sermons apocalyptiques datant de cette époque. La baleine avait cependant commencé à pourrir de l'intérieur et à gonfler dangereusement. Sa brutale explosion aurait fait plusieurs morts. On dit aussi qu'un calcul, presque gros comme le poing et coincé dans sa vessie, avait atterri, après avoir brisé une vitre, aux pieds du doge. Un siècle plus tard, la pierre se retrouve, je ne sais comment, entre les mains de Charles Quint, qui la fait sceller sur un sceptre, finalement cédé à votre ancêtre pour le remercier de s'être illustré pendant le siège de Vienne par les Turcs, en 1529. C'est à mon oncle Ferdinand que votre mère l'a vendu. J'ai pu retracer tout cela car c'est la banque Venezia qui a servi d'intermédiaire à l'époque, j'ai eu accès aux archives. Il a payé un prix vraiment exorbitant. Je crois qu'il a voulu acheter le silence de votre mère.

— Je me disais, aussi, un appartement à Monaco contre cette pierre noirâtre, c'était anormalement providentiel. Il a détruit l'objet, j'imagine.

— Étonnamment, non. Il a eu des scrupules, ou un

sursaut de cruauté. À peine en sa possession, le sceptre a atterri derrière une vitrine du Met. Une donation exceptionnelle, façon pour lui de régler un différend fiscal avec l'administration américaine et de négocier son entrée sur le marché nord-américain. Façon aussi de s'affirmer en tant qu'unique souverain légitime du Karst, cette principauté moins diluée dans la Yougoslavie qu'absorbée par la firme Spitz, en se mettant en scène comme le dernier détenteur du sceptre, celui qui l'aurait enfin sorti de l'Histoire pour le mettre à l'abri des convoitises humaines – de votre convoitise, essentiellement – dans un musée. Tout le monde, désormais, peut l'apercevoir, derrière une vitrine blindée, mais sa fonction véritable est à jamais perdue, comme celle des masques de sorciers du département d'anthropologie. Si l'on en croit la loi fondamentale du royaume, votre rétablissement sur le trône est techniquement impossible, c'est ainsi que les révolutionnaires français, en brisant la Sainte Ampoule, ont brisé le lien qui reliait leurs rois à Clovis et à Dieu.

Jan se mit à rire. Une idée venait de lui traverser l'esprit : ne t'inquiète pas, tu le verras bientôt, le gros sceptre des Karstes.

Le monde : aucun pays catholique n'a su se servir correctement de cet objet. Ils en ont à peine égratigné les tropiques rougeâtres à la recherche du sucre nécessaire à leurs boissons énergisantes, consommant à cette fin une quantité monstrueuse de main-d'œuvre, dans la plus mauvaise parodie du capitalisme qu'on ait vue.

Le Nombre de Gorinski

Flavio aurait été incapable de dire comment la chose avait commencé. Dans son lit de bébé : de cela, il était certain. Il entendait encore le bruit que faisait le bois beige en bougeant dans son cadre, bruit qui lançait le changement d'univers.

Est-ce qu'il habitait déjà à Dourdan ? Ce n'était pas certain. Il se souvenait en revanche de tout le reste : il savait à peine parler mais il était déjà à la tête d'un empire interplanétaire. Un empire qui avait grandi avec lui. Qui s'était métamorphosé à chaque fois qu'il avait changé de lit.

Les premières années, confuses, étaient liées à la diffusion d'un space opera produit par un fabricant de jouets.

Il y existait une épée magique, symbole de pouvoir, dont Flavio s'était rapidement rendu maître. Il était beaucoup question de magie, de talismans et de faisceaux lumineux qu'on contrôlait avec les mains. Flavio exerçait tous les soirs sa charge d'empereur. Il triomphait des forces du mal et organisait son peuple. Son empire s'était agrandi. Quand il avait eu son premier lit d'enfant, un lit bateau, l'empire s'était adapté à lui. Il avait pris peu à peu la forme d'un terrier dont son lit était l'entrée principale, et tout son univers, plus ou moins parallèle, évoluait en dessous de lui. L'arrivée d'un nouveau matelas en laine, avec ses gros cordages, l'avait amené à réduire les dimensions de ses sujets, qui vivaient désormais à l'intérieur de celui-ci, dans une immense salle dont les cordons formaient les piliers colossaux.

La magie était de moins en moins présente, remplacée par des technologies retrouvées dans des bibliothèques aux confins d'une galaxie aujourd'hui désolée, autrefois florissante. Son empire se déployait au milieu des ruines d'une civilisation antique. L'ennemi était toujours là, insaisissable.

Nuit après nuit, Flavio était confronté à des choix héroïques.

Il y eut des batailles qui durèrent plusieurs mois. Des défaites abominables. Une nuit à plus d'un milliard de morts, quand son vaisseau principal fut détruit.

Il fallait un vaisseau plus grand et plus sûr.

Flavio avait dû proclamer l'état d'urgence, empêcher ses soldats de dormir à l'aide d'une sorte d'amphétamine spatiale, reporter les loisirs à la fin de la guerre, organiser la reproduction par clonage.

Il avait abdiqué, aussi, plusieurs fois, et plusieurs fois s'était vu rappelé au pouvoir, par acclamation.

Le plan du vaisseau se précisait avec le temps. Il y aurait au centre une énorme planète artificielle qui servirait de coffre-fort ou de capsule de survie ultime – son cœur était indestructible. Flavio avait, par deux fois, fait sauter son univers dans le temps pour en accélérer la construction. Le vaisseau avait progressivement pris la forme d'un œuf, un œuf à la coquille assez épaisse pour accueillir en son sein des alvéoles destinées à stocker des planètes plus petites – l'une d'elles avait les dimensions de la Terre.

Flavio ne pouvait s'empêcher de penser qu'il ressusciterait là-bas après sa mort.

Le grand vaisseau fut finalement envahi et les habitants de l'empire durent trouver refuge dans le cœur indestructible de la grande planète artificielle. Seule la magie, qu'on étudiait désormais exclusivement, aurait pu les sauver de cette forclusion définitive.

Flavio, maintenant, s'y rendait moins souvent. L'empire, réduit aux dimensions d'un atome, l'attendait quelque part, cela lui suffisait.

Mais cette croyance elle-même finit par disparaître.

Le 14 janvier 1506, on découvre sur un chantier de
Rome une seconde Amérique dans le groupe sculpté du
Laocoon. C'est le plus impressionnant vestige antique
qu'on ait jamais exhumé : ni le lent colimaçon du
Colisée, ni l'anaconda de pierre d'un aqueduc, quelque
chose de vivant encore, comme une photographie
ou comme, quelques siècles plus tard, les suffocants
moulages de Pompéi – l'Antiquité mieux ressuscitée
que le Christ.

Le Nombre de Gorinski

Ida et Jan avaient passé la plus belle semaine de leur
existence, une semaine seulement entrecoupée, pour elle,
de réunions stratégiques qu'elle avait survolées dans un
état presque extatique – la décision de lancer une OPA
hostile sur la Banco di Trieste, la grande rivale de la
Banco di Venezia, fut ainsi prise un matin en dix minutes
à peine –, tandis que Jan avait enchaîné les rendez-vous
dans des cabinets médicaux.

Il avait fait tester la qualité de son sperme dès le lendemain de leur premier rendez-vous, négligeant volon-
tairement, dans la minuscule cabine, le magazine laissé à

sa disposition, pour se concentrer, dans une émouvante cérémonie d'adieu à son passé de play-boy, sur ses plus belles conquêtes, qu'il faisait monter une à une sur le pont arrière d'un yacht, et dont il caressait, selon la précision de ses souvenirs, les fesses ou les seins, avant de glisser un doigt expert sous le fanion de leurs maillots de bain.

Il avait joui, étrangement, en repensant à une princesse monégasque, qui n'était peut-être pas la plus marquante de ses anciennes maîtresses, mais qui représentait, par son rang, la moindre de ses mésalliances.

Il avait reçu, le lendemain, la confirmation attendue de l'absence totale de spermatozoïdes dans sa semence, et il avait aussitôt consulté des urologues qui s'étaient montrés à la fois admiratifs du travail effectué et plus que sceptiques quant à la possibilité d'en inverser le résultat. Car il avait senti, dès leur première nuit d'amour, l'envie soudaine de faire un enfant à Ida, tant qu'il en était encore temps. C'était comme cela qu'il se l'était formulé, bien que la réciproque eût été plus exacte : il aurait aimé qu'Ida lui donne un héritier.

Elle avait continué à lui raconter sa vie : la présence de ce père mythique qu'elle n'avait jamais connu – ce mystérieux accident de spéléologie s'était produit, à la toute fin de la guerre, juste avant sa naissance –, son corps qu'on n'avait jamais retrouvé, pas plus que son précieux carnet de notes, et les découvertes encore inexploitées qu'il contenait sans doute. C'était lui, mathématicien et inventeur de génie, qui avait conçu le calculateur mécanique auquel sa famille devait sa renommée, un calculateur petit comme un moulin à poivre et capable d'effectuer en un tour de manivelle les quatre opérations fondamentales.

— Ç'a été un objet instantanément mythique. On disait que, si on disposait ses petits curseurs numériques d'une certaine manière, connue seulement de ses concepteurs et des membres du Politburo, la machine pouvait calculer les décimales de pi ou simuler numériquement les conséquences d'une explosion nucléaire. On disait aussi qu'elle pouvait énumérer le véritable nom de Dieu et prédire la date de la mort de son possesseur. Les vieux croyants en défendaient l'usage à leurs enfants et à leurs petits-enfants – mais sans succès : l'usine de Karstberg tournait à plein régime, impossible d'arrêter l'invasion. Car le calculateur Spitz s'est rapidement diffusé, dans l'immédiat après-guerre, à tout le bloc de l'Est, notamment en Russie. On disait qu'il y aurait bientôt plus de calculateurs que d'icônes en Russie – la victoire terminale des iconoclastes sur les iconophiles dans la Troisième Rome, aujourd'hui à la tête d'un empire de la planification et de la cybernétique. Ce rapide miracle industriel a été salué par Staline lui-même : mon oncle était très fier d'être le seul Yougoslave à avoir reçu la médaille de Héros de l'Union soviétique. Les millions d'exemplaires écoulés étaient en réalité presque tous destinés aux écoles élémentaires. Pendant trois ans, jusqu'à la rupture entre Tito et Staline de 1948, tous les enfants du bloc de l'Est ont consciencieusement fait tourner les roues de ce petit moulin à prière communiste – la tradition a perduré en Yougoslavie pendant quelques années, puisque je me souviens très précisément de ce rituel matinal. Il fallait mettre les curseurs latéraux dans une certaine position, que le maître nous communiquait, puis accomplir trois révolutions mécaniques avec la manivelle. Chacun donnait ensuite le nombre obtenu au maître, qui le reportait sur une feuille bleue. Il la glissait enfin dans une enveloppe, et la journée pouvait commencer. Il nous était par ailleurs interdit de noter notre nombre – et même, je crois que c'était explicitement formulé, de nous en souvenir. Nous devions aussitôt remettre nos calculateurs à zéro en effectuant une révolution supplémentaire.

— Quel était le but de tout cela ?

— Ça reste un mystère. Mais nous devions bien calculer collectivement quelque chose. A priori, pour la première phase, entre 46 et 48, je dirais que cela avait trait au développement de la bombe russe. Pour la suite, j'imagine que cela a dû servir les velléités nucléaires ou spatiales de la Yougoslavie. Ou peut-être que le rituel avait simplement perduré pour rien, par inertie bureaucratique et parce qu'il fallait bien utiliser ces millions de machines, maintenant que le marché russe était perdu. Cela donnait peut-être l'image d'un peuple moderne, fabriquant en série des enfants prodiges. C'est d'ailleurs à peu près tout ce que je me rappelle de mon enfance yougoslave.

— Tu as quitté le pays à quel âge ?

— À sept ans, en 1952. Les rapports entre ma mère et son beau-frère s'étaient extrêmement dégradés. Elle a tout tenté pour sauvegarder l'héritage de mon père, mais les choses avaient pris un tour politique de plus en plus dur. La société est passée entre les mains d'un conseil ouvrier contrôlé par mon oncle. Une OPA à la mode yougoslave. Elle a tenté, en vain, de réunir l'œuvre de mon père et de retrouver son carnet, dont elle m'a toujours parlé comme de quelque chose d'équivalant à un codex de Vinci. Ferdinand l'a d'abord laissée faire, c'était une manière de l'occuper, loin des affaires du groupe Spitz. Elle s'est ainsi rendue à Venise avec moi, pour consulter un célèbre spécialiste des manuscrits perdus – mon futur beau-père. Et nous n'avons plus jamais pu retourner au Karst. Ma mère n'avait absolument pas vu venir l'inculpation d'espionnage qui l'attendait, si elle revenait en Yougoslavie. C'est ainsi que j'ai grandi à Venise, la ville où je ne devais passer que quelques jours de vacances. Ma mère n'a jamais retrouvé le carnet de mon père mais, pour moi, tout s'est plutôt bien arrangé. Je dirige aujourd'hui la banque la plus ancienne et la plus prestigieuse de la Sérénissime, celle qui aurait tout simplement inventé le capitalisme, au XIIᵉ siècle, en finançant les premières expéditions commerciales en direction du Levant. Nous sommes aussi parmi les premiers promoteurs du commerce mondial : c'est nous qui avons financé l'expédition de Marco Polo, et nous également qui avons payé sa rançon à la République de Gênes après son malencontreux retour – rançon que nous avons d'ailleurs pris soin de ne pas payer tout de suite, pour lui laisser le temps d'écrire son fabuleux dépliant touristique, dont l'un des plus anciens exemplaires se trouve aujourd'hui dans mon bureau. Je suis devenue, tu vois, une vraie Vénitienne, une Vénitienne orgueilleuse et jalouse du prestige de sa cité. Enfin, de ce qu'il en reste. Et qui se résume à deux choses : une ville en train de s'enfoncer inexorablement dans sa lagune et son hologramme du Nouveau Monde, une tour de cinquante étages dessinés par Mies van der Rohe – pour les connaisseurs, le plus beau gratte-ciel du monde, loin des fioritures gothiques de ses voisins plus célèbres ou de la place San Marco. L'ancien siège de la banque, sur le grand canal, nous appartient toujours, mais nos capitaux sont depuis longtemps mondiaux, et notre tour new-yorkaise en est le cœur névralgique. Tu connais l'heureuse expression du représentant McKinney, "*Too big to fail*" ? Il l'a employée l'année dernière quand la Continental Illinois s'est déclarée en faillite. Trop gros pour mourir. Le gouvernement l'a alors sauvée.

— Je m'en souviens bien. J'avais placé de l'argent là-bas, et plusieurs de mes clients ont risqué la faillite. Son refinancement a été providentiel pour moi.

— Pour toi, pour tes clients et pour l'économie du monde. Les économistes parlent de banques systémiques. Nous sommes immortels. Nous sommes devenus plus puissants que les États. Plus encore, nous sommes devenus plus robustes, plus résistants que les villes millénaires. Il viendra un jour, peut-être, où on se souviendra à peine de Venise. Mais la Venezia, elle, sera toujours là. On parle de construire une digue gigantesque sur la lagune pour sauver Venise, mais il est plus qu'improbable que notre conseil d'administration décide de s'engager dans un projet aussi hasardeux. Le sol de Wall Street est incontestablement meilleur.

Jan n'avait jamais entendu que du bien de Venise et l'immense majorité de son entourage aurait considéré, avec lui, sa destruction comme un crime majeur. Le fait qu'Ida l'envisage avec tant d'indifférence le glaça, dans un premier temps. Puis il apprit à discerner, derrière cette cruauté apparente, un esprit supérieur, un esprit dont la délicatesse extrême pouvait blesser les hommes, telle une sculpture de cristal aux ailes trop saillantes et trop froides pour se laisser embrasser sans dommage – l'image était très précisément celle de l'archange de glace qu'un fabricant de vodka finlandais avait dévoilé à un événement auquel il avait été récemment invité, un archange qui surmontait une vasque emplie de bouteilles glacées, et dont la dureté, en fondant, avait peu à peu imité la douceur liquoreuse de l'alcool invisible.

— Mon beau-père était le dernier représentant d'une famille qui avait fourni quantité de doges et d'ambassadeurs à Venise, et il tentait, avec un certain panache, de faire survivre cette splendeur passée en exerçant le métier d'expert bibliophile. Il était né duc d'Isola, une petite ville d'Istrie, une possession de l'Empire austro-hongrois rendue à l'Italie après la Première Guerre, et rétrocédée à la Yougoslavie après la Seconde. Il avait, par son métier et par son rang, accès aux plus spectaculaires bibliothèques privées d'Europe, ainsi qu'à leurs propriétaires raffinés. Il voyageait beaucoup, quand j'étais enfant, à l'Est comme à l'Ouest. Ses connaissances, dans son domaine, étaient encyclopédiques – il régnait, à sa manière, sur l'un des royaumes les plus confidentiels et les plus honorables de l'Europe savante : le monde des éditions originales de Plutarque ou d'Érasme, les dépouilles cinq fois centenaires de l'humanisme et de la Renaissance, tout un corpus oublié et depuis longtemps démembré par les collectionneurs. Il témoignait cependant d'une intransigeance absolue à l'égard des livres protestants – il les disait *hérétiques* et refusait obstinément d'en faire le commerce. Même la Bible de Gutenberg n'aurait pas trouvé grâce à ses yeux. Et dans le domaine musical, il montrait la même rigidité : je devais maîtriser le violon, le clavecin, la harpe et le chant. Il m'avait promis un stradivarius pour mes vingt ans si j'atteignais un certain niveau – qu'il repoussait toujours, bien entendu.

— Tu as continué à jouer ?

— Je joue tous les jours, une demi-heure, le matin au réveil. Et oui, sur un stradivarius : il a tenu parole. Et je me produis une fois ou deux par an avec un orchestre de chambre, essentiellement à des fins caritatives. Mon beau-père a en tout cas réussi à faire de moi une aristocrate vénitienne idéale, chose à laquelle il a échoué avec ma mère, restée une Karste incorrigible. Elle n'a jamais voulu s'exprimer autrement qu'en allemand, qu'il comprenait, mais refusait de parler, eu égard à la domination autrichienne de Venise. Tout cela m'amuse, même si je ne suis plus italienne depuis longtemps. Je suis, sur le papier, une citoyenne américaine. Mais au fond de mon cœur je suis karste, je suis karste et tu es mon prince.

Des nains sur les épaules de ce géant : la chrétienté immense n'est qu'une principauté romaine, un petit comptoir grec, un quartier périphérique de la Ville éternelle, une enclave tenue par la pince à torturer du Bernin et à peine reliée par un égout aérien au Tibre fugitif.

Le Nombre de Gorinski

L'école de Flavio, idéalement située à une heure de Paris, faisait pensionnat, mais Flavio comptait parmi les rares élèves qui rentraient chez eux tous les soirs. C'était une institution privée qui accueillait, disait-on, des enfants de milliardaires et de diplomates venus de toute l'Europe. Un établissement au prestige discret, en bordure de forêt.

Il se pouvait que ses parents adoptifs, comprit Flavio beaucoup plus tard, aient été choisis sur ce critère principal : leur proximité avec l'établissement Saint Benoit de Nursie. À moins qu'on ne les ait incités à s'installer là. Flavio n'arrivait plus à se rappeler où il avait vécu avant – il se souvenait seulement d'un aquarium rempli d'algues et d'un petit homme moustachu en colère, et il avait parfois le sentiment d'être le fils de ces algues et de cette colère.

Il avait oublié son premier jour d'école, mais se souvenait très bien de celui qui aurait pu être le dernier. Il jouait à chat, ce jour-là, dans la cour de l'école, et il courait en hurlant de joie. C'était peut-être l'instant de sa vie où il avait été le plus heureux. Le directeur était alors intervenu et, d'une façon que Flavio avait jugée terriblement injuste, il lui avait demandé de se calmer et d'arrêter de courir. Le directeur était devant lui, immense. Flavio l'avait regardé dans les yeux et avait crié : non ! Puis il était retourné jouer avec les autres. En réalité, la partie était finie. Les autres enfants avaient prudemment cessé leur jeu. On ne guettait plus le chat, désormais, mais le directeur et sa future victime. Flavio l'avait ressenti comme une trahison. Il avait ostensiblement tourné le dos au directeur et recommencé à courir. Plus que quelques mètres, et il passerait à l'abri d'un rocher, puis par-dessus le grillage, et il serait dans la forêt. Mais l'homme l'avait agrippé par la chemise. Flavio l'avait alors arrachée pour retrouver la liberté. Mais il avait trébuché, et s'était vu finalement attrapé par le cou.

Il avait passé le reste de la récréation devant la photographie en trompe-l'œil de la plage martiniquaise qui ornait le bureau du directeur. Celui-ci avait contacté ses grands-parents, qui étaient venus le chercher. Ils ne l'avaient pas disputé. Ils lui avaient offert à la place l'explication qu'ils lui avaient toujours refusée jusque-là – une explication modeste et elliptique. Il était né, hors mariage, d'un homme et d'une femme fermement tenus par des obligations historiques anciennes. On avait préféré le soustraire à une situation fausse et à des intrigues de palais impossibles. On avait seulement voulu faire de lui un citoyen normal, un citoyen d'Europe, le libérer, en somme, d'une vie pénible, absurde et anachronique – la vie d'un prince sans royaume dans un continent démocratique.

À sa grande surprise, le directeur, qui avait assisté à ces explications et semblé connaître lui aussi le secret de sa naissance, lui avait serré la main avec une certaine déférence en le raccompagnant à la porte. Cela avait ajouté encore du mystère à sa situation : avait-il vraiment risqué l'exclusion, ou bien était-il au-dessus de ce genre de vicissitudes ?

Flavio était en tout cas ressorti de la pièce étonnamment apaisé, même s'il n'avait rien appris de précis, sinon que le secret de ses origines ne serait sans doute pas levé avant longtemps. « On » s'était occupé de tout, « on » avait veillé à sa sécurité : ce « on » désignait une entité mystérieuse, le dauphin des légendes qui ramenait les naufragés à terre – et soudain Flavio, sans jamais oser poser la question, se demanda si ses parents n'étaient pas plutôt morts.

Flavio avait peut-être échappé à une vie dangereuse et romanesque, à un emprisonnement ou un assassinat. Son existence était fade et sécurisante, mais elle valait bien celle du Masque de fer. Ses gardiens étaient doux. Cette lenteur dans le moindre déplacement, leur prudence en voiture, cette façon d'éterniser tous les détails domestiques, de replanter chaque année les mêmes fleurs aux mêmes endroits et de tailler les arbres de façon qu'ils n'excèdent jamais le gabarit de l'année précédente : ses grands-parents, au fond, ne s'étaient jamais comportés comme des humains, mais comme les gardiens d'un château enchanté.

À l'exception, peut-être, des histoires qu'il se racontait pour dormir, Flavio ne nourrissait aucune nostalgie pour l'ancien monde, aucun vague fantasme de restauration. Il était le petit garçon le plus démocratique d'Europe occidentale.

Aussi regardait-il avec étonnement et mépris ce garçon, visiblement plus fortuné, plus mature que les autres, qui venait d'arriver et qui avait déjà constitué une sorte de cour autour de lui.

C'est cela, précisément, qu'on a remonté de la terre antique : tout le passé et le futur du continent européen. Un continent laissé, depuis, à côté de l'Histoire, dans un état d'innocence incomparable. Un continent dont on aurait extirpé depuis Troie toutes les guerres.

Le Nombre de Gorinski

Ida n'avait pas de plan secret, pas d'idée de complot – lequel aurait été de toute façon irréaliste : il aurait fallu travailler conjointement à l'affaiblissement du lointain grand frère russe et à l'éclatement de la Yougoslavie, puis, le plus démocratiquement du monde, poser les bases d'une restauration. Le coup était injouable et l'alcoolisme du prince Emanuele, le père de Jan, n'avait pas été une position si absurde.

Il se passait pourtant des choses intéressantes à l'Est. C'est ce qu'Ida avait bientôt appris à Jan.

L'Empire eurasiatique était confronté, sur ses marches, à l'étonnante résistance du peuple afghan et il se murmurait, dans les milieux autorisés, que le colosse industriel avait une fâcheuse tendance à truquer ses statistiques économiques, ou à omettre des détails essentiels à leur compréhension. Les bons résultats de son agriculture, notamment dans la production de coton, dissimulaient mal des choix catastrophiques et des visions à court terme, qui pouvaient surprendre au paradis éternel du prolétariat triomphant. Des photos satellites confidentielles, qu'elle avait pu consulter, révélaient un phénomène d'une ampleur inouïe : c'était, aux confins du Kazakhstan, une mer entière qu'on s'apprêtait à faire disparaître à des fins d'irrigations. Le programme nucléaire n'était pas moins désastreux, les incidents de criticité se mutlitpliaient et il apparaissait évident aux experts que le prochain Three Mile Island serait soviétique. Même dans le domaine spatial, la fuite en avant était manifeste : l'URSS allait mal et ses dirigeants n'arrivaient plus à redresser la barre. La façon dont Apollo 11 s'était vengé de Spoutnik et Gagarine frôlait l'échec et mat. Les ingénieurs russes hésitaient encore entre l'avion spatial et la station orbitale, mais le cœur n'y était visiblement plus. Le choix retenu, aux dernières nouvelles, était d'abandonner la navette Bourane – *tempête de neige* – au profit d'une station ravitaillée par des vaisseaux Soyouz – « *soyouz* », qui signifie « union », comme dans « Union soviétique », mais que les Russes eux-mêmes appellent *le camion de l'espace*, comme si leur rêve spatial était fini depuis longtemps. Ou comme s'il s'était insidieusement transformé en un rêve plus prosaïque et plus mesquin, un rêve très proche de celui qui s'incarnait à l'autre bout du continent européen, dans l'Europe de la CEE et de la libre circulation des biens : un continent de camions immaculés lâchés sur les orbites basses des autoroutes transnationales et confrontés à des défis techniques pas moins exaltants que ceux que relevaient les prestigieux

Soyouz : franchissement des mers intérieures, des cols alpins et des grands centres urbains congestionnés.

— Il se pourrait en fait que la guerre froide soit déjà terminée et qu'on déclare les USA vainqueurs. Il se pourrait même que l'URSS ne survive pas à la décennie. Je te présenterai l'un des plus séduisants promoteurs de cette thèse, et il saura, j'en suis certaine, te convaincre que nous traversons une époque pleine d'opportunités. Il travaille pour un think tank que j'aime consulter avant de prendre des décisions stratégiques – comme investir, justement, en Europe de l'Est. Il s'appelle Francis Fukuyama, mais il est plus américain que moi – il a vraiment perçu la spécificité historique de l'individu libéral et il convaincrait même un marxiste chevronné de sa victoire finale.

Jan verrait les prophéties d'Ida se réaliser une à une. Son protégé, aux idées provocantes et au nom japonais, connaîtrait un triomphe en ramassant l'ensemble des événements dont elle avait annoncé ce soir-là le déroulé implacable sous l'appellation féerique de « fin de l'histoire », terme que Jan ne pourrait plus entendre sans un frisson d'amour et de reconnaissance envers celle qu'il considérait, au fond de lui, comme l'instigatrice secrète de toute la séquence, comme la grande mécène de la liberté, comme la libératrice de leur continent natal.

Et le surprenant sursaut historique qui allait accompagner bientôt l'explosion de la Yougoslavie ne suffirait pas à dissiper le sortilège – l'événement, par-delà ses tragédies lointaines, lui apporterait même la preuve irréfutable qu'ils étaient entrés, tous les deux, mieux que dans la fin de l'histoire, dans un conte de fées.

Du Laocoon, défini par Winckelmann comme le futur utopique de tout art, le nationalisme allemand retiendra l'idée d'un dialogue direct, par-dessus la mer intérieure des pays latinisés, avec la Grèce initiatique. Le Laocoon, par mutations successives de cette idée, devient le moule à cire perdu de l'Europe nouvelle de Speer et de Breker.

Le Nombre de Gorinski

Le nouveau s'appelait Olivier et il était pensionnaire. Il possédait une autorité très grande pour un garçon de neuf ans. Il connaissait les secrets de l'école, les prénoms des enseignants, la pièce où était rangé le squelette. Il disait même qu'il allait, la nuit, se promener dans les bois, et qu'il s'y était construit une cabane secrète. Il était, à l'entendre, le fils d'un milliardaire et d'une sorte de reine – ascendance jugée en général fantaisiste mais, les jeux électroniques étant alors à la mode et Olivier étant celui qui en possédait le plus, était rapidement devenu le garçon le plus populaire de l'école.

Il était arrivé un jour avec un objet énorme et mystérieux, de marque japonaise mais acheté, prétendait-il, à New York, qui présentait deux écrans entre lesquels on pouvait insérer un filtre coloré : c'était le monde de la couleur qui apparaissait soudain dans le sable gris des cristaux liquides, c'était le Japon et l'Amérique qui s'unissaient, de l'autre côté du globe, pour faire basculer le monde dans une modernité inédite – un pacte qui venait soudain de rendre l'Europe archaïque.

Le jeune tycoon se retrouva ainsi à régner sur une bande d'une dizaine d'enfants qu'il commandait sans effort. C'étaient toujours ses jeux qui s'imposaient, il était toujours la dernière des proies au jeu de l'épervier. À celui-ci, trop violent, Flavio préférait les parties de cache-cache. Il y avait des rochers en grès dans le petit bois qui séparait la cour des terrains de sport et il pouvait passer de l'un à l'autre, sans se faire voir, pendant l'éternité de la récréation de midi. Il s'adonnait, à chacune des stations qu'il marquait contre la pierre rugueuse, au vertige étrange de la peur – quelque chose qu'il avait vécu en se laissant descendre, un jour, tout au fond du grand bassin de la piscine, le plaisir coupable de la contrainte ou de l'inconfort. Et toujours il reliait cette peur à celle d'un enfant imaginaire qui se cachait dans un réduit obscur pour échapper à une traque.

Seuls deux ou trois enfants étaient restés en dehors de la bande d'Olivier – des garçons aux activités un peu démentes que Flavio était désormais obligé de fréquenter : l'un essayait d'envoyer une bille sur le toit en la jetant de toutes ses forces dans la bouche d'une gouttière, un autre polissait un bâton jusqu'à sa disparition complète, un dernier noyait des fourmis dans des trous destinés à recevoir, en des jours meilleurs, les poteaux d'un filet de volley. Flavio avait le sentiment de redescendre avec eux au-dessous du stade de la civilisation.

Mais il continuait à épier les agissements des autres enfants, les êtres sociaux de la cour, et à patiemment s'étourdir de leur humanité commune. Il put ainsi voir apparaître les premières tensions au sein du groupe, et il reçut bientôt d'étranges ambassadeurs qui venaient moquer sa solitude, mais goûter peut-être, à son contact, au sentiment perdu de la liberté. Ils lui racontaient, un peu apeurés, les derniers exploits de leur chef : il avait fait exploser un briquet en le jetant au sol, il avait ramené un poing américain ou fait s'évanouir l'un d'eux, sans le toucher, en l'obligeant à retenir sa respiration d'une certaine manière – le garçon s'était cassé le bras en tombant.

Flavio finit même par recevoir la visite d'Olivier, qui venait avec un traité de paix : il acceptait de l'inclure dans sa bande. Le piège était grossier, Flavio n'avait jamais été en guerre, mais son envie, profonde, de retrouver l'ère des cache-cache chevaleresques et des chats infinis aurait presque pu le faire basculer : il lui fut plus difficile de dire non cette fois-ci que, quelques années plus tôt, au directeur de l'école. Ce non initial, devenu un élément de la mythologie de son école, était une déclaration de guerre à toutes les autorités passées, existantes et futures – et Olivier, en tant que roi, pour consolider son autorité, se devait d'arracher, à n'importe quel prix, le ralliement de ce garçon qui représentait le spectre de la sédition et une confuse menace pour la société d'ordre de l'école primaire.

Son refus renforça encore son bannissement. Il perdit jusqu'à la compagnie des solitaires, qu'on recruta de force. Flavio était seul, désormais, au point de se rapprocher du petit portail qui séparait la cour des primaires de celle des maternelles – plutôt ces primitifs, à la langue barbare, que cette fausse civilisation absolutiste. L'autorité morale de Flavio, cependant, grandissait. Il s'en rendit compte, un midi, quand il reçut les allégeances successives des principaux lieutenants d'Olivier. Ils s'étaient finalement lassés de son autorité, et étaient prêts à rejoindre sa bande. Ce désir de servitude volontaire étonna Flavio, qui décréta solennellement que la bande de Flavio n'existerait jamais, que, s'ils voulaient jouer avec lui, ce serait en tant qu'individus libres. Flavio était l'homme qui n'avait pas voulu être roi. Olivier avait lui disparu du jour au lendemain peu après sa défaite.

Le Laocoon emmêlé semble annoncer ce sport qui naîtra bientôt de l'autre côté de l'Atlantique, sport de l'accumulation des corps et de l'enchevêtrement des membres, sport roi des universités en même temps que témoin de la lente désagrégation des centres-villes en ghettos et en ruines.

Le Nombre de Gorinski

Il y avait vraiment chez Ida, remarqua Jan, une forme sincère de patriotisme karste, quelque chose d'instinctif qui s'était réveillé à son contact – en tout cas quelque chose qui contrevenait un peu, se disait-il, à l'éthique ordinaire des métiers de la banque, marqués par un fort internationalisme. Le fait que le Karst n'existe plus en tant qu'État indépendant légitimait peut-être ce sentiment, en lui donnant une dimension ironique ou absurde. La forteresse de Karstberg, dont Jan ne connaissait que la gravure qui décorait, autrefois, le salon de l'appartement familial, acquérait pourtant dans la bouche d'Ida un caractère inexpugnable.

Elle avait expliqué à Jan, le soir de leur deuxième

rendez-vous, que le Karst n'était plus connu que des milieux mathématiques : c'était le foyer mystérieux de l'école intuitionniste, le repère mythique de ces mathématiciens qui, à la suite de Gorinski, avaient rejeté le principe du tiers exclu, l'un des fondements de la logique depuis Aristote.

Tout cela ne disait rien à Jan. Cette rivalité lui était aussi étrangère que ses protagonistes, et il n'avait jamais entendu parler de l'intuitionnisme. Il imaginait, au mieux, une version spontanée du spiritualisme spécialement adaptée aux femmes, qui sentaient mieux les choses que les hommes.

Ida s'était alors lancée dans une explication qui lui avait fait regretter de ne pas avoir proposé de quitter le restaurant pour aller à l'hôtel. Il la trouvait cependant de plus en plus belle à mesure qu'elle parlait.

Les premières formulations de l'intuitionnisme étaient anciennes, mais celui-ci avait trouvé en Gorinski son plus fervent défenseur et son théoricien le plus habile : le principe du tiers exclu devait être pour lui absolument rejeté. C'était pourtant, avec le principe d'identité et le principe de non-contradiction, l'une des trois lois logiques fondamentales. Le socle sur lequel on pouvait – sans aucun apport extérieur – fonder en théorie toutes les mathématiques. Mais trois lois, c'était encore trop pour Gorinski, qui avait décidé de se passer de l'une d'elles.

— Ce tiers exclu, qu'est-ce que c'est ?

— C'est l'idée qu'un énoncé mathématique est soit vrai, soit faux, de toute éternité.

— Cela me semble une assez bonne définition des mathématiques.

— C'est pour cela que son rejet est une sorte de révolution dans la façon de concevoir les mathématiques : rejeter le tiers exclu, c'est rejeter l'idée qu'il existe des objets mathématiques qui préexisteraient à leur découverte.

Il en découlait un ensemble de conséquences que Jan avait du mal à relier à ce principe logique fondamental, comme le rejet des démonstrations par l'absurde et des raisonnements impliquant l'infini, rejets qui le laissaient pour tout dire assez indifférent.

Ne rien comprendre à ce qu'elle disait lui donnait, bizarrement, l'air amoureux – les pupilles dilatées et la bouche entrouverte, sa fourchette arrêtée au bord des lèvres, Jan était hypnotisé par ses lèvres à elle, ne sachant absolument pas quand elle s'arrêterait de parler, ne disposant d'aucun indice sur le moment où il aurait à reprendre la parole, et encore moins sur ce qu'il lui faudrait répondre pour descendre sans danger dans le gouffre métaphysique où elle essayait de l'entraîner, un gouffre plus profond que ses yeux noirs de Karste. Cette légère angoisse lui allait bien. Il était touchant, dans cet état d'inquiétude – dans cet état d'indécision intuitionniste – qui le faisait un temps échapper à sa condition de play-boy.

Ida eut l'idée de recourir à une métaphore géopolitique pour l'aider à comprendre.

— Dans un monde bipolaire, le monde que nous connaissons aujourd'hui, il n'y a pas d'alternative : si un pays n'est pas capitaliste, c'est qu'il est communiste. Si un pays nouvellement créé accède à l'indépendance, il sera communiste, ou bien capitaliste. On peut alors généraliser : aussi longtemps que le monde sera bipolaire, pour aucun pays, quel qu'il soit, il n'y aura de troisième voie. C'est le principe du tiers exclu.

— Mais cette troisième voie existe pourtant : c'est la Yougoslavie de Tito, celle des conseils ouvriers et de la participation.

— Je découvre avec plaisir que ton instinct mathématique est excellent : le Karste en toi rejette la bipolarisation du monde et éprouve de la sympathie pour les logiques alternatives !

Jan voulait surtout en apprendre plus sur Gorinski, le commanditaire présumé du meurtre de son grand-père.

— Difficile de savoir quel rôle il joue vraiment. Sa slavophilie semble sincère, quoique un peu obscurcie par des considérations atypiques, selon lesquelles les premiers Karstes seraient des exilés grecs détenteurs des mystères mathématiques du grand Pythagore. Il en aurait même fait, dans certains écrits, le peuple européen suprême, les représentants les plus purs du peuple mythique des Indo-Européens, les Aryens eux-mêmes, jaloux moins de leurs mathématiques exotiques que des conséquences morales et politiques de ces dernières : condamner le tiers exclu, c'était proclamer la liberté la plus haute qu'on pouvait concevoir. Si l'intuitionnisme dit vrai, alors les hommes ne sont pas soumis aux lois naturelles, car ils en seraient les cocréateurs. Si l'on suit le nationalisme bizarre de Gorinski, l'irrédentisme karste aurait ainsi des fondements mathématiques vertigineux.

— Pourquoi passer à l'Est, alors, plutôt qu'à l'Ouest, si la liberté l'intéressait tant ?

— Tout cela est très confus. La seule chose certaine, c'est que c'est ton grand-père qui l'envoie à Moscou, et ce bien avant la révolution de 1917. Avec un rôle d'ambassadeur officieux. Il semblerait que Gorinski lui ait fait miroiter un possible projet d'indépendance, et que toutes ses théories historiques un peu fumeuses tendent vers un seul but : se faire passer pour Slave, pour orthodoxe, pour proto-Aryen, pour n'importe quoi d'autre qu'Autrichien. Et ainsi obtenir le soutien de Moscou, dont l'intérêt était d'affaiblir l'Empire austro-hongrois. Il est à peu près acquis que Gorinski aurait été contacté très tôt par la police secrète du tsar. On sait en tout cas qu'il abandonne soudain l'allemand pour le russe, décision étrange dont on connaît les conséquences : qui nous emmènent jusqu'au traité de Saint-Germain et à l'inclusion dans le royaume de Yougoslavie. L'indépendance du Karst n'est clairement plus à l'agenda de Moscou. Et Gorinski se retrouve à enseigner à Zagreb, dans une université de seconde zone, où il aura mon père et mon oncle pour élèves, avant de disparaître en Russie soviétique. Quels sont ses rapports avec le nouveau pouvoir russe ? Joue-t-il un rôle dans l'assassinat de ton grand-père ? Vu leurs liens d'amitié, c'est plus que douteux. Par ailleurs, quel intérêt pour les Soviétiques de faire ainsi le jeu du roi Alexandre de Serbie, l'un des plus évidents bénéficiaires de l'affaiblissement d'une principauté vassale ? D'autant que leur rôle est cette fois-ci clairement établi dans l'assassinat de celui-ci, à Marseille, en 1934, par un nationaliste macédonien.

— Je ne connais rien de plus confus que l'histoire yougoslave. Cela me dégoûte presque et me rend heureux de vivre à Monaco, dans un quartier conquis sur la mer, loin de toutes ces préoccupations géopolitiques obscures.

> Les terrains paraissent trop petits, les athlètes trop
> grands. Les gradins des stades sont tellement serrés
> que les premiers rangs, loués plus cher que des loges
> d'opéra, sont directement sur le parquet, comme des
> strapontins d'où le public peut, en tendant le bras, tou-
> cher les joueurs immenses.
>
> *Le Nombre de Gorinski*

Flavio avait découvert, peu après la disparition mystérieuse de son rival, quelque chose de visqueux sous
son pupitre. C'était le cadeau d'adieu que celui-ci lui
avait laissé.

La chose s'était collée à son doigt, c'était une image
des Crados et il l'avait tout de suite identifiée quand il
avait brusquement retiré sa main, même si le personnage,
recouvert d'une acné répugnante, lui était inconnu – il
devait s'agir de la version américaine originale. C'était
comme si Flavio avait touché là ce qui lui faisait secrètement le plus peur, le grand événement qu'il aurait bientôt à vivre : sa propre adolescence.

C'était donc à lui, plutôt qu'à ses anciens lieutenants, qu'Olivier avait légué son principal trésor avant

de disparaître : son album des Crados complètement rempli.

La cour de récréation, au plus fort de la guerre froide entre Flavio et Olivier, avait été marquée, comme toutes les cours de récréation européennes, par l'arrivée de ces vignettes adhésives à collectionner, sur le principe de celles des équipes de foot, aux écussons métallisés et aux joueurs embarrassés et chevaleresques. Mais ces héros athlétiques et bienveillants, en tout cas relativement neutres, avaient cette année-là laissé place à ces enfants malséants et nauséabonds. Le plus célèbre et le plus rare, Mathieu le Dégueu, tendait à travers son crâne transpercé un index orné d'une crotte de nez. D'autres vivaient dans des poumons métalliques, se répandaient sur le sol comme si on les avait soudain privés de squelette ou, anormalement gonflés, montaient au plafond de la chambre à vide dans laquelle on les retenait enfermés.

Flavio n'avait pas collectionné ces images, mais leur caractère répugnant le fascinait. Il était peut-être le seul à ne pas trouver ça drôle, à trouver toutes ces images de cerveaux éclatés et de corps écorchés objectivement atroces. Il avait l'impression qu'une perversion païenne s'était emparée des esprits, et que la parenthèse doucereuse du catholicisme se refermait dans ces images adhésives.

On aurait dit ces enfants tout droit sortis d'un laboratoire nazi.

Flavio ignorait, mais il n'aurait pas été particulièrement surpris de l'apprendre, qu'ils avaient été imaginés, à New York, par le fils d'un survivant des camps de la mort. Il savait, en revanche, que ces images avaient été publiquement dénoncées par l'homme qu'il admirait le plus, le commandant Cousteau, qui s'en était pris, dans une lettre ouverte, à la diffusion de cette pornographie enfantine – obtenant leur interdiction partielle. L'école de Flavio était de celles qui l'avaient appliquée. L'album était ainsi un cadeau empoisonné – et il le fit disparaître dans le double fond de sa table de nuit, là même où il avait rangé l'autographe du commandant Cousteau obtenu l'été précédent à Monaco.

Il avait lu, pourtant, le message d'avertissement de celui-ci – un parent d'élève avait placardé une copie de la lettre sur la porte de l'établissement, au plus fort de la lutte entre la barbarie et la civilisation : « Parents ! Si vous ne réagissez pas immédiatement et énergiquement contre cette pollution des esprits, ne vous étonnez pas si vos enfants partent à la dérive et finissent à la cocaïne. Ne vous étonnez pas si la tolérance abusive de l'Occident provoque le succès des fanatismes que nous venons de condamner avec éclat. La discipline reste le rempart de la liberté. »

Au fond, Flavio était d'accord avec le commandant Cousteau. Ce n'était pas par goût de la transgression qu'il avait conservé l'album dans sa table de nuit. L'album était un tribut de guerre, un témoignage du garçon qu'il avait pacifiquement vaincu.

Aucun peuple n'a jamais connu une telle grâce génétique : l'Amérique est la première civilisation à avoir
enfin généré ses propres géants. Michael Jordan est le
Christ ressuscité de l'histoire américaine. Le premier
géant à enfin réapparaître sur les épaules européennes.

Le Nombre de Gorinski

L'apprentissage de Jan allait s'avérer plus difficile que
prévu : l'histoire ne l'intéressait pas et les mathématiques
lui demeuraient hostiles. Il était en revanche de plus en
plus fasciné par l'esprit encyclopédique d'Ida.

— Tu as étudié les mathématiques ?

— Un peu. Je ne vais pas te l'apprendre, les mathématiques jouent un rôle central dans nos métiers, du calcul
des intérêts composés à la théorie du chaos.

À vrai dire, Jan ne connaissait ni la formule qui permettait de calculer ceux-ci, ni cette théorie au nom un
peu repoussant. Son activité de banquier privé se limitait
essentiellement à promettre un rendement attractif et
une disponibilité relative de l'argent investi, tout en garan-
tissant un risque plutôt faible. Élégant VRP de la jet-set,

il servait en réalité surtout d'intermédiaire entre des produits financiers sophistiqués, conçus par des banques spécialisées dans la gestion de fortune, et des investisseurs trop riches pour se soucier du détail inutile de leur composition – ce n'étaient pas à proprement parler des capitalistes, mais plutôt des héritiers insouciants, et qui entendaient le rester. Il n'avait jamais eu besoin, pour les convaincre, de faire usage de beaucoup plus de mathématiques que celles qu'il avait apprises à l'école élémentaire – des pourcentages à deux chiffres et des probabilités certaines étaient à peu près les seuls outils qu'il manipulait. Ainsi les connaissances économiques de Jan étaient restées très superficielles et il aurait été incapable d'expliquer à quoi servait la Bourse – sinon à monter toujours –, comme il voyait assez mal en quoi la demande pouvait affecter l'offre – mais il savait que le remplacement de ce premier moteur par un calcul centralisé des prix avait conduit les économies communistes à leur perte.

Le marché lui apparaissait, parfois, quand il avait beaucoup bu, sous la forme cristalline d'une pyramide de coupes de champagne, où la valeur ruisselait sans fin, où les pertes étaient toujours couvertes par les coupes des étages inférieurs et où la solidarité manifeste de chacune des pièces du dispositif confinait au sublime : les invités, civilisés et adroits, s'emparaient exclusivement des coupes libres et s'alcoolisaient en paix, sans jamais mettre en danger le glorieux et fragile édifice de l'économie-monde.

Si Jan avait pris un peu de recul et engagé une réflexion plus large, il aurait pourtant remarqué la présence discrète de serveurs à gants blancs qui veillaient à ce que tout se passe selon les règles, et celle de gardes du corps en costumes noirs qui protégeaient l'entrée – il aurait alors sans doute assimilé ces derniers aux forces de l'OTAN, et comparé ces serveurs coordonnés et précis aux traders d'une salle de marché quelconque.

— Les métiers bancaires sont aujourd'hui si imprégnés de mathématiques, reprit Ida, qu'on peut considérer la finance, au même titre que l'algèbre ou la géométrie, comme une branche spécifique des mathématiques.

Ida sembla particulièrement heureuse de sa formule. Un peu perdu, Jan la vit sourire, vider son verre et noter quelques mots dans son agenda.

— C'est exactement cela, reprit-elle. La banque est une branche des mathématiques. Et quel est son objet d'étude ?

— L'argent, je suppose ?

— Mieux. Son objet d'étude, c'est la valeur en général. Et où est la valeur ? Elle est à la Bourse. La finance est une branche des mathématiques dont l'objet d'étude est le marché. On retrouve là une idée proche de notre intuitionnisme karste : impossible de savoir à l'avance s'il montera ou s'il descendra, le marché est structurellement indécis, en dehors du calcul toujours recommencé des valeurs qui le composent.

Ida avait alors tourné les pages de son agenda pour montrer quelque chose à Jan. Elle s'était souvenue d'une vieille plaisanterie mathématique, que lui avait rapportée Verninkt, le philosophe belge des mathématiques qu'elle avait chargé d'enquêter sur son père : « Il est mathématiquement prouvé qu'on peut colorier toutes les cartes de l'Europe avec seulement quatre couleurs – à condition que le Karst ne devienne jamais indépendant. » Cela faisait référence au théorème selon lequel quatre couleurs suffisent pour colorier n'importe quelle carte sans que deux régions de couleur identique se touchent – théorème aussi facile à comprendre visuellement que difficile à démontrer. Il faudrait en effet examiner tous les cas possibles, sur tous les types d'espaces, cela prendrait un temps presque infini, c'était comme si les pays se livraient à une guerre perpétuelle pour se différencier de leurs voisins – guerre à l'issue largement incertaine.

La carte de l'agenda d'Ida s'avéra en tout cas moins didactique que prévu, en raison de l'oppressante masse de la Russie et de ses républiques sœurs, coloriées du même rouge, qui tendait à invalider le théorème.

— Le théorème s'applique mal, en effet, à l'Europe opprimée. Mais si on se concentre sur le monde libre, on voit qu'il est bien respecté. Ici, par exemple – Ida avait pointé en direction du Luxembourg –, au cœur de l'Europe des Six, là où l'idée européenne s'est réincarnée au lendemain de la guerre – le théorème est valide.

Jan regarda la Yougoslavie orange – un compromis entre le rouge soviétique et les couleurs bariolées et joyeuses de l'Europe de l'Ouest – sans oser demander où se trouvait le Karst. À la frontière avec l'Autriche, c'est tout ce dont il était certain, mais il avait oublié et le nom, et la forme des pays de la fédération. Impossible de dire, par exemple, à qui appartenait cette péninsule triangulaire et toutes ces îles qui faisaient face à l'Italie. Ce devait être une partie de la Croatie. Tout à l'est, c'était la Serbie, il n'y avait aucun doute. La Bosnie était entre les deux – mais il n'était pas tout à fait sûr qu'elle ne soit pas plutôt connue sous un autre nom – l'Herzégovine, la Vovoïde ou la Macédoine. Non, la Macédoine devait toucher la Grèce. Cela faisait quatre. Cinq avec le Karst. Combien en restait-il ? Deux, trois ? Un nom qui finissait en O, et puis encore une autre région, une région avec des ours. Il n'était même plus tout à fait sûr de son nom – la Slovénie, peut-être – mais il pouvait confondre avec la Slovaquie.

Ida guida délicatement son doigt jusqu'au Karst.

— C'est un pays et c'est un village, c'est une montagne et c'est une vallée.

Jan avait reconnu une chanson de son enfance. Il n'avait jamais imaginé que le pays qu'elle décrivait, et dont il avait souvent rêvé, pouvait être le Karst. Il reprit la chanson à voix basse avec Ida, visiblement émue qu'il connaisse enfin quelque chose qui le rattache à son pays.

C'est un pays et c'est un village,
C'est une montagne et c'est une vallée.
Un monde miniature perdu dans les empires
Au milieu des royaumes et des forêts profondes

— C'est l'hymne du Karst, lui apprit Ida. Une légende pastorale mise en vers au siècle dernier par le jeune Gorinski.

— Encore lui !

Laocoon est ce prêtre troyen qui, pour avoir douté du cadeau qu'avaient abandonné les Grecs sur le rivage, un étrange cheval, fut mis à mort et démembré avec ses fils par un monstre marin. C'est une autre figure de Cassandre. C'est Cassandre croisée avec Rommel, annonçant en vain le débarquement de Normandie.

Le Nombre de Gorinski

Seule singularité au sein d'un environnement plutôt conformiste, Flavio passait tous ses étés à Monaco. C'était la part de sa vie qu'il préférait, la seule, même, qu'il réussissait à trouver intéressante. Il logeait, là-bas, dans l'appartement d'un couple de retraités, des amis de ses grands-parents qui avaient occupé autrefois des fonctions importantes au palais. Flavio avait du mal à comprendre comment ses grands-parents avaient pu se retrouver avec de telles relations. Cela tenait, apparemment, aux anciennes responsabilités de son grand-père : avant de s'occuper des forêts du sud francilien – d'abord Rambouillet et Dourdan, puis finalement Fontainebleau –, il avait été longtemps en poste sur la Côte d'Azur, un poste stratégique, surtout pour ce qui concernait Monaco, entièrement entourée de crêtes arborées facilement inflammables. C'est là qu'il avait dû entrer en contact avec l'administration de la principauté.

Mais il pouvait y avoir autre chose ; Flavio avait l'impression d'être parfaitement chez lui à chaque fois qu'il plongeait dans la mer et qu'il sentait contre son corps la pression des eaux bleues de la Méditerranée.

Ses parents avaient peut-être disparu en mer comme le héros du *Grand Bleu* – Flavio avait vu le film à une projection de prestige organisée au casino de Monte-Carlo, et la présence de Jean-Marc Barr confirmait son interprétation optimiste du film : il avait survécu à sa plongée finale au milieu des dauphins. Et Flavio rêvait souvent de nager avec eux.

Au-dessus de son lit, Flavio avait disposé des photos de Cousteau et de Jacques Mayol, le modèle du plongeur apnéiste du *Grand Bleu*. Un poster de Catherine Destivelle, un peu dénudée, les rejoindrait bientôt – annonçant, peut-être, l'adolescence de Flavio : après le commandant Cousteau, elle serait sa grande héroïne. L'alpiniste aux cheveux bouclés et aux combinaisons fluo s'attaquait alors aux plus grandes parois rocheuses du monde à mains nues, sans équipement de sécurité. Flavio ne se lassait pas d'admirer en tremblant l'image qui la montrait sur un dévers, à plusieurs centaines de mètres au-dessus du vide. La photo avait été prise en plongée et on voyait au premier plan la main élégamment crispée qui la préservait d'une mort certaine.

Flavio demanderait pour Noël un jeu de prises d'escalade colorées par lesquelles il rejoindrait bientôt son lit en mezzanine – ses grands-parents avaient refusé d'équiper la cage d'escalier du pavillon, mais accepté de l'inscrire à un club d'escalade. Il grandirait désormais contre les grès grumeleux des forêts de Fontainebleau et de Rambouillet, il s'éloignerait, par de grands enchaînements de gestes rapides, des sables blancs de l'enfance en suivant les petits triangles colorés des pistes, et répéterait en s'endormant des séquences de prises sans parvenir jamais à répondre à cette énigme fondamentale : il ne voyait pas, sur son poster, comment son héroïne pouvait s'en sortir, il ne distinguait aucune prise qui pourrait la sauver, la roche l'avait mise échec et mat – à moins d'imaginer, hors cadre, une aspérité jouable. Flavio se rassurait en recomposant la succession de mouvements qui avaient dû la conduire à cette mauvaise passe. Il aurait voulu venir à son secours. Les prises dessinaient dans le vide une trajectoire dont il retrouvait le cheminement exact en écoutant un CD des *Variations Goldberg* sur sa minichaîne. L'aspect lancinant de la mélodie, prisonnière de la portée, lui rappelait l'escalade sur bloc, où la beauté des enchaînements prévalait sur le vertige.

Le deuxième disque de sa collection, le *Requiem* de Mozart, s'accordait moins bien avec l'image – à moins de considérer que son héroïne soit finalement possédée par les forces du vide.

Flavio trouverait bientôt à quelle situation appliquer cette œuvre, en découvrant, dans le *Quotidien des enfants* auquel était abonnée sa classe, un fait divers horrifique qui allait le marquer durablement : une spéléologue, du nom de Véronique Le Guen, qui avait passé plusieurs semaines au fond d'une grotte, totalement isolée dans le cadre d'une expérience sur les rythmes biologiques, venait de se suicider en déclarant avoir vu sous la terre des choses que nul ne devrait jamais voir.

Flavio, lui, parvenait distinctement à les entendre, derrière les voix du « Dies irae », qui ne les couvraient pas tout à fait. Il les entendait aussi, mais beaucoup plus bienveillantes, quand il était en plongée – un monde inconnu bourdonnait autour de lui.

Flavio était plus à l'aise dans le règne aquatique que dans la maison trop vieille, trop étouffante de Dourdan. La première fois que Flavio avait essayé un masque et un tuba avait été un éblouissement. Il était resté la journée entière au milieu des algues et des poissons, et n'était sorti de l'eau que quand le froid avait commencé à paralyser ses jambes.

Bientôt licencié du club d'exploration sous-marine de Monaco, Flavio serait l'un des premiers témoins d'un mystérieux phénomène : une algue inconnue proliférait en contrebas du rocher et semblait disposée à coloniser toute la baie. Très invasive, elle recouvrait le plancher sous-marin à l'exclusion de toute autre créature végétale.

Flavio avait lu *Vingt Mille Lieues sous les mers* avec délice et s'était attaqué à l'œuvre complète de Jules Verne, au milieu de laquelle un documentaliste distrait avait glissé un livre d'Henri Vernes. Il y était question, dans une aventure de Bob Morane, d'une sorte d'algue verdâtre que l'Ombre Jaune cultivait dans un satellite lointain, avec l'ambition de détruire toute vie dans l'Univers. La chose, qui ne recouvrait encore qu'un hectare au pied de l'institut océanographique, se mit ainsi à inquiéter anormalement Flavio.

Il s'intéressait justement, cet été-là, aux automates cellulaires, dont il avait découvert l'existence dans un livre sur les jeux mathématiques. Les règles du jeu de la vie de Conway l'avaient émerveillé : des cellules, formant un grand quadrillage et interagissant selon des règles très simples.

Flavio avait beaucoup joué, auparavant, à Civilization sur son ordinateur, et il en avait particulièrement apprécié l'arbre des technologies : l'écriture menait aux mathématiques, les mathématiques à l'astronomie, l'astronomie à la navigation. L'histoire humaine acquérait là quelque chose de nécessaire et de reproductible. L'ingéniosité des hommes s'était ainsi retrouvée à représenter, pour Flavio, une sorte de paradis – un paradis programmable.

Mais il avait encore plus aimé le jeu de la vie : il avait tout de suite compris que, malgré son apparente sécheresse, c'était le plus complexe des jeux auquel il jouerait jamais, et que n'importe quel processus naturel – peut-être les règles du jeu lui-même – pouvait apparaître à un moment sur la grille s'il disposait correctement les premiers éléments. C'était quelque chose qui égalait presque le don prophétique.

Flavio avait dès lors transformé tous ses cahiers en automates cellulaires et avait redécouvert un à un les motifs les plus basiques du jeu de la vie, de la croix primitive, clignotante comme une enseigne de pharmacie, aux organismes capables de traverser la page en diagonale. Il en était à la conception, de plus en plus sophistiquée, de placentas artificiels susceptibles d'émettre seuls des ondes discrètes de vie quand il avait découvert l'algue envahissante. Il avait alors modélisé, sur de grandes feuilles quadrillées où il avait dessiné le littoral monégasque et les massifs de l'algue invasive repérés par les plongeurs de son club, l'évolution future de la colonie, en lui appliquant des règles identiques.

Le résultat fut apocalyptique : dans moins de dix ans, la vie pourrait avoir disparu en Méditerranée. Flavio parvint à terrifier non seulement son moniteur, mais aussi l'ensemble de son club de plongée et jusqu'au palais princier, qui fut rapidement averti de sa découverte. On lui déconseilla vivement de contacter la presse locale. Il fut en revanche reçu par le prince Rainier en personne, qui fit comprendre à l'adolescent la gravité de sa découverte, tout en saluant son courage et son esprit de conquête : son propre grand-père, le créateur du Musée océanographique, aurait été fier de lui.

Le responsable supposé, et probable, de l'accident se trouvait cependant bien être, comme le soupçonnait Flavio, le Musée océanographique lui-même, qui avait rejeté dans la mer un échantillon de cette plante. La taxifolia, c'était son nom, s'était anormalement plu dans ces eaux, où elle ne comptait aucun rival digne de sa spectaculaire efflorescence.

C'est cette aventure scientifique estivale qui décida du destin de Flavio : il deviendrait biologiste. Il ne revit jamais Rainier et ne reparla jamais de sa découverte. Il remarqua juste que le petit Zodiac du club de plongée s'éloignait, chaque été, un peu plus loin de la côte.

> La seule chose qui pouvait arracher sa proie à
> l'Europe était sa propre création : le globe a glissé de
> ses mains et roulé d'un océan vers l'ouest – la colonie
> occidentale hypertrophiée était devenue un empire, une
> seconde Rome.
>
> *Le Nombre de Gorinski*

Ida avait arrêté sa psychanalyse quelques mois avant sa rencontre avec Jan.

C'était alors l'activité spirituelle à la mode, et elle y avait largement souscrit, faisant, à destination de son analyste, des rêves sophistiqués et signifiants, des rêves aussi construits et cristallins que ses opérations bancaires ; ainsi avait-elle rêvé, un jour, que le rocher du Karst avait disparu, ou qu'on l'avait fait rouler en aval, comme dans ces images pieuses qui montraient l'ouverture du tombeau du Christ. Une immense grotte avait alors pris sa place. À mieux y regarder, la grotte était en réalité une église baroque, pleine de cascades de vasques calcaires, de stalagmites torsadées comme des colonnes salomoniques, et dont la voûte représentait, sur une fresque à la manière de Tiepolo, le mariage de Frédéric Barberousse. Ne figuraient cependant dans l'assistance que des mathématiciens et des philosophes. D'ailleurs on avait donné à l'empereur le visage de Gorinski, et deux figures, tout à gauche, imitant les poses de Platon et d'Aristote dans la fresque de Raphaël, étaient celles de Joachim et de Ferdinand Spitz – le visage de Joachim avait cependant été rendu presque méconnaissable par des infiltrations d'eau.

L'analyste d'Ida avait été ébloui par ce rêve, auquel il aurait volontiers consacré dix séances successives, dix séances de vingt minutes à cinq cents dollars pièce. Mais Ida, soudain, découvrit qu'elle s'en souciait assez peu : elle avait entrepris cette analyse par curiosité, et n'en avait jamais attendu de conséquences directes sur son travail et sur sa vie. Il n'y avait rien à consolider chez elle, et peu à découvrir – sinon cette évidence biographique : la disparition de son père avant sa naissance, et celle de son mystérieux carnet. Car il était possible, et c'était cela, seulement cela, qui perturbait Ida, qu'il ait eu le temps d'accomplir ses promesses, qu'il ait été, pendant ces années troublées par la guerre, l'immense mathématicien que Gorinski avait vu en lui. Mais il ne restait rien. Aucune publication, aucune note d'étudiant, aucun manuscrit. Il ne restait que cette entreprise qu'il avait fondée avec son frère, et qui avait prospéré sur les quelques brevets qu'il avait condescendu à rendre publics – les cendres de sa pensée.

C'était ainsi qu'Ida avait décidé de recruter Verninkt, ce philosophe belge des mathématiques, qu'elle commençait à voir presque autant que son analyste. Il était temps, s'était-elle dit, d'arrêter cette analyse devenue inutile et d'y substituer ces investigations plus prometteuses. Ida avait une autre raison pour arrêter net cet inlassable travail d'interprétation. Depuis Freud, l'interprétation des rêves était dirigée vers le passé, alors que depuis la nuit des temps elle se rattachait plutôt à l'art de la divination. Secrètement, Ida voulait croire aucaractère prémonitoire de ce grand mariage princier au Karst. Elle avait justement fait ce rêve alors qu'elle venait de retrouver la trace de Jan, le prince légitime du Karst, dans un magazine feuilleté un matin chez son coiffeur. Et plutôt que d'analyser son rêve, elle avait minutieusement organisé leur rencontre dans le hall de la Venezia.

Ses discussions avec Verninkt lui tiendraient dorénavant lieu d'exercice spirituel, et accompagneraient les premiers mois de sa relation avec Jan.

Verninkt avait d'ailleurs surpris Ida en lui apprenant que Gorinski avait rencontré plusieurs fois Freud à Vienne, et probablement engagé avec lui un début d'analyse. Il aurait alors découvert, à son grand étonnement, que ses plus anciens souvenirs étaient de nature mathématique : des suites de nombres et de formes, le grésillement primitif de sa conscience mathématique, la distinction originaire du multiple et de l'un. Il appelait cela le moment parménidien de sa conscience, qu'il faisait remonter à sa première année de vie – voire à la période orangée et sonore de la gestation, aux battements asymétriques du cœur de sa mère et à l'expérience déchirante de sa naissance et de son individuation. Gorinski reconnaissait ainsi que, sans la singulière expérience viennoise, il ne se serait pas souvenu de cela avec autant de précision. L'intuitionnisme, au fond, devait beaucoup à la psychanalyse.

Cette filiation inattendue n'était après tout pas absolument illogique : on restait là dans les contours flous de l'Autriche-Hongrie, dans les longs couloirs du même labyrinthe, un labyrinthe grand comme un empire disparu.

Il restera de nous une sorte de soupçon, d'hypothèse
salée, de théorie abyssale : il aurait existé, sur ces roches
trop blanches, dans ces forêts trop sombres, un peuple
conquérant, un orgueil historique ; ici se serait déployée
la civilisation la plus puissante du monde, la première
à l'arraisonner tout entier, à le tenir entre ses voiles à
portée de canon.

Le Nombre de Gorinski

Flavio avait lu *Guerre et Paix* à douze ans, dès son
entrée en sixième, pour fait une fiche de lecture, là où les
plus aventureux élèves de sa classe s'étaient attaqués au
Petit Prince, à *Vendredi ou la Vie sauvage* ou à *Sa Majesté
des mouches*.

La guerre : c'est ce dont il se souviendrait, plus tard,
de ses années de collège : il avait été témoin de la grande
énigme du mal – les hommes choisissaient en connaissance de cause, et certains de n'en tirer aucun bénéfice,
de faire le mal, de faire le mal pour lui-même, ou pour
le seul plaisir de la cruauté. C'étaient des croche-pieds
dans la cour du collège, des jeunes filles qui se faisaient

cracher dans le dos et dont les cheveux longs venaient lentement balayer, entre leurs épaules, le crachat invisible, c'étaient des professeurs trop faibles dont on transformait les heures de cours en martyre, c'était ce garçon qui avait perdu toutes ses dents de devant après qu'on avait desserré la roue de son vélo, et cette fille que sa meilleure amie avait soudain lâchée, alors qu'elle atteignait le sommet du mur d'escalade, et qui s'était cassé la jambe.

La paix : il observait avec mépris, depuis quelques semaines, les stratégies déterministes de ses camarades autour de la butte de remblai érigée en même temps que les bâtiments préfabriqués qui regroupaient les salles de classe. Elles lui évoquaient ces petits labyrinthes en plastique transparent sur les bouchons des tubes de savon à bulles – faire sortir la bille ou la ramener au centre demandait une extrême dextérité, dont il avait autour de lui les exemples les plus divers : untel possédait la doudoune Chevignon qui convenait, et parviendrait sans difficulté à s'extraire grâce à elle du dernier cercle de l'enfance, telle autre s'était fait percer les oreilles ou s'était décoloré, autour de son visage rond, quelques mèches blondes qui lui donneraient, pour un temps, un air à la Marilyn auquel elle devrait sa prévalence sur toutes les autres filles du collège – Flavio la regardait plutôt comme une sorte de Méduse : quiconque s'attacherait à elle, quiconque parviendrait à lui tenir la main pendant un tour complet de la butte serait propulsé dans le cercle de l'adolescence, un cercle symbolisé par des pénis gravés sur le tronc des arbres, au-delà duquel aucun retour en enfance n'était permis. Le bruit aigu des scooters autour du collège dessinait encore un autre cercle, une liberté plus grande – le bruit des chevaliers amoureux partis en croisade et utilisant la force que leur donnait l'amour pour dévaler le monde. Il s'agissait, en même temps, de contrôler ses émotions, d'être le plus normal possible, de ne pas redoubler et d'être obéissant en classe pour atteindre, lentement, le cercle des adultes. Le sentiment qui prédominait dans le collège était qu'on finirait ainsi par rejoindre le territoire immense de la liberté. Mais les bruits plus aigus de certains scooters, ceux dont on disait qu'ils avaient été volés, repeints et trafiqués pour atteindre des vitesses illégales, laissaient entendre qu'il existait des voies plus périlleuses.

La guerre : tous les jeudis soir de la première moitié des années 90, Flavio les avait passés devant « Envoyé spécial », l'émission de reportage de la deuxième chaîne. Les aspects optimistes du générique, qui s'ouvrait sur la chute du mur de Berlin et enchaînait sur les images du concert improvisé de Rostropovitch, étaient contre-balancés par un montage haché de scènes de foules en colère, alternant avec les visages de l'ayatollah Khomeyni et de Saddam Hussein, le tout cadencé par une musique excessivement anxiogène qui débouchait sur un plan en pied des deux présentateurs, au sérieux alarmant, sur un plateau plongé dans la pénombre, lesquels annonçaient, d'une voix lasse et désolée, un nouveau reportage sur la guerre en Yougoslavie. Flavio connaissait cela : la cuvette de Sarajevo ne lui paraissait pas tellement plus effrayante que la cour de son collège. Il n'avait eu à subir aucune agression particulière, mais il avait vu, chez ces enfants de treize ou quatorze ans qui se croyaient des adultes rai-sonnables et des citoyens achevés, des pratiques repous-santes, une perversité gratuite, une infernale banalité de la violence physique et verbale. La guerre était à deux heures de Paris, pourtant toutes les fenêtres des classes donnaient déjà sur un modèle réduit de celle-ci, sur cette butte guerroyante, assiégée, invaincue et presque exclusivement réservée aux duels. Les surveillants ne montaient jamais à son sommet et on s'y battait comme autrefois, pour un regard, un geste, une rivalité amoureuse.

La paix : tout l'univers social tournait autour de la butte avec la précision d'une carte perforée – chacun à sa place, selon sa valeur exacte et connue de tous les autres, les élus formant déjà des couples et se tenant la main comme s'ils tenaient la grande chaîne de la vie. Leurs gestes tendres, leurs doigts entrelacés ne leur appartenaient plus et dessinaient déjà les grandes lois de l'espèce. Flavio n'avait jamais tourné autour de la butte et craignait plus que tout de devoir y monter, certain qu'un jour ce serait le lieu d'un sacrifice. Mais, plus que les duels, c'étaient les couples qui faisaient peur à Flavio. Les couples, main dans la main, qui faisaient le tour de la butte avec plus de cérémonie que des jeunes mariés sortant de la mairie, sous la surveillance du collège entier, l'instance qui décrétait la légitimité de leur amour. Flavio rêvait, pourtant, de rejoindre ce monde implacable.

La guerre : Flavio, enfant timide et bon élève, avait très tôt manifesté un désir de liberté quasi irrationnel. Aux cheminements contraints autour des fortifications sociales de la butte, Flavio avait toujours privilégié les passages en force à travers les brèches les plus impraticables. S'il s'était contenté, au début, de dévaler les pentes de la grande forteresse, rentrant chez lui les genoux en sang et les vêtements déchirés, il semblait dorénavant convoiter la ruine générale de l'édifice du déterminisme social. De plus en plus insolent, il prenait plaisir à s'opposer à ses professeurs ou aux autres adolescents. Égaré, dans une classe de latin, au milieu d'un groupe d'élèves qui constituaient au sein du collège une sorte d'aristocratie, il leur avait ainsi écrit une longue lettre d'insultes, qui raillait l'opportunisme étroit de leur bienséance.

La paix : Flavio finit par comprendre que la gestion du sentiment nouveau dont il découvrait partout les ravages serait la compétence à développer en priorité. Ses amis avaient des amoureuses – souvent les mêmes, d'ailleurs, et cela l'intriguait. Ils étaient ainsi obsédés par Bénédicte, une fille de leur classe – une confidence qu'ils s'étaient collectivement faite avant de s'endormir, après avoir longtemps joué à Zelda. Flavio, lui, ne jouait pas, il se contentait de les regarder frapper les arbustes à tour de rôle avec leur épée, et les avait vus soudain trouver Bénédicte plus intéressante que toutes les émeraudes qu'ils avaient recueillies – plus intéressante que la princesse Zelda.

La guerre : après une longue accalmie, les grands-parents de Flavio étaient à nouveau convoqués une ou deux fois par an par le principal du collège. Leur petit-fils avait répondu en classe, ou provoqué l'un de ses camarades, il s'était battu – ou, plutôt, Flavio s'était jeté en boule sur le sol, étrangement insensible à la douleur et aux regards consternés de ses camarades, jusqu'à ce que l'agresseur finisse par retenir ses coups, et que Flavio se relève avec la dignité d'un invincible Gandhi. Ses grands-parents évitaient de le punir : ils voyaient que Flavio était le premier à souffrir de ces insolences répétées. Flavio était d'ailleurs gêné pour eux d'avoir à expliquer, inlassablement, qu'ils n'étaient pas ses parents, ni même ses grands-parents véritables. Il était gêné, aussi, par le sentiment inévitable que tout cela leur donnait : qu'ils n'étaient pas tout à fait à la hauteur. C'est pour les protéger d'une nouvelle humiliation qu'il avait imité un jour leur signature. La surveillante s'en était aperçue et l'avait retenu dans son petit bureau, le temps de faire quelques vérifications téléphoniques. Il avait profité d'un moment où elle regardait par la fenêtre pour s'enfuir en courant. Il avait traversé la cour, barrée par les bandes multicolores des différents sports collectifs, dans un état de bonheur extrême. La liberté n'était pas au-delà du portail, à quelques mètres, mais ici même, dans la surface de réparation, dans la raquette du terrain de basket, prodigieuse, immense – Flavio s'était vu décoller vers elle, comme sur le poster de Shaquille O'Neal de la chambre de l'un de ses amis qui montrait le géant terrasser un panier de basket.

La paix : Flavio s'était mis lui-même à trouver Bénédicte attirante. Pour se donner une contenance, il avait pris un soir une manette abandonnée et avait confessé, les yeux fixés à l'écran, en détruisant une haie à l'épée d'une façon dangereusement systématique, qu'il était peut-être aussi un peu intéressé par elle. Il avait enfin trouvé le fragment de cœur qu'il cherchait et avait rougi en même temps que son personnage. Il passerait désormais ses nuits à écrire le nom de Bénédicte dans son journal intime et ses journées à la fuir dans la cour du collège.

La guerre : la surveillante réussit à le saisir par les cheveux et, comme il se débattait, à le traîner sur quelques mètres. Tout le collège, jusqu'aux hauteurs de la butte, était témoin de son humiliation. Flavio vit les élèves manifester leur dégoût envers une situation qui échappait à l'étiquette étroite du collège, et qui présageait son bannissement futur. Il parvint, in extremis, à rejoindre un grillage auquel il s'enroula, déchirant sa chemise et son

pantalon de velours. Il courut en direction d'un petit bois
– il se voyait déjà passer la nuit là-bas, dans la cabane
abandonnée d'Olivier, le roi dont il avait provoqué l'exil.
Il se voyait n'en jamais ressortir, et devenir le prince de
ce petit bosquet, dont il fortifierait les alentours et qu'il
défendrait au prix de sa vie. Ce fut sa professeure de
maths, qui passait par là en voiture, qui le ramena à la
raison.

La paix : un midi, une des amies de Bénédicte viendrait le chercher, pour lui dire que celle-ci avait à lui
parler. Elle lui avait alors révélé, les yeux dans les yeux,
qu'elle était amoureuse de son meilleur ami. Avait-il
compris, en cet instant, que l'amour était une donnée
passagère, un commerce sans importance, pour souffrir
aussi peu ? Il était tellement ému de se trouver en face
d'elle, d'être admis parmi ses confidents, qu'il garderait de tout cela le souvenir d'un des instants les plus
heureux de son adolescence. Il était entré dans le cercle
de l'amour, il avait pu parler de ses sentiments à voix
haute, pour la première fois de sa vie. Car Bénédicte,
après lui avoir demandé si son meilleur ami l'aimait,
avait osé lui demander si lui, Flavio, était également
amoureux d'elle. C'était une question si délicieuse et
si bouleversante qu'il lui faudrait des années pour en
comprendre la cruauté. Il avait dit oui, bien sûr, et il
était reparti annoncer la bonne nouvelle à son ami. Les
deux amoureux s'étaient alors pris la main pour rejoindre
la butte sacrée. Mais ils ne s'étaient pas embrassés, ils
s'étaient seulement mis à tourner ensemble. Flavio, qui
n'aurait pas d'aventure amoureuse au collège, regretterait
souvent d'avoir manqué ce stade élémentaire de l'amour.

La guerre : il fut exclu pour une journée de son établissement – une journée qu'il avait dû passer dans le

bureau du directeur à contempler un effrayant tableau de Kandinsky, prétendument abstrait mais qui le fixait, comme un dieu malade, d'un œil mauvais et mauve. Le documentaliste lui avait apporté une sélection de livres, parmi lesquels il en choisit un au hasard, qu'il lut en entier. Le livre s'appelait *La mort est mon métier*, et c'était le récit, fictif mais à la première personne, du commandant d'Auschwitz.

> Néron remporta l'épreuve de quadrige aux jeux
> Olympiques, Hadrien fut initié aux mystères d'Éleusis ;
> Washington fut fait citoyen français en 1792.
>
> *Le Nombre de Gorinski*

Comme tous les New-Yorkais, Ida s'était habituée à considérer l'Europe avec les attentions qu'on prêtait aux choses délicates. L'Europe était un continent en déclin et c'était là sa principale modalité d'être. De toutes les péninsules du monde, elle était la plus corsetée, la plus instable et la plus dangereuse. L'Europe ressemblait à la mâchoire fossilisée d'un dinosaure, une mâchoire qui serrait l'Atlantique entre ses dents. L'Europe conquérante et coloniale, la grande Europe du XIXe siècle, l'Europe à l'apogée de sa puissance, était déjà un continent à l'agonie : la bête avait mordu la mer comme elle aurait lâché la proie pour l'ombre.

Comment l'Angleterre aux côtes maladivement visibles avait-elle pu croire qu'elle pourrait avaler l'Inde, comment la France mouillée avait-elle pu s'éprendre du

Sahara ? Il suffisait d'opposer le contour creusé des côtes européennes au dessin reposant des autres sous-continents de l'Eurasie, de comparer cette succession de presqu'îles décharnées et de baies encrassées à la régularité du littoral chinois, qui dessinait un demi-cercle parfait, à la symétrie adamantine de l'Inde, au parallélogramme indéformable de l'Arabie pour comprendre que l'Europe était un lieu de perdition. Ce n'était pas un continent, c'était un archipel. Seule l'Indonésie, à l'autre bout de l'Eurasie, faisait pire. Le pays des 13 000 îles, le paradis de la pirogue. L'Europe avait préféré les isthmes et les péninsules, structure moins franche, plus hypocrite, et avait prétendu, avec ses caravelles aux poupes hautaines, avec ses galions aux châteaux arrière en porte à faux, relier les points extrêmes du globe et considérer le monde entier à la façon d'un archipel : minuscule, elle se prenait pour un continent autonome, et traitait, avec ses portulans, ses échelles du Levant, ses comptoirs littoraux, les véritables continents comme des lagons vaincus.

Le déclin de l'Europe était inscrit dans sa géographie, pourtant la native de Venise, celle qui savait que la Sérénissime avait survécu un demi-millénaire à la chute de l'Empire byzantin, son véritable hinterland, n'était pas spécialement inquiète. Ida avait autour d'elle la ville la plus puissante du monde, mais celle-ci était encore, comme un hologramme tenu à bout de bras par cette statue de la Liberté fondue dans le vieux monde, une ville européenne.

Ida aimait vivre à New York, elle avait instantanément adoré ça. New York, c'était Venise sortie des eaux. Les palais étaient tout en haut, dans les sommets gothiques des tours, dans leurs penthouses palatiaux et dans ces petites volées de marches qui donnaient sur le vide, restes d'une époque où on pensait pouvoir relier les tours en dirigeable. Ce qui avait d'ailleurs presque fini par se réaliser, quand on avait autorisé les hélicoptères à se poser sur les tours. On avait ainsi installé un héliport sur la tour Venezia le mois où Ida avait accédé au comité de direction de la banque. La première fois que le patin courbé de son hélicoptère avait touché le H jaune avait été la métaphore exacte de sa prise de fonction. Habituée à sauter du canot à moteur de son père à peine l'embarcadère accessible, elle avait sauté de l'appareil avant même qu'il ne soit complètement posé, au grand effroi des autres passagers. Mais ce qu'Ida avait aimé surtout, pendant ces quelques mois de folie héliportée, c'était de regarder passer, depuis la rue, les coques brillantes et lisses des hélicoptères dans l'eau transparente du ciel, une eau si pure qu'elle avait laissé intacts, sans aucune trace de vase, les solides pieux sur lesquels la cité était bâtie – les pieux de deux cents, trois cents mètres, de la ville aérienne. Cette hallucination n'avait duré que quelques mois, le crash d'un hélicoptère sur le toit de l'immeuble de la Pan Am, en 1977, ayant mis fin à ces visions surréalistes.

Mais d'autres signes de la présence de Venise avaient subsisté : un léger désordre urbain au pied des tours, des vendeurs de rue, des boutiques qui s'avançaient légèrement sur le trottoir comme si leurs marchandises débordaient, un encombrement permanent de l'espace public qui aurait été gênant, au regard de la rationalité attendue de la capitale financière du monde, s'il n'était réversible – à la fois installé pour l'éternité, mais tombé là par hasard, et potentiellement toujours sur le départ. Une simple décision de la mairie, et tout redeviendrait aussi lisse, vitré, évanescent que dans n'importe quelle métropole américaine – Chicago, Dallas ou Houston –, un soupçon de calvinisme supplémentaire et la ville, humaine, presque orientale, serait rendue à sa minéralité nordique. Car le désordre de New York était la composante la plus européenne de son urbanisme, c'était celui des ghettos européens – du ghetto originel : celui de la Sérénissime. Et ce désordre, comme là-bas, représentait peut-être la seule partie vitale de la ville. C'était là, dans ces cafés, dans ces delicatessen, dans ce Yiddishland du Nouveau Monde que les cadres de Wall Street aimaient venir déjeuner – le sucre que leurs cerveaux transformaient en cité de cristal était précisément celui qui saupoudrait les pâtisseries de cette Europe errante.

Ces visions de Venise avaient instantanément séduit Ida à son arrivée, au début des années 70. Elle était alors stagiaire à la Venezia, et suivait en parallèle des cours d'économie mathématique à Columbia. Le vendredi après-midi, après avoir passé la matinée à la banque, elle aimait remonter Broadway en interceptant le soleil couchant sur sa joue gauche à chaque intersection. On approchait là, encore après Central Park, des quartiers interdits. C'était ce que lui avaient dit la plupart de ses amies de la fac : ne jamais venir seule, ne jamais venir la nuit, garder les yeux au sol. Cela avait amusé Ida, qui avait plusieurs fois continué à marcher jusqu'à Washington Heights sans être jamais sérieusement inquiétée, et qui s'était même plusieurs fois aventurée dans Harlem – il était impossible de se perdre quand on avait grandi à Venise.

Ses amies, qui pour rien au monde ne l'auraient accompagnée là-bas, préféraient partir chaque été pour de grands périples européens et initiatiques. Au programme : l'Espagne franquiste, une dictature si exotique et un peu hors du temps, presque contemporaine de l'Allemagne nazie ; l'Italie des pickpockets, qui exigeait qu'on se fasse coudre des poches secrètes pour y dissimuler son argent ; la France où n'importe qui pouvait vous embrasser en pleine rue ; l'Angleterre pleine de voyous en costume devenus millionnaires grâce au rock'n'roll. Pour les plus audacieuses, il y avait aussi Berlin-Est – les portes de Check point Charlie menaçant de se refermer à tout moment. On pouvait enfin, à ses risques et périls, descendre dans les profondeurs de la Mitteleuropa, ou bien rejoindre le territoire prétendu neutre, et presque oriental, de la Yougoslavie, aux rivages austères, aux villes pleines de bandits et aux forêts remplies d'ours affamés. Ida n'avait jamais entendu aucune anecdote positive sur la Yougoslavie, et jamais personne n'était évidemment allé s'aventurer jusqu'aux rues tourmentées de Karstberg.

C'était pendant l'une de ses balades dans les lointains de Manhattan qu'Ida était tombée sur un étrange rocher, coincé entre deux immeubles et sur lequel poussait un arbre. Il devait s'agir d'un bloc erratique déposé ici après le retrait de l'ancien glacier de l'Hudson. On trouvait, ainsi, dans Central Park, de grandes roches striées par la glace. Mais il s'agissait là d'une pierre isolée, et il était surprenant qu'aucun promoteur ne l'ait fait sauter. Comme mis à l'abri des convoitises, il était d'ailleurs protégé par une grille. Ida avait passé la main à travers pour arracher une feuille de l'arbre et l'avait glissée dans son agenda.

Elle s'était alors dit, l'analogie était facile, que ce rocher représentait le Karst. À cette idée, elle avait ressenti un élan de compassion étrange, pour elle-même, pour son père disparu, peut-être pour ses ancêtres, un sentiment d'exil, ou d'appartenance. Cela ne pouvait être qu'une chose qu'il lui faudrait taire, en tant que banquière, en tant que New-Yorkaise, en tant que citoyenne du monde, quelque chose qui devrait rester entre elle et ce rocher : un sentiment patriotique.

La destinée manifeste : une grande vierge hallucinée pour calvinistes fous qui traverse l'Amérique d'est en ouest, emportant à sa traîne pionniers, locomotives et poteaux télégraphiques. La destinée manifeste n'éclaire pas le monde, elle lui tourne le dos : car elle est arrivée à destination. Longtemps réputé pour son exceptionnelle vitalité religieuse, le peuple américain se rattache encore aujourd'hui à trois Églises, qui sont toutes trois, singulièrement, des Églises sans dieu : les alcooliques anonymes, le show-business et le marché.

Le Nombre de Gorinski

Flavio avait soigneusement disjoint les cartes et les pièces prédécoupées d'un jeu de société offert en supplément du magazine auquel il était abonné – un magazine d'inspiration chrétienne, rempli des biographies édifiantes de grands héros de l'humanité : Charles de Foucauld, Mère Teresa, Henri Dunant, Robert Schuman. Le jeu proposait de reconstituer, chez soi, l'expérience de la construction européenne, frères, sœurs et parents participant, et acceptant, grâce aux petits drapeaux fournis, de transformer leur chambre en l'un des douze États membres. Si personne n'avait une aussi grande famille, la difficulté était particulièrement grande pour Flavio. Le jeu s'avéra en plus d'une complexité effarante : Flavio s'était retrouvé avec des centaines de bouts de carton, un jeu complet de drapeaux en triple exemplaire, une fortune en écus et des traités impénétrables – les règles du jeu, qui proposait un long périple à travers l'espace de Schengen, étaient inutilement sophistiquées. Ne nécessitant plus l'obtention d'aucun visa, d'aucune validation de ceux-ci par des tampons exotiques, le voyage se trouvait de toute façon privé de son intérêt principal. Lecteur de littérature enfantine, de bande dessinée belge et des livres de la Bibliothèque rose, Flavio réduisait alors le mal à des problèmes de contrebande ou de fausse monnaie, et regrettait la disparition des contrôles aux frontières.

C'était d'ailleurs l'un des jeux les plus appréciés des enfants de sa rue, qui jouaient au douanier pendant des après-midi entières en dissimulant des feuilles de troènes – l'odeur pacifique et fade de son enfance – dans les tubes de leurs vélos, des vélos fouillés de façon aléatoire au passage des frontières dessinées à la craie sur le sol craquelé du lotissement – certains trottoirs, déformés par des racines, permettaient des franchissements en force plus spectaculaires que celui de *L'Affaire Tournesol*. Possesseur d'un lourd vélo jaune à suspension dont les câbles de freins s'emmêlaient à chaque acrobatie, Flavio était cependant privé de ce plaisir transgressif, et il admirait le vélo d'un des enfants de sa rue, dont les câbles, logés à l'intérieur du tube de direction, lui permettaient d'enchaîner sans contraintes toutes les figures de la contrebande – c'était l'image la plus précise qu'il pouvait se faire de la liberté d'aller et venir.

Il avait vu aussi, un soir, sur le parking d'un super-marché, des garçons à peine plus vieux que lui monter debout sur les guidons de leurs vélos et décrire ainsi toutes sortes de boucles avec les bras écartés comme des christs – jamais l'Europe ne lui avait semblé plus vaste et plus libre qu'en cet instant de grâce adolescente.

Un autre jeu auquel il avait participé enfant consistait à dessiner une Terre ronde sur le sol, et à la découper en quartiers qui représentaient des pays. Chacun leur tour, les joueurs se déclaraient la guerre, dessinant sur le quartier voisin leurs velléités de conquête, laquelle devenait effective s'ils parvenaient à récupérer un ballon qu'on envoyait très haut dans le ciel, en une image puri-fiée et parabolique de la guerre. Flavio avait perdu son ballon de cette façon, derrière une haie de thuyas hostile et hermétique. Il devait pourtant être là quelque part, invisible, à l'attendre. Flavio se sentait, parfois, aussi abandonné que lui.

Flavio se souviendrait plus tard de la chute du mur de Berlin comme d'un événement malheureux de son enfance. Il avait conscience d'être du bon côté, du côté de la liberté en Europe, mais craignait qu'on ne se montre trop cruel avec l'idée communiste, pour laquelle il éprou-vait une irrésistible attraction – que tous les hommes soient frères était une consolation pour cet enfant dont la solitude ressemblait parfois à un exil.

Il avait passé, en 1989, les vacances de la Toussaint et de Noël en Bretagne, chez la sœur de sa grand-mère, une femme qui ne riait jamais mariée à un homme qui souriait toujours d'un air triste, leurs deux visages éga-lement figés depuis la perte de leur fils, des années plus tôt. Il y avait, dans la cour de la ferme, un chien enchaîné nuit et jour, un chien qui régnait sur un no man's land circulaire où même l'herbe n'arrivait pas à pousser – et ce serait là l'image que Flavio se ferait de Berlin. Ces semaines de vacances étaient pour lui des enclaves de tristesse irrémissible. L'été, Flavio avait Monaco, la plongée, quelques amis qui revenaient d'une année sur l'autre et le sentiment, vague mais insistant, qu'il était quelqu'un d'important, doté d'un destin exceptionnel. Ces vacances en Bretagne étaient par comparaison une interminable punition – la punition d'être sans parents, et de grandir dans un monde de vieillards. Les journées étaient infinies.

Sa grand-tante et son mari étaient abonnés à un quotidien que Flavio ne les avait jamais vus lire. Ils se contentaient d'en arracher les pages pour en garnir le fond de leur panier, ou emballer les œufs qu'ils lui confiaient quand il repartait à la ville, comme ils disaient étrangement – lui avait plutôt l'impression de grandir au milieu des arbres. C'était un quotidien catholique et Flavio n'avait pas grand-chose d'autre à lire, passé les Jules Verne qu'il avait emportés. Il lisait tout, les éditoriaux humanistes – qui redoutaient que l'Europe de l'Est, à peine délivrée du mal, soit reprise par les nouveaux démons du consumérisme –, les informations locales, la liste des naissances et des décès, le feuilleton de la page finale – une histoire de sosie dans un royaume d'opérette. L'ennui était si fort qu'il avait entrepris de confectionner une encyclopédie personnelle de la chute du communisme, en recueillant tous les articles de la double page qui ouvrait le journal pendant ces mois cruciaux, articles qu'il collait dans un cahier à spirales chapitré par pays. Il lui était arrivé, quand il avait jugé insuffisante la quantité d'informations recueillie, d'aller chercher de vieux journaux à la cave, voire de déballer soigneusement des œufs à la recherche du morceau de page qui lui manquait pour compléter un article sur les chantiers navals de Gdańsk ou la révolution hongroise.

L'Europe démocratique garderait pour lui la fragilité de ces œufs et la fin tragique de la révolution roumaine ne le surprendrait ainsi pas tout à fait – un air de ressemblance entre ces œufs qu'on déballait prudemment et la terre qu'on enlevait pour dégager les visages flétris du charnier de Timişoara. C'étaient les premiers morts que Flavio avait vus, et il mit longtemps à comprendre pourquoi on disait que ces cadavres étaient faux.

Les Alcooliques anonymes : c'est, en termes d'observance, et de très loin, la première Église américaine – celle aux réunions les plus nombreuses, aux membres les plus pieux. C'est là le vrai augustinisme du nouveau monde : l'alcoolique est né éternellement pécheur et aucune prière n'est assez forte, aucune volonté ne peut le sauver de lui-même. Seuls pourraient exister, plus grands, plus puissants et plus sacrés qu'un dieu, la cérémonie infinie de la confession et le décompte obsessionnel des jours d'abstinence – l'aleph-zéro du Nouveau Monde.

Le Nombre de Gorinski

Ida avait sursauté en prenant la chaîne hi-fi tourmentée de son bureau pour un masque de samouraï. Elle sortait d'une réunion consacrée à l'arrivée massive des capitaux japonais dans l'économie américaine et elle avait cru un instant qu'une banque rivale avait fait déposer l'objet dans son bureau, manière un peu agressive d'engager les négociations avec la Venezia. L'illusion s'était dissipée quand elle avait allumé la lumière et que la chaîne avait repris sa forme musicale. Mais si les affirmations du plus passionné de ses analystes étaient vraies – le rachat d'Hollywood et de Manhattan par des zaibatsus tentaculaires avançant masqués derrière des marques d'électronique grand public –, alors oui, cette intrigante machine musicale était bien, à sa manière, une sorte de samouraï.

Ida pensa à la Commission trilatérale de son ami David Rockefeller. Les États-Unis, le Japon et l'Europe. Cela ressemblait plus à un vieux club anglais de l'ère victorienne qu'à un théâtre de guerre. Elle avait ainsi accueilli la spectaculaire émergence du Japon sur les marchés financiers comme une excellente nouvelle. Anticiper les futurs développements de la géopolitique, au besoin les accompagner : c'était le cœur de son métier. Elle salariait à cette fin des centaines d'analystes. Des analystes qui lisaient tout, des rapports de la FED aux pages météo de la presse africaine. Ils manquaient sans doute un peu d'intuition, mais ils savaient tout ce qu'on pouvait savoir.

Il existait, derrière eux, une autre catégorie d'analystes spécialisés justement dans ce qu'on ne pouvait pas savoir, des analystes à la formation exclusivement mathématique, et généralement inaptes à comprendre l'économie, ou plutôt à qui cette grande fabrication standardisée d'objets identiques répugnait un peu, comme une très mauvaise version du platonisme. Leurs domaines étaient le traitement de signal, l'analyse tangentielle, les transformées de Fourier – la représentation rythmique et circulaire d'une courbe en apparence aléatoire. C'était ce qu'on leur demandait, d'ailleurs : trouver des cycles là où les meilleurs économistes ne voyaient que du bruit, trouver les logiques cachées à l'œuvre dans un monde chaotique.

Ils étaient moins nombreux que les économistes, mais au rythme où allaient les choses, ils prendraient le pouvoir dans moins d'une décennie. Les récentes politiques de dérégulation, en donnant au marché une épaisseur et une réflexivité soudaine, les avaient placés au centre du jeu – on spéculait moins sur des tranches d'économie réelle, sur des morceaux du monde physique, que sur le marché lui-même, devenu plus sensible qu'aucune espèce vivante avant lui – humanité comprise. On se détachait enfin de l'écorce terrestre, pleine de charbon et de métaux précieux, pour fabriquer un système de valeurs spécifiquement humain, où les prix n'étaient plus connectés à l'arbitraire géologique, astrophysique, à la rareté relative de tels types d'atomes par rapport à tels autres. On était sorti, sans s'en rendre compte, des âges obscurs de l'économie de subsistance. Le marché était devenu un gigantesque caprice, un chant de liberté. Il s'appartenait à lui-même, il avait sa propre intelligence. Elle était là, peut-être, l'espèce évoluée appelée à remplacer les hommes. Ce ne serait pas un ordinateur, mais une bourse de valeurs.

Ida appréciait sa neutralité impitoyable, elle en ressentait intimement la grandeur, elle avait appris son langage, elle avait accepté de lui obéir – ce qui avait fait d'elle une banquière redoutable.

Coca-Cola, Budweiser ou Disney tentaient parfois d'obtenir des prêts sur plus d'un siècle. C'étaient des marques vedettes et les gens adoraient le sucre, sous sa forme cristallisée, fermentée ou en celluloïd. Mais il y avait le problème ancien de l'alcoolisme et celui, émergent, de l'obésité des enfants. Ce n'était pas dans les manèges Disneyland qu'ils maigriraient. Ida avait identifié ce risque en une seconde, et refusé de participer à ces demandes de financement.

Et si l'Église lui faisait une demande similaire ? Et si le pape lui-même la recevait en audience pour lui demander trois milliards ? Refuserait-elle ? Saurait-elle montrer au pape, comme elle l'avait fait au patron sidéré de Coca-Cola, qu'elle ne croyait pas tout à fait à la solidité de l'immense édifice ? Et si Griff lui demandait de financer une société secrète karste, que ferait-elle ? Il y aurait un risque, bien sûr, et même un risque de guerre mondiale, en extrapolant un peu : les sociétés secrètes et les Balkans, ça réagissait assez mal.

Griff était un ami d'Ida, un écrivain d'avant-garde qui se faisait passer, selon ses interlocuteurs, pour un dissident yougoslave ou pour un dangereux terroriste en exil – le leader des indépendantistes karstes. L'indépendance du Karst : Ida avait envisagé la chose froidement, comme une introduction en Bourse. Un nouveau pays, avec sa monnaie, sa capitale et sa petite armée. Et ses timbres ! Cela plairait à Jan – elle avait habilement réorienté ses instincts de collectionneur des mannequins juvéniles aux timbres anciens.

Combien étaient-ils à croire à l'indépendance du Karst ? Personne, sans doute, et le prince héritier encore moins que quiconque. Griff, peut-être, mais parce que c'était une cause perdue, un véhicule idéal pour son romantisme slave. Et pourtant Ida se surprenait, de plus en plus souvent, à trouver l'aventure excitante.

La seconde hérésie rassemble les adorateurs du spectacle. C'est toujours la même intuition de Luther, la présence asphyxiante des ténèbres, l'absence de liberté, le destin supporté de l'extérieur par les néants de la tentation – l'épisode de l'encrier a seulement rendu le diable plus discret et moins visible. L'enfer : des visages redessinés au couteau, des esprits, comme le cerveau de Marilyn, rendus à la chimie et les chutes des damnés de ce martyrologue conservées à jamais dans le ciment du boulevard du crépuscule.

Le Nombre de Gorinski

Flavio aurait voté oui sans hésiter au référendum sur le traité de Maastricht.

Que connaissait-il, alors, de l'Europe ?

Il avait été avant tout marqué par ce qu'avait dit un jour sa professeure d'histoire au collège, Mme Talbot : j'aimerais que la mention « citoyenne de l'Europe » remplace celle de « citoyenne française » sur mon passeport.

C'était peut-être un peu contradictoire avec le fait que celle-ci admire particulièrement Jacques Delors, le président français de la Commission, qu'elle tenait pour un personnage plus grand encore que Mitterrand, et seul capable de contrebalancer le déséquilibre, clairement en défaveur de la France, que venait de provoquer la réunification allemande. Ce sursaut nationaliste, chez une europhile attestée, avait étonné Flavio, mais il n'en avait pas fait grief à Delors, qu'il dotait d'une impartialité absolue et d'une noblesse d'âme incomparable, comme le démontrerait bientôt son refus de se porter candidat aux présidentielles de 1995, pour lesquelles il était l'immense favori, dans une France plus européenne qu'elle ne le serait jamais.

Flavio s'était rendu en Allemagne peu après la réunification. Choisir l'allemand comme première langue, en ces années, l'âge d'or du couple franco-allemand, donnait accès aux meilleures classes. Il avait ainsi passé un mois près de Brême. C'était en août mais il y avait déjà des gelées blanches. Il était accueilli, comme toujours, par un couple de retraités, des retraités avec un garçon du même âge que lui – une sorte d'internationale des retraités avec enfants. Le grand-père avait été dans la police, et il occupait maintenant son temps libre à réparer des vélos. Quel âge avait-il, en 1945 ? Flavio n'avait pas osé lui demander son âge, mais il estimait, pour se rassurer, qu'à cinq ans près il n'avait pas pu être nazi.

L'homme lui avait appris à dévoiler les roues de vélo – activité minutieuse, mais assez gratifiante, quand on arrivait à faire tourner la roue sans toucher les lames de métal de l'appareil de vérification, et qu'elle redevenait un objet à deux dimensions.

Cela avait rappelé à Flavio les contrepoids en plomb qu'il avait collectionnés autrefois. Il les trouvait dans les caniveaux des rues de son lotissement et son grand-père lui avait expliqué qu'ils servaient à équilibrer les roues des voitures et qu'il pourrait les fondre pour fabriquer des petits soldats. Mais il avait eu rapidement une idée plus étrange. Il s'était déjà constitué un petit arsenal dans le compartiment secret de sa table de nuit, en y rangeant les douilles de carabines en cuivre qu'il avait ramenées de Bretagne, et il avait eu l'idée de transformer un jour ces contrepoids en balles véritables, ou a défaut, en plombs de chasse. Il avait en effet retenu, des ténébreuses expériences auxquelles Olivier les avait autrefois initiés avant de disparaître, qu'on pouvait récolter de la poudre explosive en faisant lentement tourner la roue d'un briquet sur une feuille blanche. Flavio s'attelait à la tâche en silence, pendant des heures, à la vitesse précise qui convenait pour que la poudre ne s'enflamme pas, et il avait fini par obtenir un petit dé à coudre en porcelaine de matière explosive – le fait que sa table de nuit soit recouverte d'une lourde plaque en marbre le rassurait plutôt. Le plus étonnant était qu'il n'avait jamais eu aucune idée précise de ce qu'il aurait fait, s'il avait pu mener le projet à son terme : il aurait eu une arme sous son oreiller, mais contre quel conspirateur la diriger ?

Il avait aimé, cet été-là, réparer des roues voilées dans la grande plaine du nord. C'était moins ennuyeux que les cours du *Gymnasium*, auquel il ne comprenait rien. Et c'était fascinant de découvrir que la courbure de la jante dépendait entièrement de la longueur des rayons – la jante n'avait presque aucune existence indépendante, elle obéissait à un ensemble de réglages très fins qui visaient à la transformer en cercle parfait. Le cercle parfait, d'ailleurs, n'existait peut-être pas. C'était un ensemble de réglages empiriques et les écrous creux qui permettaient d'agir sur la longueur des rayons n'étaient pas moins miraculeux que le nombre pi.

Ses autres souvenirs de son voyage en Allemagne étaient plus subliminaux : des corps d'adolescents entièrement dénudés dans les magazines pour la jeunesse, des distributeurs de cigarettes dans les rues, l'impression, devant chaque pavillon, qu'il était fini pour toujours, achevé, qu'il avait atteint son état éternel, mais sans aucune beauté – que l'Allemagne était un pays avec d'aussi bonnes finitions que ses grandes voitures étonnamment banales. D'autres images, plus troubles : le garçon de son âge, qu'il essayait en général d'éviter, passait ses journées à écouter les hurlements gutturaux d'un groupe de black metal, et semblait n'avoir aucun ami – on avait sans doute fait venir Flavio, en plein été, pour qu'il joue ce rôle impossible. Le garçon l'avait plusieurs fois pourchassé, à travers toute la maison, avec une dangereuse canne-épée.

Il lui avait aussi montré, un jour, une boîte cachée dans le bureau de son grand-père, une boîte d'où sortit, soudain, le diable à ressort d'une marionnette antisémite.

Le cinéma comme triomphe de Luther, comme seul
art projeté dans les églises.

Le Nombre de Gorinski

L'indépendance du Karst : Ida riait toute seule de
l'énormité du projet. Elle était alors considérée comme la
femme la plus sérieuse du monde. Un seul loisir connu :
les récitals de violon. Sa seule fantaisie : s'autoriser à
jouer parfois en public alors que son niveau était légèrement en deçà d'une violoniste professionnelle. On venait
de lui proposer de se produire, à des fins caritatives,
à la philharmonie de Vienne. Elle avait adoré l'idée et
accepté tout de suite. Il y avait un contrat de mécénat
derrière, mais on avait eu l'élégance de dissocier les deux
demandes. Elle avait tenu l'opéra entier, avec tout l'orchestre. *Les Noces de Figaro*, bien sûr. Et le plus étrange,
c'est qu'elle n'avait pas été aussi émue qu'elle l'aurait
cru. Elle n'avait pas eu le trac, ni ressenti le moindre
frisson au moment des applaudissements.

Son vieil ami, l'aventurier français, le père de son fils,
avait tenté sa chance, dans sa loge, avec un énorme bou-

quet de roses rouges en guise de préliminaires. Mais son degré d'excitation sexuelle était demeuré étrangement bas, et elle l'avait poliment renvoyé.

Elle avait ressenti des émotions beaucoup plus fortes quelques jours plus tard en apprenant l'OPA hostile de la Chase Manhattan sur l'un de ses concurrents directs – l'autre grand survivant, génois celui-ci, de l'âge d'or de la banque italienne, la Banco della Lanterna. Il avait fallu réfléchir, passer des coups de fil et trouver une position qui soit à la fois ferme et ouverte. Empêcher la banque américaine de parvenir à ses fins, empêcher l'apparition d'un concurrent trop gros, tout en refusant l'offre déraisonnable, presque sentimentale, que lui avait faite, dans son vieux palais de la voie Garibaldi, le directeur de la Banco della Lanterna : une offre de fusion. Son bureau était au second étage de l'ancienne chapelle du palais, qu'on avait sectionnée en deux dans le sens de la hauteur. Ida et Borromeo s'étaient ainsi trouvés à discuter sous un groupe de saints énormes, anamorphosés et à moitié nus – les fantasmes flottants d'un prince esthète du dernier apogée de la cité génoise, quand la veille ville médiévale finançait encore, par-delà les Alpes et alternativement, l'Empire de Habsbourg et le royaume de France. Les princes banquiers de la ville avaient dû faire un mauvais calcul, à un moment : personne ne comptait plus sur Gênes pour financer ses guerres, et ses palais s'étaient lentement délabrés. Il n'était pas sûr, si un séisme venait à détruire Gênes, qu'on en reconstruise beaucoup de choses. De même, le projet d'une digue destinée à sauver Venise de l'*Acqua alta* trouvait difficilement des financeurs. À tout prendre, la reconstruction de la ville sur une dalle de béton un peu plus haut à l'intérieur des terres aurait été presque plus rentable, si ce qu'on disait du réchauffement climatique était vrai. Cela aurait plu à son beau-père, trop orgueilleux pour ne pas préférer le grotesque de cette solution à n'importe quelle autre approche prétendument plus respectueuse. Il avait toujours détesté les restaurations. Le puritanisme compliqué de la charte de Venise le faisait encore hurler, vingt ans après sa signature. Plutôt la Charte d'Athènes que la Charte de Venise ! disait-il. Plutôt des immeubles modernes en haut de l'Acropole que la grotesque ruine actuelle ! Qu'on fasse repousser les bras et le serpent du Laocoon ! Quoi de plus grossier qu'interdire aux hommes d'intervenir dans la vie d'une œuvre ! Veut-on tuer les Italiens ? Veut-on en faire un peuple de restaurateurs ? Va-t-on arrêter de massacrer l'âme européenne ? Ces diatribes amusaient beaucoup Ida.

Son beau-père tenait aussi toujours à lire, de la façon la plus ostensiblement naturelle, et quelle que soit leur valeur, les livres qu'il s'apprêtait à vendre, qu'elle trouvait abandonnés n'importe où, sur le carrelage du salon, ouverts à l'envers à côté de son petit déjeuner ou posés à cheval sur un rouleau de papier toilette, et rien ne l'agaçait plus que de les voir préemptés par un État ou classés trésor national. Les choses, disait-il, perdaient leur valeur aussitôt entrées dans un musée, et n'existaient vraiment qu'en tant qu'objets de convoitise dans une vente aux enchères, ou dans une collection privée : la collection privée comme cancer, délicieusement incurable, des grands capitalistes.

Si Ida avait dû remonter aux sources de son libéralisme, à l'origine de sa vocation de banquière, c'était à ces colères feintes de son beau-père qu'elle serait arrivée, à cette façon joyeuse de mépriser ce monde, bourgeois, conservateur et raisonnable. Son univers mental n'était pas tout à fait celui de la grande bourgeoisie industrielle et financière. La banque Venezia existait avant elle, et la partie la plus secrète, la plus exaltante de son travail consistait à imaginer des façons de lui survivre. À la tête de la Venezia, Ida contrôlait des forces invisibles et puissantes – l'argent était une force équivalente à l'attraction universelle. Elle avait entre ses mains le destin du monde, le choix de ses futures orbites, le rythme de ses futures saisons.

La question qui se posait était à cet instant celle d'une greffe possible de la Venezia avec les branches malades de la banque génoise – la Venezia pouvait-elle supporter une telle opération ?

Ida n'avait pas peur du risque, comme elle n'avait jamais eu peur des crises économiques. Les clients des banques les prenaient en général pour des cyclones mortels et s'attendaient à voir l'arbre de l'économie mondiale soudain déraciné. Ida avait perdu un trader, la semaine du lundi noir, il avait sauté du toit de la tour – elle n'était pas certaine de ne pas l'avoir vu passer, à la périphérie de son champ de vision. C'était un saut plutôt égoïste, et qui avait peu à voir avec ses activités pour la banque. L'argent qu'il avait perdu était essentiellement le sien, et celui de quelques-uns des membres de sa famille qu'il avait entraînés dans une aventure risquée. Et la banque – contrairement à sa vieille rivale génoise – avait bien encaissé la crise, le cyclone de 1987. Ida avait perçu l'événement avec exactitude, elle avait parfaitement visualisé la façon dont l'arbre allait réagir. Le vent mauvais de la crise avait seulement balayé la terre entre ses racines, le monde s'était mis à tourner autour de lui, dévasté, pendant que lui restait intact. Ce n'était pas l'arbre qui tournait, c'étaient les débris de l'ancien monde qui montaient au ciel avant de basculer dans un vortex de néant.

Ida n'écoutait plus le vieux Borromeo qui tentait désespérément de se raccrocher à elle en faisant appel à son patriotisme. Quel patriotisme ? Venise et Gênes se détestaient depuis toujours. Marco Polo, à son retour de Chine, avait été emprisonné ici, et la ville était presque aussi fière de sa prison que de la maison natale de Christophe Colomb.

Ne pas soutenir la banque génoise : c'était la décision rationnelle à prendre. Mais il y avait en plus une saveur particulière à remporter la dernière bataille d'une guerre économique commencée près de huit siècles plus tôt.

> L'Église la plus puissante d'Amérique, c'est le
> marché. C'est cette Église qui s'est le plus éloignée
> du rameau théiste initial, jusqu'à faire disparaître la
> face du Dieu fait homme derrière des diodes vertes
> et rouges, jusqu'à démembrer son grand corps nébu-
> leux de créateur du monde pour n'en garder que la
> seule part utile, l'organe distributeur, la terminaison
> impitoyable et charitable, la main presque aussi douée
> que celle d'un prestidigitateur et si rapide qu'elle en
> deviendrait invisible, qu'elle en deviendrait transparente
> comme la chair du monde.
>
> *Le Nombre de Gorinski*

Le club de plongée de Flavio avait recruté, cet été-là,
un nouvel instructeur.

Ce qui avait immédiatement marqué Flavio, c'est que
l'homme, un plongeur confirmé, n'avait pas de pouce à
la main gauche.

Un jour qu'ils attendaient, en surface, la remontée des
deux derniers plongeurs, il lui avait raconté ce qui lui
était arrivé. Le soir tombait, visqueux, sur la mer violette

et on entendait à peine les vagues. Il avait perdu ce jour-là ses trois meilleurs amis dans un terrible accident.

À une trentaine de mètres de fond, un fin boyau s'enfonçait dans la falaise sous-marine, du côté des calanques de Marseille. On disait qu'il débouchait dans une grotte dont la principale salle était au-dessus du niveau de la mer. On disait aussi que les parois de la grotte étaient couvertes de peintures préhistoriques.

Tout cela était invérifiable. Personne ne savait d'où venait la rumeur ni où se trouvait l'entrée de ce boyau. C'était une sorte de mythe et peu de plongeurs y croyaient vraiment. Ceux qui en parlaient avaient en général un peu bu. C'étaient souvent des plongeurs professionnels. Des salariés de l'industrie pétrolière entre deux missions. Ils racontaient qu'à l'âge glaciaire la mer était presque cent mètres plus bas. L'Europe était alors mieux aménagée : on pouvait traverser la Manche et la mer du Nord à pied, passer d'Italie en Sicile ou de Corse en Sardaigne, franchir les Dardanelles ou rejoindre l'Irlande. Le continent était plus grand, plus haut et plus inaccessible : les falaises qui le bordaient formaient des à-pics infranchissables. Et tout le littoral devait être parcouru, comme au temps du mur de l'Atlantique, par un réseau de grottes aujourd'hui immergées.

L'instructeur de Flavio, il s'en désolait encore, avait cru tous ces récits bizarres qui faisaient de l'Europe une forteresse engloutie, qui l'identifiaient même au continent perdu du mythe de l'Atlantide. Il s'était ainsi mis, frénétiquement, à rechercher l'entrée de la grotte préhistorique. Pendant près d'un an, avec trois amis, il avait plongé tous les week-ends. Ils étaient entrés dans des dizaines d'anfractuosités. Ils avaient remonté plusieurs siphons, en vain – des siphons si étroits que les plongeurs devaient détacher la bouteille d'oxygène de leur dos. Flavio écoutait, terrifié. Il avait toujours été claustrophobe. Claustrophobe comme on a peur du vide : avec le désir irrépressible d'aller s'y enfoncer. Il avait ainsi réussi à s'introduire un jour, en entier, dans son casier cubique, pour impressionner ses camarades de collège. Lors d'une sortie scolaire, il s'était faufilé, à la suite d'un pari, dans le vide-ordures d'un fast-food. Il se souvenait aussi, avec une horreur délicieuse, de sa visite d'un sous-marin dont les tubes lance-torpilles, juste de la taille d'un homme, l'avaient fasciné quand il avait appris que c'était par là que se déployaient les commandos amphibies. Et si la trappe restait bloquée ? Ne pas pouvoir se retourner était sa grande phobie. Une phobie qu'il explorait tous les soirs, en entrant dans son lit à l'envers et en essayant de ressortir à travers le drap et la couverture que sa grand-mère bordait excessivement serrés, et que la panique resserrait encore autour de lui. La plongée était une expérience de cet ordre : tout le poids de la mer s'abattait sur son corps mais le miracle était qu'il arrivait encore à bouger et à sortir de ce cauchemar.

Son instructeur lui avait raconté la découverte inespérée, après plus de cent plongées, de la grotte introuvable. Elle était située juste à l'aplomb des plus hautes falaises de France et ils s'y étaient engagés tous les quatre sans réfléchir, certains que c'était la bonne – le boyau, cette fois-ci, semblait continuer sur des dizaines de mètres. Ils avaient avancé sans fil d'Ariane et sans se rendre compte qu'ils remuaient la vase avec leurs palmes. Lui, qui fermait la marche, s'en était aperçu et il avait rebroussé chemin comme il avait pu. Il était remonté à la surface pour demander de l'aide, en respectant à peine les paliers de décompression.

Il avait enfin rejoint le Zodiac. La mer était agitée et une vague avait fait tomber sa bouteille contre le moteur en lui arrachant le pouce. Il avait hurlé en voyant l'état de sa main. Hurlé encore plus, quand il avait compris que le choc avait également endommagé le moteur. Il ne pouvait rien faire. Et il allait, en plus, mourir d'une embolie. Personne ne sortait de l'eau et il aurait été suicidaire, dans son état, de replonger. Il avait seulement réussi à lancer une fusée de détresse. Les marins-pompiers avaient mis longtemps à arriver. L'équipe de plongeurs spéléos, dépêchée par hélicoptère, avait été encore plus longue. Cela faisait maintenant plus de deux heures. Les trois autres n'avaient pu survivre que si la grotte préhistorique existait bien, comme une grosse bulle d'air comestible, tout au bout du labyrinthe. Il s'évanouit dans l'hélicoptère et ne se réveilla que vingt-quatre heures plus tard, dans une chambre de l'hôpital de la Timone, pour apprendre qu'on avait retrouvé les trois corps, dans le boyau. Le pire était qu'il leur restait de l'air à tous les trois. C'était la panique qui les avait tués.

Et la grotte existait bien : un plongeur avec lequel il avait discuté autrefois dans un bar de Marseille avait fini par le contacter, après avoir appris le drame dans la presse. La grotte existait bien et c'était lui qui l'avait découverte. Il fallait nager à peu près deux cents mètres, en remontant lentement jusqu'au niveau de la mer. On arrivait ainsi aux premières salles. Leur voûte, très basse, était recouverte de plusieurs centaines d'animaux : des chevaux, des bisons, des antilopes et même un pingouin. Tout un garde-manger féerique avait été enfermé ici à la dernière période glaciaire. Plus étrange, et presque prémonitoire, on trouvait aussi la silhouette d'un homme renversé en arrière, comme si on l'avait tué.

Flavio pensa à la momie glacée qu'on avait récemment découverte à une autre extrémité de l'Europe, entre l'Autriche et l'Italie, à cet autre veilleur des frontières dont une autopsie avait montré qu'il avait été tué par une flèche reçue un peu au-dessous de l'épaule. Étrange destin : on se souvenait de la victime, mais l'homme qui l'avait tuée était reparti avec la neige.

Mais c'est la description de la dernière partie de la grotte qui avait le plus fasciné Flavio. Plus étroite et plus haute, elle remontait presque jusqu'à la surface du sol – et formait de l'autre côté un puits de plus de trente mètres. C'était là, soudain, et nulle part ailleurs, qu'il voulait aller. C'était là qu'il voulait descendre lentement et sentir l'eau, puis la roche, se refermer sur lui.

Il connaissait ce puits. Il était déjà descendu tout au fond. La cinquième piste du mur d'escalade, dans le gymnase de son collège, se terminait par un long surplomb en bois qui s'évasait vers le haut. Les prises, pour compenser la difficulté du dispositif, étaient plutôt faciles, et Flavio était parvenu rapidement jusqu'au sommet de la structure. Il avait alors eu la surprise de découvrir qu'elle n'était pas fermée. C'était comme une invraisemblance dans le dispositif : un puits au sommet d'une falaise. Des ballons étaient autrefois tombés tout au fond. On pouvait, en s'accrochant aux fixations des prises, aller les libérer. Flavio était descendu ainsi dans la pénombre étroite, la tête la première, après avoir demandé à celui qui l'assurait de lui donner encore deux ou trois mètres, lentement, très lentement.

Il s'était blessé sur l'une des tiges filetées qui consolidaient l'édifice. Mais il avait atteint, enfin, les ballons perdus : ils étaient mous comme des cadavres.

L'Amérique et l'Europe sont séparées par un océan
qui pousse à la vitesse cadavérique des ongles humains.

Le Nombre de Gorinski

Ida et Jan annoncèrent leurs fiançailles dans un restaurant karste de Brooklyn – Jan avait été surpris que la
chose existe, et n'avait pas osé demander quelles pouvaient en être les spécialités. Cela ressemblait, à peu
près, à de la nourriture grecque : des feuilles de vigne,
des sortes de boulettes et du fromage de chèvre.
Ida avait réuni là toute la diaspora karste de New
York, soit moins d'une dizaine de personnes : le couple
de restaurateurs, Gregor et Ziva Baric, leur fils Ivan et
son épouse, Michaela, venue avec ses parents, Dimir et
Milica, qui tenaient une boutique de jouets au coin de
la 65ᵉ Rue et de la 14ᵉ Avenue. L'orfèvre, du nom de
Karstenberg, qui avait réalisé la bague d'Ida avait été
également convié, ainsi que deux ou trois autres commerçants karstes et un professeur de mathématiques.

Ce fut pour Jan une vision assez horrifique de son royaume, mais Ida avait tenu à l'immerger ainsi dans l'âpre réalité de la diaspora karste, dont elle était évidemment la reine : ils avaient tous encadré son portrait en une de *Time*.

Ida avait placé à côté de Jan l'autre célébrité, un peu sulfureuse, de la diaspora : un écrivain nommé Griff qu'elle lui avait présenté comme un dissident – et le prince, instinctivement, s'en était méfié comme d'un nouveau Princip.

Ida avait aussi invité Verninkt, le philosophe belge des mathématiques, le spécialiste de Gorinski – cette proximité avec le commanditaire supposé de l'assassin de son grand-père avait également mis Jan mal à l'aise et, l'espace d'une seconde, dans la salle du restaurant, crépie et profonde comme une grotte, Jan avait pu soupçonner Ida d'être à la tête d'une société secrète républicaine. Elle avait dû le sentir et l'avait embrassé pour le rassurer. Elle avait également veillé à ce que son verre soit toujours plein d'un excellent vin effervescent de la vallée de la Save.

C'est étrange, s'était-il dit finalement : c'est la première fois que j'ai peur non pas pour ma personne, mais pour ce qu'elle représente. C'est la première fois que je ressens ma personne comme quelque chose de sacré. Je n'aurais pas dû pratiquer cette vasectomie.

Le philosophe belge, probablement flatté, comme le sont toujours les Européens, d'être assis à la table d'un prince, l'appelait « Votre Altesse », et Jan y prenait rapidement goût.

Griff, l'écrivain national de son royaume imaginaire, se montra particulièrement habile au jeu du courtisan – raffiné, amusant, obséquieux jusqu'à l'insolence. Ida lui demanda ce qu'il écrivait en ce moment, et il accorda à la tablée le privilège de raconter tout son livre – livre que personne, d'ailleurs, ne lirait jamais, comme s'il avait fait à Jan l'honneur d'une improvisation : le rocher du Karst, secrètement miné, s'y détachait soudain et descendait des vallées improbables jusqu'à échouer dans l'Adriatique, où par son sacrifice il sauvait Venise d'un engloutissement inexorable.

Ida sut apprécier ce délicat hommage, mais Jan avait peu aimé la façon dont l'écrivain maltraitait son royaume. Et même si Ida avait tenté, ensuite, de le convaincre qu'il s'agissait là d'un nouveau courant littéraire appelé le *réalisme magique* – elle avait lu le terme dans le supplément du *New York Times* de la semaine précédente –, Jan jugeait par avance l'œuvre de Griff subversive, et il se serait bien vu l'enfermer dans l'une des geôles de la citadelle.

Verninkt profita du silence qui suivit la fin du récit pour engager la conversation avec Jan, sur son sujet favori, l'histoire des mathématiques karstes et la figure légendaire de Gorinski. Rien de plus comique, en cet instant, que l'opposition entre les deux hommes : Griff semblait sortir d'un roman de Dostoïevski, il était grand et maigre, avec des yeux brûlants et une belle voix grave, quand Verninkt, petit et replet, semblait échappé d'un roman de Gogol, où il aurait assommé le lecteur de considérations mathématiques ânonnées d'une voix aigrelette – passait entre eux tout ce qui séparait, en Europe, la figure de l'écrivain de celle de l'universitaire.

— Savez-vous le plus étrange, Altesse ? Gorinski ne définit jamais l'intuition. Ou bien de manière provocante, et apparemment tautologique, quand il écrit que, de l'intuition, on ne peut se faire qu'une notion intuitive. Mais je ne crois pas qu'on soit en face d'une tautologie. Il s'agit plutôt d'une sentence performative : une phrase qui réalise elle-même ce qu'elle énonce. On est ici au cœur de l'intuitionnisme, aux vertus créatives immenses mais au contenu toujours fragile, suspendu à un souffle et dépendant, étroitement, de l'activité de l'esprit. Gorinski, d'ailleurs, ne prend jamais la peine de définir l'esprit : il en fait parfois un processus de très haut niveau, mais il peut écrire ailleurs qu'une roue dentée peut parfaitement faire office d'esprit. Il a même expliqué quelque part que le cycle des eaux, manière la plus complète de connaître une montagne, relevait de l'intuitionnisme. Cela nous amène à ses deux principaux élèves, les frères Spitz, Joachim et Ferdinand, qui sont chacun détenteur d'une partie de l'héritage de Gorinski, et dont le désaccord initial tient justement à la portée qu'ils étaient chacun prêt à donner à leur définition de l'esprit – Joachim tendant de plus en plus vers des positions mystiques, tandis que son frère, l'industriel, adoptait une position mécaniste.

Ida vit, à l'air légèrement paniqué de Jan, qu'il n'était pas disposé à trancher entre les deux interprétations rivales. Elle proposa un toast, et on but généreusement à la santé du Karst. En réalité, Ida appréciait ce mélange inédit entre sentiment national, discussions littéraires et dialogue philosophique. On était, ce soir-là, au cœur de Brooklyn, dans une sorte d'Europe miniature – dans un salon du XVIIIe siècle.

Verninkt, un instant réduit au silence, se relança avec le récit de la controverse canonique entre Hilbert et Gorinski :

— Priver le mathématicien du tiers exclu serait priver l'astronome de son télescope, a écrit Hilbert, horripilé par Gorinski. Il y a de ça, dans le tiers exclu, quelque chose de l'ordre d'une vision à distance, et c'est bien là tout le problème. De la même façon qu'on peut voir, à cause du temps que met la lumière à venir jusqu'à nous, des étoiles qui n'existent plus, les mathématiciens classiques ont une fâcheuse tendance à prendre pour certaines des vérités inaccessibles – il n'existe pas, pour Gorinski, de vérités détachées et pures, seulement des vérités qu'on démontre. Mieux encore, car sa théorie se limiterait sans cela à une énième version du constructivisme : il n'existe pas de vérité en dehors du temps, et en dehors d'un esprit capable de la ressentir. C'est cela que Gorinski appelle l'intuition. Le sentiment de la vérité mathématique, les mathématiques comme sens de la vérité, au même titre que le toucher est le sens de la solidité.

Jan avait renoncé à lutter. Habitué aux ponts immaculés des bateaux et à l'eau bleue de la Méditerranée, habitué au champagne et aux top models en bikini, il avait accepté, coincé entre Verninkt et Griff, que son destin le porte vers de nouveaux rivages.

Il avait accepté, confusément, toutes les fatalités afférentes à sa situation dynastique.

Il en était à son dixième verre de vin slovène et il commençait à aimer tout ce qu'il voyait autour de lui – ce philosophe obsessionnel et incompréhensible, ces personnages sordides qui semblaient sortir d'un documentaire sur le bloc de l'Est ou d'un court-métrage expressionniste, cet écrivain infernal. Il commençait presque à apprécier ce crépi blanc sur les murs – il y voyait une carte possible des Alpes immenses et de son minuscule royaume, qu'il crut identifier dans une tache de sauce.

Mais plus encore c'était Ida qu'il admirait – la reine de Wall Street lui appartenait, et cela faisait de lui une sorte de roi.

Ida observait Jan avec une attention soutenue. Il s'était extirpé des labyrinthes romanesques de Griff, et avait fini par prêter une attention distraite aux épopées mathématiques de Verninkt, c'était encourageant. Il avait conservé, malgré l'alcool et le caractère stressant de la situation, une certaine élégance qui n'était pas loin de la majesté.

Cela rendait Ida indulgente pour ses évidents défauts. Un aimable barbare. Un béotien en mathématiques. Il faudrait sans doute s'y résoudre.

Elle échangea enfin sa place avec Verninkt et dit quelques mots à Jan, qui lui prit la main, et qui, en se levant – il avait l'air immense sous le plafond voûté –, annonça à tous leur mariage imminent. On les applaudit longuement et Griff, enfin, leva son verre en promettant d'offrir aux futurs mariés le plus somptueux des cadeaux de mariage.

Les deux frontières de l'Europe : le libéralisme américain et le fatalisme oriental. La forme de l'Europe ? C'est
une membrane étroite, une peau de tambour, la paroi
interventriculaire sur laquelle l'Orient appuie de toutes
ses forces pour faire jouer son fatalisme sourd contre le
vide spirituel de l'empire de l'argent.

Le Nombre de Gorinski

Flavio avait regardé à la télévision le débat qui avait
opposé le président Mitterrand, principal promoteur du
oui au référendum de Maastricht, à Philippe Séguin, le
champion du non. L'homme, un imposant tribun méri-
dional, serait, avec Pasqua, l'omniprésent ministre de l'Intérieur de ces années de cohabitation, l'un des derniers
Méditerranéens à occuper une place de premier plan dans
la politique nationale française – comme si la défaite du
non devait être celle de l'Europe du Sud, la défaite finale
du catholicisme face au calvinisme des pays du Nord.

Flavio, de par son nom et son attachement estival
au bleu de la Méditerranée, souffrait de cette disgrâce.
Il s'était par ailleurs un peu identifié à Séguin quand

il avait appris qu'il était orphelin. Mais pas au point, cependant, d'infléchir sa position : il était resté jusqu'à la fin un partisan résolu du oui.

Séguin, avec sa stature imposante, sa tête qui paraissait dater d'avant la télévision, d'avant le cinéma, de la Révolution, lui était apparu comme un personnage archaïque et prestigieux – tragiquement périmé et mortellement invaincu. C'était un tribun gigantesque, indomptable, un défenseur obstiné de la nation et des institutions qu'elle s'était données. Il accusait, à ce titre, l'Europe de Maastricht de n'être qu'un complot hasardeux, illégitime et criminel – la conjonction malheureuse d'une défaite à Valmy, du passage du roi au-delà de Varennes et de la victoire totale de la coalition monarchique.

Flavio n'oublierait pas ses invectives. L'idée que l'Europe était une aventure périlleuse continuerait à l'accompagner : la construction européenne resterait pour lui un pari dangereux, liée à la mutation irréversible des États-nations, au dépassement des paradigmes connus du jeu démocratique. Oui, l'Europe était une aventure, mais comme l'avaient été les croisades, les grandes découvertes et la colonisation. C'était à chaque fois la même chose, le même jeu spectaculaire avec les idées de liberté et de destin, l'appel irrésistible du large et le passage presque instantané d'un rêve de libération à un réseau de contraintes encore plus dense – une complexité délicieusement accrue dans laquelle l'homme moderne avait appris à enfouir, jusqu'à la prochaine crise, ses grands étirements d'éveil.

Cela faisait plus de trente ans, depuis le traité de Rome, qu'on regardait le vide, en le remplissant à peine, pour se rassurer, d'un filet technocratique. Mais le filet s'était lentement distordu, les institutions avaient pris le visage de la Commission, entité puissante, fantômale et hantée, comme quand le chevalier du vitrail du *Secret de la pyramide*, un film sur la jeunesse de Sherlock Holmes que Flavio avait beaucoup aimé, s'était lentement détaché du grillage en plomb qui le retenait prisonnier.

La chose était en vie et plus rien ne pourrait désormais l'arrêter – les effets numériques étaient alors en pleine révolution et Flavio avait bientôt vu le visage du T-1000 se refermer sur lui-même après avoir franchi une grille.

La force de la Commission, cette créature indécise, moitié archange et moitié dragon, tenait précisément à sa nature hybride. C'était une créature juridique dissimulée dans un corps politique, ou bien un acteur politique résolu à emprunter les seules lignes du droit pour traverser la grille serrée des États-nations. La politique, telle qu'on l'avait connue et pratiquée en Europe depuis plus de deux mille ans, était en train de muter, peut-être de disparaître et Flavio, comme la majorité des Européens de son temps, était attiré par ce vide.

De même que la Révolution française avait décidé de tout ce qui l'avait suivie, jusqu'aux grands conflits mondiaux – les États-nations devenus soudain fous –, la construction européenne devait être le nom d'un basculement anthropologique inédit : l'Europe, une nouvelle fois, allait servir de laboratoire au monde.

Flavio avait senti cela, lors du débat télévisé qui avait opposé le président français, alors très gravement malade, à son principal contradicteur : c'était le visage du second, avec ses cernes, qui semblait appartenir au temps corruptible, tandis que le président malade, déjà condamné, lui opposait, sans doute à cause de la douleur, des réponses sèches et un visage impassible – un visage dilué dans la morphine de la rationalité historique. Ils étaient dans l'amphithéâtre de la Sorbonne – le lieu appelé depuis saint Thomas d'Aquin à décider du sort de l'Occident –, et leurs voix résonnaient étrangement. Ce devait être la première fois, loin des superficielles commémorations du bicentenaire de la Révolution, que Flavio enregistrait l'existence d'une profondeur historique au monde dans lequel il vivait.

La vieille tête de Séguin, la tête tragique du tribun de la France, avait évoqué les risques technocratiques du traité – « technocratique », avec toutes ses consonnes, avait dégringolé à travers les gradins vertigineux du grand amphithéâtre. Il avait ensuite rappelé que, la démocratie étant inséparable de la souveraineté nationale, toute modification de la Constitution visant à la rendre conforme aux règles européennes était antidémocratique. Il avait enfin sorti sa dernière pique : il se battait pour que les successeurs du président puissent eux aussi, à leur tour, présenter au peuple français des référendums semblables à celui-ci. Logiquement, l'argument était un peu faible, mais il renforçait l'idée que tout cela était définitif. Que jamais la patrie n'avait été à ce point en danger.

Le président français, du seul fait de son extrême délabrement physique, n'avait qu'à tenter un demi-sourire pour faire un clin d'œil à l'Histoire – à la guerre qu'il avait bien connue, aux camps de prisonniers, à la main d'Helmut Kohl qu'il avait tenue devant l'ossuaire de Douaumont : la patrie avait traversé des dangers bien plus graves. Il fallait voir l'Europe comme une manœuvre : manœuvre de repli des États-nations qui connaissaient les dangers de leur grandeur, manœuvre de contournement, en réalité, de ce qui les menaçait depuis la guerre froide : le changement d'échelle de la puissance politique, le passage acquis de l'ère des États-nations à celle des empires continentaux.

La construction européenne – tel serait, pour Flavio, l'argument principal du débat – était le dispositif qu'on avait mis au point pour assurer la survie d'une forme d'organisation politique périmée, celle des petits États-nations de l'Europe. La construction européenne était une serre remplie de plantes rares. Ce serait la forme spontanée que prendrait le bâtiment du parlement à Bruxelles, un bâtiment que Flavio visiterait un jour : une grande serre au-dessus d'un parc.

Les États-nations étaient passés de prédateurs à espèces protégées. Et tout au plus s'amusaient-ils à croire, en entretenant encore de petites armées, en accumulant quelques gouttes de plutonium dans les oubliettes du plateau d'Albion ou en conservant quelques partis nationalistes juste sous le seuil de la dangerosité électorale, qu'ils étaient encore des plantes carnivores.

Mais il y avait bien dans l'Europe quelque chose d'un mythe sacrificiel, la promesse d'une mise à mort – car la mutation avait déjà commencé et les États-nations, forme prétendument naturelle de la modernité politique, ne survivraient pas, cela était de plus en plus certain.

Flavio ne connaissait ni ses parents, ni leur nationalité. Il ne s'était jamais senti Français, mais Européen – ou bien il s'était senti Français comme on se sent provincial, avec un mélange de fierté et d'embarras. L'Europe, pour lui qui ignorait tout de son passé, comme pour ce continent qui n'arriverait jamais à oublier le sien, était une épreuve de purification.

Il faut imaginer un grand meuble. À l'intérieur, une collection de coléoptères. Il y a une rangée par famille, un tiroir par genre, une boîte par espèce. Chaque individu, étiqueté, clignote là, entre l'état de larve aristotélicienne et l'idée de Platon, comme un voyant de contrôle sur le pupitre de commande d'un vieil expert formé à la cybernétique au temps de la guerre froide.

Le Nombre de Gorinski

Le consulat du Karst n'existant pas et la représentation yougoslave à l'ONU n'étant pas joignable le dimanche, Griff n'avait pas eu d'autre solution que d'appeler Ida, sa mécène et sa compatriote.

Il avait été arrêté sur le toit du Metropolitan Museum. Plus précisément sur une verrière qui recouvrait l'une de ses cours. Plus précisément encore, à l'aplomb des collections européennes – c'était comme s'il contemplait l'Europe du ciel : des palais vus en coupe, des églises éventrées, des alcôves profanées.

Il avait eu l'idée à l'instant même où Jan et Ida avaient annoncé leurs fiançailles. À sa sortie du restaurant, il avait traversé tout Brooklyn en ligne droite, et il était encore ivre en pénétrant dans Central Park. Le Met brillait derrière les branches. Il n'avait pas l'air spécialement défendu, pas de ce côté-là, en tout cas. Griff s'était d'abord dit qu'il pourrait accéder à une fenêtre en montant à un arbre, mais c'était trop loin, il lui fallait une échelle. Il avait alors sympathisé avec un couple de drogués, mais pas au point de prendre de l'héroïne avec eux, pas ce soir-là, il avait une mission. Il avait d'ailleurs décidé cette nuit-là de ne plus jamais prendre de drogue. Il avait cette nuit-là basculé de la décadence au nationalisme, de l'opium à l'épée. Les deux drogués l'avaient en tout cas emmené dans la remise d'un jardinier du parc, dont ils avaient mystérieusement la clé. Il y avait là une longue échelle en bois. Ils l'avaient aidé à la porter et il s'était retrouvé, en quelques secondes et sans réfléchir, sur le toit du musée. Il n'avait fait aucun repérage. Il n'avait même pas de plan, seulement quelques outils pris dans la remise. Il se laisserait tomber à travers une verrière ou il passerait par un conduit de ventilation. Il était certain qu'au moment où il aurait le sceptre entre les mains il serait intouchable. Il avait en fait pris de l'héroïne avec les deux drogués dans la petite remise, mais c'était la toute dernière fois, avait-il promis à Ida – c'était un peu à cause d'elle, aussi, qu'il se droguait. Elle l'avait toujours aidé – une sorte de pension mensuelle, en échange de quoi, ce n'était pas très sûr. Pas en échange de sexe, ça c'était certain, elle avait toujours refusé. En échange d'un livre, peut-être. Elle aurait bien aimé un livre sur son père, quelque chose de ce genre. Il lui avait en tout cas promis d'arrêter, cette fois, de se droguer, pour toujours – la prison l'y aiderait sans doute. Il promettait d'arrêter mais il voulait une promesse en retour. Ida lui promit qu'il aurait les meilleurs avocats. Il l'avait remerciée mais il ne s'agissait pas de cela. Il voulait qu'elle lui promette de prendre soin du prince. Il n'avait pas pu l'aider comme il le voulait. Il s'était imaginé au milieu des débris de verre de la vitrine brisée, au milieu des gardiens que la seule vue du sceptre aurait tenus à distance, il s'était imaginé sortir comme cela pour remettre l'objet sacré entre les mains de Jan – et le Karst aurait retrouvé un roi avant le lever du soleil. Mais il avait été arrêté avant même d'avoir pu apercevoir l'objet sacré, alors qu'il était encore sur le toit du bâtiment. Il avait échoué mais il fallait qu'elle lui promette de prendre soin de Jan. Son argent, son amour pourraient un temps remplacer la magie du sceptre, au moins jusqu'à sa sortie de prison. Il retenterait alors, en la préparant mieux, l'opération de la nuit passée. Sans l'aide d'aucune autre drogue que celle de la nécessité historique.

Les prises de sang de la police, en confirmant la présence d'héroïne, comme les témoignages des deux drogués, allaient permettre à l'avocat de Griff de plaider le coup de folie, plutôt que l'acte politique, ou l'action terroriste – c'était la thèse du procureur, appuyée sur les premières déclarations de Griff. Il avait fallu plusieurs visites d'Ida pour le convaincre de suivre la stratégie de l'avocat qu'elle avait mis à sa disposition.

Griff rêvait en effet d'un procès politique : le procès intenté à la vieille Europe par le Nouveau Monde, par la démocratie insolente aux monarchies de droit divin, un procès historique qui se serait appelé « Griff contre l'Amérique », et qu'il se serait bien vu gagner. Cela aurait été la revanche de l'Histoire, la remise en question définitive des droits de l'homme, le rétablissement des droits naturels. La revanche de 1776, 1789 et 1848. Et à New York même, à l'aplomb de l'immeuble lisse des Nations unies. L'exhibition miraculeuse, comme une preuve accablante, du sceptre – et la dernière possibilité, peut-être, qu'il aurait de le saisir, avant sa destruction probable par la démocratie totalitaire. C'était d'ailleurs, symboliquement, la fonction essentielle du Metropolitan Museum : protéger de leur nocivité les objets sacrés de l'Europe, les reliques de sa grandeur passée, mettre autour d'eux les parois réfractaires du kitch, les traiter comme des antiquités précieuses et des fétiches désactivés. Mais si le Met devait être le cimetière de l'Europe, le tribunal représentait le jugement dernier – son ultime chance de résurrection quand il brandirait à l'audience le rameau d'or de la monarchie karste.

Mais Ida l'avait finalement convaincu de jouer la naïveté, l'impulsion du moment, le fanatisme naïf que les Américains aimaient attribuer aux Slaves et, qui hors périodes de guerre froide, réussissait toujours à les charmer. Griff devait ainsi garder de son procès une impression mitigée, malgré sa condamnation, plutôt légère, à deux ans de prison : n'avait-il pas été lâche, en restant silencieux, à l'exception de sa grande scène américaine d'excuse et de contrition, n'avait-il pas fait honte au peuple karste, en quémandant l'indulgence du jury ?

Transféré à la prison de Rikers Island pour y purger sa peine, il reprocha souvent à Ida, dans l'importante correspondance qu'il allait alors entretenir avec celle qu'il appelait « ma reine », le système de défense qu'elle lui avait imposé, et qui revenait au fond à le transformer, lui, l'un des grands dissidents européens, en modeste usager de la démocratie américaine. Il refusa, en ce sens, toute aide financière : il voulait vivre sa peine comme une pénitence.

Ida accepta cette agréable comédie qui faisait d'elle un personnage de roman amoureux en secret d'un prisonnier farouche. Pragmatique, elle l'incitait cependant à lui écrire non pas des lettres d'amour, mais le grand récit national qui faisait défaut au royaume des Karstes et qui pourrait toujours servir de support à une restauration possible.

Il se lança ainsi dans l'écriture de son roman le plus ambitieux, *Le Singe de Tito*, un livre consacré à un hypothétique programme spatial secret yougoslave, et pour lequel Ida, maintenant mariée à Jan et devenue officiellement princesse du Karst, lui fournit une importante documentation.

II

Véritable perle de l'industrie yougoslave, la coopérative Spitz, fière de ses trois mille ouvriers et ingénieurs, tous associés à l'amélioration permanente de l'outil de production selon les standards les plus élevés de l'économie participative, est heureuse de vous présenter son dernier modèle de montre, la Spitz 2000, petit bijou électromécanique d'une précision inégalable testée plusieurs mois en orbite.

Brochure de lancement
de la montre Spitz 2000, 1984.

Toutes les capitales d'Europe ont leurs fossiles de dinosaures et leurs squelettes de cachalots – le temps figé le plus vaste, le plus immobile qu'on puisse voir. L'Europe au temps figé se répète de capitale en capitale. Tout est démultiplié. Les académies et les fleuves, les jardins zoologiques et les palais présidentiels.

Le Nombre de Gorinski

Verninkt, le philosophe belge des mathématiques, possédait désormais son propre bureau dans la tour Venezia – un bureau bibliothèque où Ida aimait le rejoindre, en fin d'après-midi ou à la tombée de la nuit, après une journée de travail. C'était sa récompense, cette petite séance, presque quotidienne, de libre discussion sur des thèmes éternels, avec son philosophe personnel.

La pièce, aveugle, une ancienne salle informatique située quelque part au milieu de la tour, était aussi cachée que le cœur d'un Rubik's Cube. Personne ne pouvait en connaître l'existence, à moins de s'être amusé à suivre ce petit philosophe belge dont la silhouette ne correspondait en rien aux standards physiques des yuppies élégants qui constituaient le gros des employés de la Venezia.

Verninkt avait réalisé là un vieux rêve de lettré, en constituant, avec le soutien assumé d'Ida, qui s'était souvenue qu'elle était la belle-fille d'un bibliophile reconnu, une sorte de bibliothèque antique idéale. Il avait réuni tout le fonds gréco-romain de la Bibliotheca Teubneriana, des volumes orangés de la taille approximative des bandes magnétiques dont ils avaient naturellement pris la place sur l'étagère du fond. À leur gauche, Verninkt avait disposé les éditions bilingues de la collection Budé, jaune sable, avec la chouette d'Athéna, pour les volumes grecs, et rose brique, avec la louve romaine, pour les volumes latins. Enfin, sur le mur de droite de ce qu'il appelait sa caverne de Platon, Verninkt avait rangé les petits tomes colorés des classiques Loeb – du nom d'un autre banquier philanthrope.

Deux fauteuils Le Corbusier, qui se faisaient face, complétaient l'aménagement de la pièce, éclairée par un plafond blanc en verre dépoli. L'endroit évoquait spontanément à tous ceux qui entraient l'univers du film *2001, l'Odyssée de l'espace*, et plus spécialement, avec tous ces volumes de couleurs vives, l'intérieur de l'ordinateur HAL, et Ida en était aussi fière que si elle avait fait accrocher, comme dans une banque japonaise, les *Tournesols* de Van Gogh dans l'atrium de la Venezia.

Ida avait d'ailleurs eu peu de difficultés à convaincre son comité exécutif d'accepter le principe d'un tel cabinet philosophique : Verninkt, embauché pour le double du salaire qu'il touchait à l'université de Louvain, restait le moins bien payé des analystes de la Venezia et la bibliothèque entière avait coûté moins du dixième du prix d'un ordinateur.

L'arrivée du philosophe avait d'ailleurs été contemporaine d'un tournant dans l'histoire de la Venezia.

L'informatisation de la Venezia, comme celle de toutes ses concurrentes, s'était jusque-là cantonnée, dans la pièce qui servait aujourd'hui de bureau à Verninkt, à des fichiers clients magnétiques, des registres comptables dématérialisés et à l'automatisation du calcul des intérêts composés. Ida avait été la première, parmi les dirigeants des dix plus grandes banques mondiales, à entrevoir, pendant ces mois de discussions mathématiques, la nécessité de nouveaux outils, des outils d'analyse, de prédiction, des machines dotées du don de double vue, qui échapperaient à la fois à la malédiction de Cassandre et aux ravages inverses des prophéties autoréalisatrices en transformant, sans en demander l'autorisation à personne, leurs intuitions en ordres de vente – il n'y aurait bientôt plus assez de temps pour que les humains paniquent, il n'y aurait plus jamais de Jeudi noir.

La première fois qu'Ida était entrée dans le bureau de Verninkt, elle avait eu l'impression fugitive, au milieu de toutes ces éditions européennes, si soignées, si bien rangées et si érudites, que les États-Unis n'existaient pas. Elle était là au cœur de l'Europe. L'Amérique s'était comme résorbée, et le destin du monde ne s'était jamais joué ici, ni à Wall Street, ni à Washington, mais exclusivement là-bas, il y a un demi-millénaire, dans les bibliothèques et les cabinets de curiosités de la Renaissance. Tout s'était joué à Venise, dans des palais identiques à celui de son beau-père, à l'époque où il devait exister moins de dix mille livres imprimés en circulation.

Ida avait demandé à son bibliothécaire d'écrire une histoire des mathématiques karstes – ou une histoire mathématique du Karst. Verninkt avançait lentement.

Il avait entrepris le difficile déchiffrement des quarante exemplaires à reliure verte de la revue de Gorinski, rassemblé quelques fragments émouvants de sa correspondance et accumulé quantité de mentions ironiques, ou franchement moqueuses, de son projet dans la correspondance de ses contemporains sceptiques. La recherche avait toujours négligé l'intuitionnisme, et le carnet de Joachim Spitz, qui aurait pu tout changer, demeurait introuvable malgré les différents voyages que Verninkt avait effectués en Yougoslavie. Tout tenait, à peu de chose près, dans un petit opuscule rédigé par un historien officiel du régime titiste, et qui racontait les origines de Spitz du point de vue du vainqueur – celui de Ferdinand et de l'intuitionnisme fondu dans la roue crantée d'une aventure industrielle.

La question de la fondation des mathématiques était, depuis toujours, au cœur des recherches de Verninkt, elle était une dimension essentielle de son travail de chercheur, commencé par une thèse sur le paradoxe de Russell, puis continué, à l'université catholique de Louvain, par deux décennies d'enseignement centrées sur l'histoire du formalisme mathématique en Europe, entre 1879 – parution de l'*Idéographie* de Frege – et 1936 – parution de l'article de Turing sur la calculabilité. Soit le dernier âge d'or des mathématiques européennes et leur crise grandiloquente, quand le monde, apeuré, après avoir tout reçu de l'Occident – le calcul infinitésimal, l'analyse harmonique, l'infini de Cantor –, après avoir scrupuleusement appliqué le programme, et construit, comme des exercices de mathématiques appliquées, un pont à Brooklyn et sur le Bosphore, un canal en Égypte et au Panamá, des tunnels sous toutes les montagnes, avait soudain appris que, si les fondations des mathématiques étaient introuvables, celles de tout édifice construit selon leurs lois étaient peut-être corrompues à leur tour.

Car quelque part, oui, tout cela finissait mal. C'était en tout cas ce que Verninkt adorait raconter à ses étudiants.

En 1902, le logicien Frege avait reçu une lettre dans laquelle Russell lui faisait part d'un paradoxe qui réduisait à néant les espoirs de toute une vie de travail : comment ramener les mathématiques à un jeu d'ensembles bien délimités s'il était impossible de savoir si un barbier qui rase tous ceux qui ne se rasent pas eux-mêmes devait se raser lui-même ? Frege avait toujours sa grande barbe, et Russell ne portait déjà plus qu'une fine moustache quand il lut, dans un appendice chevaleresque à une réédition désormais inutile des *Fondements de l'arithmétique*, la réponse désabusée de Frege : « Pour un écrivain scientifique, il est peu d'infortunes pires que de voir l'une des fondations de son travail s'effondrer alors que celui-ci s'achève. C'est dans cette situation inconfortable que m'a mis une lettre de M. Bertrand Russell, alors que le présent volume allait paraître. »

Ce serait bientôt la guerre, en Europe, mais l'orage était déjà là. La pathétique mésaventure de Frege – une vie de travail ruinée par un seul paradoxe – pouvait désormais arriver à n'importe qui.

La théorie des ensembles serait réparée par Zermelo, d'abord, puis par Fraenkel, au prix d'un léger renoncement à sa simplicité initiale, qui excluait par décret le barbier problématique de sa corporation. On appelait ce décret « l'axiome du choix » et c'est en l'explicitant que Verninkt perdait chaque année l'attention de la grande majorité de ses étudiants. Mais il parvenait, in extremis, à les remobiliser en invoquant Gödel, la star incontestée de la logique mathématique. Le concept d'axiomatique, l'esprit même du formalisme européen d'avant-guerre, volait là en éclats pour toujours.

L'arbre des mathématiques s'était trouvé d'un coup déraciné, réduit en cendres par cette étincelle, cette contradiction dont Gödel avait été le premier à démontrer l'existence. Le problème n'était plus, désormais, celui des dimensions de l'arbre, ni même celui de la forêt de toutes les axiomatiques possibles, c'était celui de la possible transformation instantanée de la moindre axiomatique, du plus anodin petit arbuste, en paratonnerre qui serait immanquablement frappé un jour ou l'autre par la foudre d'une antinomie.

Bientôt Gödel s'installerait aux États-Unis, et Gorinski disparaîtrait à Moscou, laissant l'Europe exsangue – Gorinski, le seul logicien capable de réfuter Gödel, et de faire reprendre vie à la forêt mathématique, son intuitionnisme, étant fondé sur le rejet du formalisme autant que de l'infini, était immunisé à la fois contre le théorème d'incomplétude et contre la ramification dangereusement infinie des axiomatiques.

La seule chose que Verninkt sauvait, dans son tableau enténébré des années 30, c'était la mécanisation du calcul, conséquence dernière du formalisme. Automatisation de la preuve, théorie de l'information, explosion de l'algorithmique : ce serait ainsi, après guerre, de l'autre côté de l'Atlantique que les mathématiques seraient sauvées. Au prix, cependant, de la disparition annoncée des mathématiciens. La chose ressemblait étrangement à un suicide, et Verninkt finissait toujours l'année en évoquant celui de Turing – et en rappelant le sort mystérieux de son homologue, à l'Est, un élève de Gorinski disparu lui aussi, après de prometteuses réalisations dans le domaine émergent de l'automatisation du calcul : un élève du nom de Joachim Spitz.

> On a été jusqu'à imaginer, dans les grandes capitales
> indestructibles, des musées de pathologie clinique pour
> y conserver les crânes déformés des patients atteints
> d'éléphantiasis, les squelettes des fœtus siamois et les
> moulages en cire des maladies de peau.
>
> *Le Nombre de Gorinski*

La promotion sociale, pour le modeste universitaire belge, était inespérée. Verninkt avait été jusque-là un philosophe des mathématiques plutôt marginal, avec une spécialité un peu exotique – même de façon posthume, le prestige d'Hilbert écrasait celui de Gorinski, et l'intuitionnisme était considéré, au mieux, comme un courant mineur et folklorique. Les grands historiens des mathématiques français le négligeaient généralement, traçant une ligne droite qui reliait, par-dessus les inutiles tourments des années 30 et les très périphériques paradoxes de Gödel, le formalisme des années 1900 à sa miraculeuse résurgence dans l'axiomatique du mouvement Bourbaki. Gorinski, Verninkt s'en était aperçu dans la plupart des colloques où il avait été invité, servait tout au plus de faire-valoir au triomphe de ce mathématicien imaginaire : ici, quelque chose avait été tenté, mais c'était une tentative un peu ridicule, et vouée à l'échec. L'école de Paris avait facilement surmonté les périls viennois et les gouffres karstes.

Les Français avaient par ailleurs toujours adoré se moquer des Belges, et Verninkt avait parfois l'impression d'être seulement invité, avec son improbable intuitionnisme yougoslave, pour servir de blague belge.

Verninkt n'était respecté qu'à un seul endroit du monde : dans le couloir d'un petit bâtiment de l'université de Louvain, près du cyclotron, où ses collègues mathématiciens pouvaient constater, au quotidien, à quel point il était un universitaire sérieux. Mais il était vrai qu'aucun d'eux ne s'était spécialement intéressé à l'intuitionnisme. La crise des mathématiques européennes, avec laquelle il parvenait à effrayer ses étudiants, n'avait, de leur point de vue, jamais eu lieu, et la logique elle-même était aussi inessentielle à leurs travaux que l'était la décoration de leurs bureaux anonymes.

Refuser le tiers exclu, c'était pour eux un simple caprice, une contrainte bizarre, un maniérisme idiot, un tourment fin de siècle qui les laissait indifférents.

Le mathématicien idéal aux intuitions duquel Gorinski avait entrepris de faire dériver toutes les mathématiques apparaissait à ses collègues passablement ennuyeux. Les mathématiques étaient un langage et se passaient très bien de psychologie. Il n'y avait pas besoin des petits cris de plaisir de ce vieillard savant pour les rendre vraies. Le programme intuitionniste avait gardé quelque chose, au siècle du positivisme logique, d'un insupportable spiritualisme : c'était un formalisme encore, mais un formalisme abusivement vivant. Les mathématiques, avait pourtant répété Gorinski, ne tenaient qu'à l'expression d'un code, mais il fallait bien, d'une façon ou d'une autre, imaginer un dispositif capable de l'articuler.

Et ce que Verninkt aurait bien aimé démontrer à ses collègues amusés et sceptiques, c'était qu'on avait là une définition possible de la révolution informatique, comme victoire, inattendue et totale, de l'intuitionnisme gorinskien. Mieux, cette révolution informatique serait aussi une révolution – Verninkt le pressentait – dans la façon de faire et de penser les mathématiques, grâce à la mécanisation du calcul et à l'automatisation de la preuve, permises par l'usage intensif de machines indifférentes à la notion métamathématique de vrai et de faux : des machines intuitionnistes.

C'était Gorinski, et non Turing, qui avait le mieux compris et anticipé cela. Gorinksi était l'imam caché des mathématiques contemporaines et Verninkt était hélas le seul à le vénérer encore.

Cela n'avait jamais aidé, au fond, que Gorinski soit karste. Les collègues de Verninkt se laissaient même parfois aller à des considérations géopolitiques puériles : il était normal, après tout, que dans la Yougoslavie de Tito, au pays des non-alignés, on rejette les empires hégémoniques du vrai et du faux.

Le transfert de Verninkt au département de philosophie, un étage au-dessous des mathématiques, sujet de nombreuses plaisanteries entre professeurs, et frayeur absolue de Verninkt, était évoqué depuis quelque temps, quand Ida lui offrit ce qu'il croyait jusque-là réservé à l'élite du monde universitaire, ou tout du moins, aux logiciens traditionnels : un poste en Amérique. Il était parti ainsi, sans regret, mais sans spécifier non plus à ses collègues le nom exact de l'institution qui l'avait recruté : une banque, ils n'auraient pas compris.

C'était pourtant là qu'on trouvait les plus gros ordinateurs de la planète, et il aurait bientôt le sentiment, délicieusement intuitionniste, d'en devenir un lui-même dans le silence assourdissant de la tour Venezia, et de passer de sa cellule monacale et cubique à la conquête du monde, comme un dé subitement échappé de la main d'un dieu mathématique.

> Il existe presque autant de langues que de pays, de
> langues avec leurs dictionnaires, avec leurs grammai-
> riens, avec leurs exceptions et leurs hapax saisissants
> – écrivains de génie et philosophes intraduisibles.

Le Nombre de Gorinski

En entendant Verninkt se plaindre ce jour-là, avec
une ingratitude qui l'avait plus amusée qu'irritée, de
l'étroitesse tout européenne de son bureau, Ida s'était
souvenue d'un voyage à Paris avec son beau-père, peu
de temps avant qu'elle ne parte étudier aux États-Unis.

Il avait emmené Ida visiter la rue Quincampoix – une
longue rue médiévale. Le banquier écossais John Law
y avait installé le comptoir de sa banque, qui vendait
des actions de la compagnie du Mississippi. Il y avait
eu, rapidement, une bulle spéculative et une panique
boursière – une panique physique, puisque des hommes
étaient morts étouffés dans cette rue presque aussi étroite
que celles du sud de Manhattan. La rue grouillante de
vie s'était refermée comme une faille tectonique, les spé-
culateurs avaient subi le destin tourmenté des habitants

de Pompéi, s'étaient fait reprendre, comme des fossiles, par la craie silencieuse – une possibilité s'était refermée, un peu de la vie de ce globe s'était éteinte. C'était ainsi d'ailleurs que la France avait perdu l'Amérique, et laissé les Anglo-Saxons, après les Italiens et les Espagnols, se lancer dans la grande aventure capitaliste.

Son beau-père avait reconnu très tôt les dons d'Ida pour les abstractions mathématiques et lui avait fait rencontrer, quelques mois plus tôt, des actionnaires de la Venezia, des aristocrates qui avaient échappé à la ruine par une miraculeuse négligence de leurs ancêtres – ils avaient oublié, presque deux siècles plus tôt, de liquider leur participation dans la banque au moment où celle-ci, après la conquête de Venise par Napoléon, s'était exilée à Londres. Ils ne s'étaient pas abaissés à demander à siéger à son conseil d'administration, mais on disait qu'ils présidaient, encore, secrètement, aux destinées de celle-ci.

— Il faut les voir comme des collectionneurs. Les grands capitalistes ressemblent à mes clients bibliophiles : ils collectionnent des vignettes du monde, des montagnes percées de tunnels, des modèles réduits ferroviaires agrandis à des dimensions continentales, des mètres cubes d'eau transparente retenus dans les glaciers artificiels des barrages, des forêts remplies d'arbres millénaires. Les grands capitalistes sont d'immenses naïfs, il faut les aimer pour cela. Leur univers, entièrement symbolique, est celui des chevaliers du Graal : ils croient posséder le monde mais ils sont encore perdus dans les vallées infinies de l'Europe médiévale. Ils ont besoin qu'on les aide – ils ont les vignettes, à nous de leur donner à croire qu'il existe un album sur lequel les coller, à nous de leur faire croire à l'existence du monde. Ce sont des saints, de tout petits saints de l'Europe médiévale, des patrons protecteurs, des fondateurs de chapelle : c'est à nous d'écrire leurs légendes, d'imaginer leurs miracles, de fonder leur Église.

Ils étaient maintenant bloqués dans un taxi, place de la Concorde. Son beau-père lui avait montré, cachée derrière les arbres, l'ambassade américaine. L'Élysée était un peu plus loin, au bout de la contre-allée. Cela rendait bien compte de ce qu'était devenue la France après la guerre. Un petit dominion, un département d'outre-mer de l'Amérique. Son beau-père lui avait aussi désigné, de l'autre côté de la place, un hôtel particulier rectangulaire. C'était ici qu'avait vécu Talleyrand, le ministre des Affaires étrangères de Napoléon. Voilà un homme qui avait eu du pouvoir. Rome était la préfecture d'un département français, Venise avait renoncé à ses doges, le Saint Empire avait été dissous. Qui s'était installé là, après la guerre ? Le général Marshall. Celui du plan Marshall. Un homme qui avait eu encore plus de pouvoir que Talleyrand, qui avait administré toute l'Europe, après la guerre. Le pouvoir, avait-il ajouté, était facile. C'était quelque chose qui se prenait, comme un sceptre. Il avait fallu à peine quelques années à l'Amérique pour qu'elle apprenne et qu'elle assume ses fonctions impériales. Deux guerres avaient suffi. L'Europe, c'est vrai, était un peu vexée, depuis 45. Mais l'Amérique n'était qu'un parasite de l'Europe. Le même scénario s'était produit, autrefois, avec Rome : l'empire expansionniste s'était vu rapidement colonisé par sa colonie grecque. Il avait montré à Ida une église en forme de temple grec : voilà, lui avait-il dit, le triomphe des Grecs. L'empire européen n'a jamais existé, ou bien il existe depuis toujours. Gibbon a publié son livre sur le déclin de l'Empire romain l'année de la Déclaration d'indépendance des États-Unis d'Amérique.

C'était le genre de récit qu'on devait s'échanger dans les cercles humanistes que fréquentait son beau-père, pour se rassurer sur la place de l'Europe dans le monde. Une fable, comme celle de ces vieux patriciens de Venise qui auraient gardé le contrôle de la Venezia et influé sur sa carrière – tout ce qu'Ida avait découvert, en accédant à la présidence, c'est qu'il existait bien un contre-pouvoir italien à l'hégémonie new-yorkaise.

Ce fut, secrètement, l'une des affaires qui l'occupa le plus, pendant ces mois en apparence voués à l'étude des mystères mathématiques du vieux monde – obtenir la reddition de cet actionnariat européen fantôme dont sa nomination avait peut-être été le chef-d'œuvre. Mais Ida n'acceptait pas cette vision machiavélienne du capitalisme. Son monde avait la grâce translucide des choses rationnelles. Elle l'avait prouvé en refusant de sauver sa rivale génoise. Elle allait le prouver encore, avec une cruauté qui acheva d'asseoir sa réputation parmi la demi-douzaine d'hommes capables de véritablement lire sa stratégie. Elle laissa la Wells Fargo monter dangereusement à son capital – tout le monde crut à une OPA, quand il ne s'agissait que d'affaiblir la faction vénitienne. Les rumeurs d'OPA, parfaitement maîtrisées, rendirent le coup injouable en faisant monter le cours de l'action de la Venezia à des sommets historiques. Ce qui conduisit, elle ne sut jamais lequel, cela lui importait d'ailleurs peu, l'un des Vénitiens à vendre ses actions, et la commandite fantôme à éclater.

La Venezia était désormais pleinement américaine. Ou plutôt, elle était prête à aborder la nouvelle phase du capitalisme – celle de sa globalisation inéluctable.

> Il y a trop de choses en Europe et des choses iden-
> tiques. Trop de chefs-d'œuvre, trop de châteaux, trop
> de pays. Trop d'encyclopédies et trop d'herbiers. Trop
> de langues et de musées. Trop de littératures nationales
> et trop de championnats.
>
> *Le Nombre de Gorinski*

Verninkt n'avait jamais su quel crédit accorder au Théorème fantôme. Le Théorème fantôme était pourtant à l'origine de son intérêt pour les mathématiques intuitionnistes. Il était alors encore au lycée quand son professeur de mathématiques avait mentionné l'existence de ce théorème, dont Gorinski – c'était la première fois que Verninkt avait entendu ce nom – n'aurait jamais pris la peine de formaliser la démonstration. Il en aurait seulement donné, à l'oral, un aperçu à l'un de ses étudiants – probablement à Joachim.

Le théorème disait qu'il existe un nombre, dit de Gorinski, sur lequel viendrait buter n'importe quel calcul. On n'était pas là dans les fantaisies métamathématiques de Gödel, non, mais dans quelque chose d'aussi simple qu'une addition, une addition dont le système de retenues deviendrait soudain irrationnel et détruirait d'un coup les chiffres qu'on désirait additionner – le cauchemar de n'importe quel comptable, une bombe à graphite dans la salle informatique de Wall Street. Quoique l'une des conséquences possibles de ce théorème eût été de définitivement rejeter l'hypothèse communiste : le calcul, aussi affaibli en des endroits critiques, rendait tous les projets cybernétiques de sociétés dirigées, tous les fantasmes de fixation des prix par un ordinateur central définitivement caducs : un Afghanistan théorique.

Ce dont Verninkt se souvenait enfin, c'était que ce Théorème fantôme aurait permis, en revanche, d'accéder aux décimales les plus lointaines de ce nombre irrationnel et d'y stocker l'information qu'on désirait, de façon secrète et indéchiffrable. Le potentiel était prodigieux, et Verninkt passerait sa vie à tester, prudemment, des mathématiciens du monde entier, mais personne, strictement personne, en dehors de ce professeur de lycée, n'avait entendu parler de cet aspect des travaux de Gorinski, ni de ce nombre qui portait son nom – le livre qui aurait dû en théorie lui en apprendre plus s'avéra sur ce point, bien des années plus tard, une frustration supplémentaire.

Plus étrange encore était le fait que le professeur en question était plutôt médiocre. Son seul titre de gloire était qu'il parlait russe. Verninkt finirait par retrouver sa veuve, grâce à l'argent d'Ida, et par lui racheter le modeste cylindre Spitz qui était la seule chose qu'elle avait conservée de ses archives.

Il avait appris, par la suite, des choses embarrassantes sur cet ancien professeur. Il avait appartenu à la fameuse légion Wallonie, celle qui devait rejoindre la Waffen-SS en 1943. Il s'était battu, jusqu'à la fin, sur le front oriental, puis avait été capturé par les Russes et enfermé cinq ans au goulag, avant de revenir, très diminué, en Belgique. Il était ainsi possible qu'il ait croisé Gorinski. Était-ce lui qui lui avait donné le cylindre conçu par son élève ? Et si oui, comment avait-il pu se le procurer, pendant la guerre ?

Verninkt passa tout le vol retour à jouer avec le petit cylindre Spitz, auquel il avait demandé de calculer une somme élémentaire – à chaque tour de manivelle le résultat progressait d'une unité.

Il avait dépassé les 6 000 quand l'avion se posa à JFK – Verninkt avait espéré, en vain, un accroc dans le tissu logique du monde, un brusque décrochage dans la morne réalité mathématique de son existence.

Il fallait commencer par le commencement et Verninkt s'était finalement attelé à la rédaction d'une biographie de Gorinski.

Les Karstes étaient catholiques et germanophones mais ils se rattachaient, d'après la plupart des spécialistes, aux Slaves du sud. Cela était évident à qui connaissait leurs traditions populaires, leur délicat artisanat du bois. Mais, sans doute à cause de leur langue – laquelle procédait de toute évidence d'une acculturation tardive, due à l'arrivée sur le trône d'un souverain d'origine autrichienne –, ils avaient toujours eu du mal à revendiquer leur identité, à exister en tant que minorité dans la double monarchie austro-hongroise. Ils devaient être à peine une centaine, comme Gorinksi, à se sentir Slaves, ou à défendre la thèse, encore plus fantaisiste, d'une origine grecque qui aurait fait d'eux, à l'instar des Saracatsanes de Bulgarie, une tribu grecque nomade remontée beaucoup trop au nord.

Cette thèse aurait d'ailleurs été facilement balayée si elle n'avait pas eu pour promoteur principal le prince Basile – l'arrière-grand-père de Jan. Sous son règne – terme tout à fait relatif, les Karstes étant alors administrés depuis Vienne –, l'hellénophilie avait connu une grande vogue. La plupart des bâtiments publics avaient vu leur fonction surlignée, sur les frontons, de lettres grecques dorées, et les particuliers avaient donné à leurs enfants des noms grecs.

Le nationalisme karste s'était réfugié là, et cette hellénophilie était la seule marque d'influence du prince Basile dans la petite province de l'Empire. C'était à cette époque, aussi, qu'on pouvait faire remonter l'origine des mathématiques karstes. Le prince, grand joueur d'échecs et amateur d'énigmes, aimait s'entourer de mathématiciens, qui constituaient une sorte de cour. Il distribuait des récompenses à des faiseurs de charades, des concepteurs d'énigmes, des créateurs de carrés magiques.

Un jeune homme avait fait parvenir un jour un poème épique de presque deux mille vers, qui s'appelait « Hapax » et qui racontait l'histoire fantasmée du Karst, depuis Alexandre jusqu'au père de Basile. Il s'agissait surtout, et la chose avait beaucoup impressionné, d'un gigantesque palindrome. Le prince Basile, heureux de voir son protochronisme grec enfin fondé, dans les deux sens, et de façon irréfutable, voulut aussitôt rencontrer le jeune homme – il s'agissait d'un certain Gorinski, le fils d'un menuisier.

On était alors en 1880, Gorinski n'avait pas dix-huit ans et il était dorénavant le prodige officiel d'une principauté vacillante. Le prince confia à son bibliothécaire, le précepteur de ses enfants, le soin de parfaire l'éducation du jeune autodidacte. Ce bibliothécaire était le seul authentique mathématicien de la ville. Il avait étudié à Berlin et il avait enseigné, à Moscou, dans une académie militaire, d'où il avait été brutalement limogé – il aurait rejoint, à Saint-Pétersbourg, une confrérie de mathématiciens mystiques qui considéraient que le nom de Dieu était mathématique, que l'univers était une grande équation et qui, plus prosaïquement, tenaient le tsar Nicolas Ier pour un usurpateur. Sa carrière académique désormais ruinée, il avait dû accepter un modeste emploi de précepteur aux confins de l'Empire d'Autriche. Le vieux mathématicien trouva-t-il une consolation en découvrant les dons de Gorinksi, qui se révéla très vite un élève exceptionnel, et un bien meilleur mathématicien que poète ?

Gorinski avait ainsi appris les mathématiques de l'extérieur, en tant que science occulte, secret voilé du monde, symbolisme endormi. Si le monde était une équation, étions-nous des variables ou des propriétés de celle-ci ? Dieu nous avait-il aperçus en créant le monde, ou bien étions-nous tombés là, de façon accidentelle, comme ces nombres imaginaires qui disparaissent, aussitôt utilisés, dans un néant mathématique ?

Le plus surprenant dans le destin de Gorinski était qu'il ait d'abord eu à se pencher sur cela, plutôt que sur les équations de Lagrange, les groupes de Galois ou les trésors récemment exhumés dans les archives de Gauss, qu'il ait appris les mathématiques dans les gigantesques ruines de la mystique orthodoxe, dans un immense répertoire plein d'intuitions et de fulgurances, mais sans presque aucun théorème valide ni aucune démonstration complète. Qu'il soit devenu ainsi l'un des trois ou quatre plus grands mathématiciens de son temps, cela relevait du miracle.

> Un triangle de Sierpinski : prenez un triangle équilaté-
> ral posé sur sa base, découpez en son centre un triangle
> posé sur sa pointe, recommencez l'opération avec les
> trois triangles restants. La structure sera de plus en plus
> légère, difficile, granuleuse. L'Europe est la frontière
> intenable, inaccessible et fractale du continent asiatique.
>
> *Le Nombre de Gorinski*

Verninkt reconnaissait que la première vocation de
Gorinski, celle de poète, l'avait aidé à devenir mathématicien. Les jeux de langage qu'il avait pratiqués avec
une intensité exceptionnelle, pendant son adolescence,
avaient formé – ou révélé – son esprit logique. Il savait
déplacer des masses conceptuelles énormes selon des
règles strictes, des règles esthétiques qui dépassaient souvent, en complexité et en rigueur, les lois de la logique
pure. Tout était interconnecté dans un poème, la forme
et le fond, les images et les phonèmes. Outre le caractère
purement formel d'un tel exercice, Gorinski devait en
conserver l'attention, extrême, qu'il manifesterait toujours vis-à-vis du langage mathématique, dont il avait

appris à connaître la redoutable exactitude, ainsi que les trahisons multiples qu'aucune application, même paranoïaque, de la logique ne pouvait empêcher. Ce serait là le grand point de désaccord entre Gorinski et Hilbert : quel que soit le niveau de rigueur qu'on exigeait d'elle, la logique serait toujours impuissante à soutenir l'édifice des mathématiques. Ainsi Gorinski n'avait pas eu à attendre Gödel pour appréhender les limites du formalisme. Il connaissait, depuis l'adolescence, ce dilemme fondamental : rien ne pouvait être formulé ailleurs que dans un langage, rien ne pouvait être correctement formulé dans un langage.

C'est sans doute ces réflexions sur les mathématiques en tant que langage qui devaient le conduire à l'étude de l'anglais, du français et de l'italien, puis du russe, que parlait parfaitement le vieux bibliothécaire.

Est-ce en hommage à celui-ci que Gorinski adopta la langue russe pour langue académique ? Cela demeurait l'un des aspects les plus étranges de sa biographie. Les textes fondateurs de l'intuitionnisme furent tous écrits en russe, et Gorinski attendrait sa trente-huitième année, celle du congrès de Paris, en 1900, pour accepter de corriger cette bizarrerie linguistique, ce quasi-fétichisme, cette élaboration solitaire d'une mathématique apatride, et largement considérée, chez les rares confrères qui avaient eu le courage de s'y intéresser, comme une monstrueuse résurgence du mysticisme imaginé là-bas, aux confins de l'Europe, par ces mathématiciens à la langue barbare et aux intuitions dangereuses.

Gorinski, retranché dans sa citadelle karste durant la première partie de sa carrière de mathématicien, avait publié ses premiers articles dans une revue russe de topologie et n'avait entretenu de correspondance avec aucun de ses collègues d'Europe occidentale. Mais il commençait à apparaître, là-bas, à l'Est, comme un successeur possible de Lobatchevski, l'un des premiers explorateurs des géométries non euclidiennes, celui qui avait imaginé qu'on pouvait faire passer, dans ses espaces hyperboliques, une infinité de parallèles par un point extérieur à une droite donnée. Cette réfutation du cinquième postulat d'Euclide fut l'un des grands événements du XIXe siècle, un brusque dégel de la pensée conceptuelle, la découverte soudaine de la contingence de toutes les axiomatiques. Libéré de sa masse écrasante, un continent nouveau se dressait devant les hommes, comme la Terre se soulève après la fonte des glaces – un continent que Gorinski allait minutieusement explorer, avant qu'Einstein ne vienne le conquérir.

Gorinski s'était d'ailleurs rendu à Kazan, sur la tombe de Lobatchevski, peu après avoir été nommé professeur à l'université de Moscou.

Tous les mathématiciens mystiques dont lui avait parlé son maître avaient pris leur retraite, mais l'un d'eux vivait près de chez lui, et il prit l'habitude de lui rendre visite presque quotidiennement. On ignore la nature de leurs échanges. Gorinski ne céda pas aux séductions du mysticisme mathématique, pas plus qu'il n'accepta l'existence de l'infini. Il semble, au contraire, qu'il forma ses convictions intuitionnistes au contact de ce vieillard ultraplatonicien qui considérait que ce monde n'existait pas vraiment, sinon comme théorème que Dieu s'amuserait à démontrer.

À la mort du vieux bibliothécaire, le prince Basile pria Gorinski de bien vouloir assurer l'éducation de son fils, le prince Anatol. Celui-ci allait se montrer excellent élève, jusqu'à ce que la mort de son père, en 1895, l'oblige à renoncer à la carrière mathématique pour celle, plus mélancolique, de souverain d'une principauté inexistante. Il fit alors de Gorinski une sorte de chancelier – sans pouvoir, il avait cependant hérité du prestige millénaire de sa dynastie, ainsi que de cette coutume, un peu triste, qui consistait à voir dans le Karst un état vassal, mais indépendant, plutôt qu'une province négligée de l'Empire austro-hongrois.

Les mathématiques – l'idée d'une grande réforme des mathématiques venue de la principauté et destinée un jour à conquérir Vienne et l'Europe – lui permirent, sans doute, de rêver d'un domaine où sa souveraineté serait intacte, un domaine qui n'excéderait hélas jamais les pages, denses et presque illisibles, de la revue qu'il codirigeait avec son ancien précepteur.

La revue topologique du Karst était la plus belle revue de mathématiques qu'on ait jamais vue. Elle était imprimée dans l'un des salons du palais, et c'était le prince qui en actionnait la presse et qui en composait les lignes les plus importantes – des lignes dont il avait lui-même gravé et fondu certains plombs, ceux qui comportaient les caractères les plus rares et qui désignaient les concepts les plus précieux de la topologie russo-karste.

Le prince s'était même mis au russe et recevait, à chaque printemps, les meilleurs topologues de Russie, invités par Gorinski, pour des colloques informels.

On s'inquiéta bientôt, à Vienne, où on regrettait l'innocente hellénophilie du prince Basile, des sympathies slaves du prince Anatol. Des espions impériaux firent leur apparition. La correspondance de Gorinski fut surveillée. Illisible, pleine de caractères inconnus, elle fut prise pour un code secret, et on se mit à le soupçonner d'intelligence avec l'ennemi. Mais les deux spécialistes de topologie de l'université de Vienne à qui on avait demandé de décrypter ce code durent admettre qu'il s'agissait exclusivement de mathématiques. Des mathématiques d'un niveau si exceptionnel qu'on fut surpris d'avoir aussi longtemps négligé Gorinski, cet autodidacte bizarre, qui avait fait du Karst un paradis mathématique encore inexploré.

Contre toute attente, Gorinski fut ainsi nommé professeur à Vienne, et fit partie de la délégation autrichienne qui se rendit, en 1900, au congrès de Paris.

On a parlé de l'Est et de l'Ouest, du Nord et du Sud, des deux blocs et du tiers-monde. La vérité est que le monde se sépare en deux parties, l'Europe et les pays qu'elle a colonisés – l'Europe en forme de main et le reste du monde qu'elle a saisi sans effort.

Le Nombre de Gorinski

C'était l'année de l'Exposition universelle. Le thème général en était : « Le bilan d'un siècle ». Jamais l'Europe n'avait paru si belle et si proche de l'éternité.

Si la précédente Exposition parisienne, en 1889, avait commémoré la Révolution française, celle-ci voulait honorer une révolution d'ampleur incomparable, la grande révolution européenne, la révolution industrielle. Des travaux précurseurs de Newton et Laplace aux équations de Maxwell et Boltzmann, la révolution industrielle avait mis les mathématiciens au centre de l'univers. Tout ce monde nouveau, fait de métal et de verre, ce monde du confort et de la vitesse, de la précision et du progrès infini, était sorti de leurs travaux. Leurs équations avaient conquis la planète comme une espèce nouvelle

colonise un continent vierge, avec une rapidité fulgurante, celle des chevaux en Amérique, celle des lapins
en Australie. Le monde était devenu mathématique. Il
était devenu une note de bas de page à ces petits volumes
qui s'étaient propagés plus vite que les Évangiles, à ces
petits volumes que les mathématiciens avaient écrits
et vérifiés, collectivement, avant de les remettre dans
les mains implorantes de tous les ingénieurs, de tous les
industriels, de tous les généraux. Ces tables de calcul,
ces amoncellements, en colonnes, des chiffres nécessaires
à la construction du monde industriel étaient les grands
livres de compte de l'humanité nouvelle – les Tables de
la Loi des modernes.

C'était un pouvoir étrange que celui des chiffres.
Les hommes n'avaient plus besoin de théorèmes, ni
de métaphysique. Il leur fallait tout au plus connaître
ces tables de logarithmes, ces valeurs avancées de pi, ces
estimations d'aires, de volumes et de températures
moyennes. Ces tables permettraient aux hommes d'affronter en paix le nouveau siècle, et même le prochain
millénaire. On finirait, sans doute, par remplacer ces
livres par des machines capables d'en exhiber instantanément les résultats. Il n'y aurait plus alors ni mathématiciens, ni physiciens, mais seulement des ingénieurs
et des comptables.

La physique était presque achevée, en 1900, et les
mathématiques étaient tout près d'atteindre un état
similaire. Il ne restait que vingt-trois questions, vingt-
trois énigmes à résoudre, vingt-trois derniers problèmes
qu'Hilbert avait recensés à l'intention de ses pairs, et tout
serait fini, ce serait l'affaire de dix ans à peine et l'univers
trouverait, en Europe, sa résolution définitive. À évoquer
ainsi la grandiose année 1900 avec Ida, Verninkt avait

facilement cédé au lyrisme – souvenir sans doute de ses cours sur la crise des fondements des mathématiques, qui l'obligeaient, pour bien faire entendre le coup de tonnerre, à le faire advenir en plein paradis.

Jamais l'Europe n'avait été aussi heureuse et aussi sûre d'elle-même qu'en entrant dans le XXᵉ siècle. L'Europe aux nations guerrières, rivales et complices, l'Europe des empires défaits et des grands schismes religieux, l'Europe mal affermie et mal refermée, l'Europe jamais conquise mais jamais rassemblée, l'Europe aux milliers de kilomètres de frontières, l'Europe toute plissée, toute creusée de barrières naturelles, l'Europe des isthmes et des péninsules, l'Europe avait pourtant tout avalé du monde – une suprématie totale, des empires partout, la Terre parcourue en tous les sens par des aventuriers plus intrépides que des géodésiques, le globe tenu comme un jouet entre ses articulations graciles.

Les guerres mondiales sont peut-être nées de ces contacts fortuits entre ces mains cleptomanes et presti-digitatrices ; la grande croix qu'avaient dessinée l'Angle-terre et la France à travers l'Afrique devait ainsi aboutir, au Soudan, à la crise de Fachoda, quand les velléités coloniales de l'Empire allemand devaient aboutir à la crise d'Agadir – comme si le globe était soudain trop petit pour l'Europe.

Il existe en mathématiques des coups impossibles à jouer. Il est ainsi prouvé qu'on ne peut peigner correc-tement une sphère – un épi surgira toujours au dernier moment. Certains phénomènes exceptionnels trouvent là leur explication : les vents qui lissent l'atmosphère du globe doivent nécessairement donner naissance à des cyclones, la mondialisation à de grandes crises passa-gères. Il existe, inversement, des mouvements impossibles qui sont mathématiquement jouables. Il est ainsi démontré, depuis 1958, avait appris Verninkt à Ida, qu'on peut retourner une sphère par transformations successives sans la découper.

Les guerres mondiales étaient des événements de cette nature. L'Europe, incapable du moindre mouvement, prisonnière de ses alliances et encerclée d'empires, était soudain sommée de se libérer d'elle-même. Les crises balkaniques et les rivalités ingérables entre alliances enchâssées trouveront, sur le théâtre déplié de la Première Guerre mondiale, une résolution définitive.

Mais l'Europe, telle que Gorinski la découvre en 1900, ignore encore qu'elle respire mal. L'Autriche-Hongrie semble alors une solution astucieuse et pérenne, un grand palais accueillant, aux colonnes légères et à la constitution magnanime. La rue des nations de l'Exposition universelle accueillait ainsi non pas un, mais trois palais pour l'Empire, trois palais alignés sur le bord de la Seine, un pour l'Autriche, un pour la Hongrie et un pour la Bosnie, comme si les trois États s'étaient librement associés tout en restant membres à part entière du concert des nations.

Le Karst lui-même aurait pu prétendre à son propre palais si le budget avait été plus confortable. C'était l'année 1900 et l'Europe semblait infinie.

Gorinski était allé dîner, avec les membres de sa délégation, dans le restaurant du pavillon bosniaque. Il y avait là un grand panorama de Sarajevo – la seule ville européenne à posséder des mosquées à la place des églises, et qui apparaissait, au temps de l'éclectisme, de l'orientalisme et de l'impérialisme comme une sorte de ville idéale, agréablement exotique et universellement enviable. Le monde était alors aussi profond et lumineux qu'un diorama d'Exposition universelle. Gorinski l'avait solennellement ressenti quand il était entré dans la sphère creuse qui représentait la Terre.

Et tous les mathématiciens du globe étaient bien là, autour de lui, réunis sur les rives de la Seine pour recevoir les ordres de leur commandant en chef. Gorinski avait assisté à la conférence d'Hilbert. Il était au quatrième rang, trois places derrière Poincaré. Il ne figurait pas dans la liste des intervenants. Il n'y avait, parmi eux, aucun Autrichien, ni aucun Russe – les membres des deux délégations étaient réduits à la position d'observateurs et simplement conviés à assister au triomphe des Français et des Allemands.

Le programme d'Hilbert avait enthousiasmé l'assistance. Même les Français, traditionnellement germanophobes, s'étaient montrés enchantés. Les mathématiques du prochain siècle ressembleraient à une course alpine, avec leur succession de sommets, dont la plupart semblaient déjà prenables aux mathématiciens impatients d'aller les conquérir.

La seule réaction connue de Gorinski tenait à un bref commentaire, dans une lettre à sa femme : « C'est une jolie Suisse, pleine de jolies montagnes mais nous rêvons d'Himalaya et de cordillères plus longues. L'infini mathématique n'existe pas. Mais les mathématiques, elles, continueront toujours. »

À son retour de Paris, Gorinski se mit au travail. Il progressa dans tous les domaines avec une facilité déconcertante. Il démontra facilement plusieurs résultats en topologie et en théorie des groupes, et s'attaqua bientôt aux vingt-trois problèmes d'Hilbert, dont il réduisit bientôt le nombre à vingt.

C'était une prouesse considérable, mais il n'en avait éprouvé, pour autant, aucun sentiment d'héroïsme. Il avait l'âge précis des mathématiques de son temps. Son cerveau était fait pour résoudre les théorèmes accessibles à un cerveau agile autour de 1900.

La revue mathématique karste commença à être diffusée dans toute l'Europe. Des mathématiciens, intéressés par ses résultats, envoyèrent des articles, qui parurent dans la revue, une fois traduits en russe. Gorinski ne se rendit pas au congrès d'Heidelberg, en 1904, mais sa revue y était bien représentée, à la fois à la tribune – deux intervenants y avaient fait publier des articles – et dans les discussions informelles. Plusieurs mathématiciens, intrigués par les préfaces que rédigeait Gorinski à chaque nouvelle parution, se les étaient fait traduire. Il ne s'agissait pas de mathématiques, mais de métamathématiques – une discipline à la mode depuis l'apparition, un an plus tôt, des antinomies de Russell.

De fait, Gorinski ne prenait pas spécifiquement position dans ce débat. Il se contentait, plus modestement, de rejeter le principe du tiers exclu, ainsi que toutes les mathématiques qui en découlaient : « Il n'est pas vrai, répétait-il, qu'il existe des vérités mathématiques antérieures à la pensée mathématique ; il n'est pas vrai que les choses oscillent, loin de nous, entre le vrai et le faux, comme des assiettes chinoises. Les choses, loin de nous, ignorent le vrai, le faux, ignorent les antinomies de Russell et ignorent même d'être ou de ne pas être. »

> Aucune autre partie du monde n'a à ce point senti
> au-dessous d'elle les cavités vertigineuses de l'Antiquité.
> L'Europe est le seul continent qui a déjà été joué. Les
> Européens appartiennent à une humanité seconde.
>
> *Le Nombre de Gorinski*

Verninkt en était arrivé, lentement, au sujet qui intéressait spécialement sa commanditaire : le moment où son père et son oncle, Joachim et Ferdinand Spitz, devenaient les élèves de Gorinski.

Il lui fit le récit de cette nuit qu'ils avaient passée à regarder les étoiles tourner au-dessus d'eux depuis l'observatoire éventré du gouffre de Vrtiglavica, en Slovénie – une singularité géologique causée par l'effondrement de la voûte d'une cavité souterraine et qui formait un vaste puits doté à son sommet d'une ouverture parfaitement ronde. C'était l'été ; ils étaient descendus en rappel, sur une plateforme intermédiaire de ce gouffre qu'on disait profond de plus d'un kilomètre, pour trouver un peu de fraîcheur, et ils avaient décidé de dormir là.

La doctrine étincelante, apparue à Gorinski face aux neiges illimitées de son premier voyage en Russie, était réapparue cette nuit-là à ses deux principaux élèves, Joachim et Ferdinand, l'un regardant le ciel, compact et concentrique, l'autre écoutant le ruissellement régulier de l'eau sur les parois du gouffre.

Ils se seraient écriés ensemble que la vérité n'était pas une entité éternelle, mais le perpétuel état de rafraîchissement du monde.

Il n'existait pas de vérité en dehors des procédures de vérification, de preuves autrement que construites, aurait ajouté Ferdinand, enterrant là le platonisme naturel de ses années d'enfance. Joachim en aurait, lui, conclu que le vrai était un âge du monde : son présent perpétuel. Théorie qui lui permettait de ne pas renoncer entièrement à son platonisme, qu'il faisait tenir, tout entier, sur la pointe fine de l'intuition totale de chaque instant du monde, plein de tout le passé comme de tout le futur de l'univers.

L'intuitionnisme resterait pour Ferdinand une méthode, alors qu'il serait une mystique pour Joachim.

La vérité devrait, pour Ferdinand, se réduire au mécanisme de la preuve, qu'il se dépêcherait d'incorporer, avec l'aide de son frère, dans un objet vertigineux, compact et portatif qui serait, entre les mains de ses premiers acheteurs, et selon les mots de sa brochure publicitaire, « une façon d'offrir à la main humaine un sens nouveau, un sens mathématique ».

Joachim attribuerait sans hésiter le don des mathématiques aux roues dentées des calculateurs mécaniques qui sortiraient bientôt de l'atelier familial, mais, plus prodigue et plus aventureux que son frère, il le généraliserait à tous les objets du monde, visibles ou invisibles, reconnaissant dans la totalité de l'être, aux mouvements innombrables et aux erreurs impossibles, des fragments de la preuve universelle.

Mais les deux frères n'étaient pour l'heure qu'en première et en seconde année de mathématiques à la faculté de Zagreb, où Gorinski s'était réfugié après avoir dû quitter l'université de Vienne. Ses rapports avec Mach, Schlick et Carnap, les plus éminents des membres du cercle de Vienne, s'étaient en effet rapidement compliqués, passé les premiers mois de curiosité bienveillante – ils n'auraient pas supporté, malgré leur empirisme présumé, le défi radical que l'intuitionnisme représentait : les mathématiques devaient rester pour eux hors du temps, et il devait subsister, même en admettant la nature pragmatique et éphémère de la vérité mathématique, comme des traînées de condensations derrière les cerveaux échauffés des mathématiciens, quelque chose qui, sans atteindre à l'avancée inexorable des grands glaciers du platonisme, pourrait cependant être comparé à des cristaux de glace, à des objets qui en auraient du moins la fragilité, ainsi que la beauté universelle et singulière – mais c'était encore trop pour Gorinski, qui refusait d'hypostasier un autre objet que l'intuition pure.

À Zagreb, Joachim et Ferdinand avaient tous deux manifesté un vif intérêt pour leur compatriote, pour son aura ambiguë de révolutionnaire et de paria des mathématiques. Gorinski, grâce à ses récents exploits, était le Karste le plus célèbre du monde. Mais il s'était isolé en manifestant sa retentissante opposition à Hilbert puis aux logiciens viennois, et avait fini par accepter, sans doute par orgueil, un poste dans une université mineure de l'Empire.

Son exil volontaire avait cependant été miraculeux pour Joachim et Ferdinand. Une fois le cours fini, les deux frères restaient souvent dans l'amphithéâtre vide pour écouter Gorinski leur dévoiler les versants les plus ésotériques de sa doctrine face au tableau encore rempli de démonstrations – des démonstrations qu'il tenait pour négligeables.

Gorinski leur avait ainsi expliqué qu'il existait plusieurs dizaines de démonstrations possibles du théorème de Pythagore. Quelques-unes étaient simplement visuelles, d'autres, très sophistiquées, recouraient à des outils mathématiques ignorés des Grecs ; l'une d'elles avait été découverte par un roi, d'autres l'avaient été par des artisans éclairés à la recherche d'une manière ingénieuse de découper ou d'assembler des matériaux divers ; il avait lui-même, autrefois, inventé ou redécouvert au moins trois démonstrations nouvelles. Il existait probablement une infinité de démonstrations de ce théorème – peut-être une infinité de démonstrations de n'importe quel théorème. Les mathématiques humaines n'occuperaient jamais qu'une région étroite du continent mathématique. Il faudrait, à tout prendre, les automatiser – et il avait cité en exemple aux deux jeunes hommes fascinés les rouleaux à prières des temples bouddhiques, négligemment entraînés par les pèlerins de passage. C'était une bonne définition de l'échelle du temps mathématique : un pèlerin qui viendrait, tous les mille ans, faire tourner un rouleau à prières dans un temple isolé. Les mathématiques contemporaines ressemblaient à cette expérience de pensée. On avait seulement multiplié le nombre de temples et fait fonctionner leurs moulins en parallèle – les revues mathématiques et les congrès annuels servant de courroies de transmission. Et les plus grands génies, comme cet Indien qui venait de mourir et qui aurait démontré en moins de quinze ans d'exercice plus de théorèmes qu'Euler et Gauss réunis, n'étaient que des pèlerins de passage. Tout cela était vain, vain dans son essence même. On pouvait remplacer le pèlerin par un ange qui visiterait à une vitesse infinie tous les temples d'un univers également infini sans arriver à quelque chose de beaucoup plus concluant : les démonstrations tomberaient à un rythme vertigineux, l'espace deviendrait une énorme démonstration compacte, un immense rouleau mathématique, et le temps, obstrué par les cliquetis de cette machine, déviderait sans fin ses lugubres théorèmes, dans un univers entièrement noir – noir de mathématiques et profondément vide de sens.

Gorinski disait aussi que les mathématiciens confondaient le plaisir de la vérité avec la vérité elle-même : il y avait, dans toute démonstration bien comprise du théorème de Pythagore, des éléments de satisfaction, les preuves s'enchaînaient bien, le recours à telle ou telle technique, en apparence hasardeuse, connaissait un dénouement heureux – la logique avait fourni aux mathématiciens ses drogues élémentaires et cette succession de flashs réguliers avait fini par faire ressembler la démonstration à un éblouissement. Mais en réalité on ne voyait rien, le mystère, à la fin de la démonstration, restait entier. Que disait le théorème de Pythagore, littéralement ? Qu'il existait une relation mystérieuse entre les côtés adjacents d'un triangle rectangle. On pouvait définir cette relation, la justifier de toutes les manières possibles, mais sans jamais la comprendre vraiment. Le théorème n'était qu'un indice, une façon très délicate, très prudente et très partielle de toucher un objet beaucoup plus imposant qu'un modeste triangle. C'était une façon d'atteindre la courbure de l'espace. Il ne disait rien du triangle, il était une main posée bien à plat sur le monde. Gorinski acceptait toutes les démonstrations admises du théorème de Pythagore, avec cette réserve : aucune d'elles ne parvenait à expliquer pourquoi la somme des carrés des deux petits côtés d'un triangle rectangle était égale au carré de l'hypoténuse. Il revenait à l'intuition seule d'expliquer ce phénomène mathématique exceptionnel – de faire sentir à l'esprit à quel point il était agréable de vivre dans un monde où les triangles avaient été domestiqués de cette manière.

Gorinski défendait ainsi des conceptions proches d'un autre grand intuitionniste, du Kant de la *Critique de la faculté de juge*r : le théorème de Pythagore était de ces énigmes formelles qui en appelaient, presque naturellement, à postuler l'existence d'un Dieu artiste, il était une petite meurtrière ouverte sur la divinité, un passage étroit entre la compacité asphyxiante des mathématiques et l'infini souple des lois d'un monde recommencé.

Gorinski s'intéressait par ailleurs beaucoup aux mathématiques classiques, celles qui étaient faites pour être lues et déchiffrées plutôt que spontanément comprises, toutes éventrées d'équations et d'inconnues noduleuses. Les mathématiques exigeaient alors une concentration oubliée. Les démonstrations se lisaient comme des fables ou des contes, l'effort intellectuel demandé était gigantesque, prohibitif, mais la chose en valait la peine : aucune simplification, aucune prévisualisation sommaire du résultat ne venait déconcentrer l'esprit des mathématiciens lecteurs. Ils devaient imaginer toute la trame, toute la structure, toute l'épaisseur de la démonstration invisible : c'était comme de deviner la partition d'un opéra en lisant son livret.

Le chef-d'œuvre de cette littérature mathématique était évidemment l'ellipse géniale de Fermat, dans ses annotations des *Arithmétiques* de Diophante : « Il est impossible de partager soit un cube en deux cubes, soit un bicarré en deux bicarrés, soit en général une puissance quelconque supérieure au carré en deux puissances de même degré : j'en ai découvert une démonstration véritablement merveilleuse que cette marge est trop étroite pour contenir. » Fermat bluffait-il ? C'était la grande question.

La démonstration évoquée demeurait introuvable. Mais Gorinski, provocateur, considérait qu'elle existait bien, presque complète, et précisément ici, dans les marges manuscrites de ces *Arithmétiques* de Diophante : « J'en ai découvert une démonstration véritablement merveilleuse que cette marge est trop étroite pour contenir. » CQFD. Il fallait croire Fermat. L'histoire des mathématiques n'était pas contingente, mais elle était les mathématiques elles-mêmes, et cette fable d'une démonstration trop longue n'était pas moins crédible que celle du théorème de Pythagore.

On retrouvait là sans doute des réminiscences de la partie occulte de l'enseignement de Pythagore, la partie perdue, celle qui avait trait à la constitution d'une secte, avec ses rites, ses mystères et ses secrets transmis seulement de façon orale – le maître se plaçait derrière un rideau et ses disciples, les acousmaticiens, ne pouvaient se faire qu'une représentation mentale des mathématiques. Pythagore parlait, et ses concepts prenaient corps, étranges et fantasmagoriques, dans les esprits de ses élèves.

Les acousmaticiens, Gorinski en était certain, avaient entrevu, dans les vibrations oratoires du voile blanc, dans les tremblements confus de cet espace vide, toute l'histoire à venir des mathématiques – et même des choses que les hommes d'aujourd'hui n'avaient pas encore vues.

C'était le mythe de la caverne qu'on aurait soudain retourné. Il fallait revenir aux ombres sur le mur, aux formes indécises. Gorinski répétait sans cesse, les deux frères sauraient s'en souvenir, que les mathématiques appliquées étaient plus profondes que les mathématiques fondamentales.

L'Antiquité. Un grand état de délabrement. Le sol européen est le plafond d'une voûte qui peut à tout instant crever. Un récif corallien de cités-États incrustées sur le dos d'une baleine – une baleine échouée et pourrissante.

Le Nombre de Gorinski

Pour Gorinski, la logique était décadente. Décadente et barbare. Barbara, c'était justement le nom d'un des syllogismes d'Aristote. Ce nom de femme, soudain surgi au milieu de leurs études mathématiques, dans un univers de garçons et de théorèmes, avait dû troubler les deux frères, comme il avait autrefois dû troubler le moine, parti à la recherche d'un système de classement mnémotechnique des syllogismes, qui avait vu ce nom apparaître sur son parchemin. Il s'agissait, avait expliqué Gorinski, de proposer une langue universelle rivale de l'hébreu, d'imaginer, face à la combinatoire consonantique de la Cabale, une combinatoire toute envoyellée : n'importaient en effet que les voyelles, le A désignant la proposition affirmative universelle – « tous les hommes » –, le I la proposition affirmative particulière – « quelques hommes » –, le E et le O désignant, enfin, leurs négations respectives. Ainsi le syllogisme Cesare correspondait à la forme EAE, ce qui donnait des choses comme :

> Aucun dieu n'est mortel
> Tous les hommes sont mortels
> Aucun homme n'est un dieu

L'ironie, pour un catholique, était assez subtile, avait précisé Gorinski.

Barbara, toute en affirmatives universelles, donnait des syllogismes moins amusants :

> Tous les hommes sont mortels
> Tous les Grecs sont des hommes
> Tous les Grecs sont mortels

Vaste, exhaustive et complète, c'était là toute la syllogistique : deux mille ans de propositions logiques irréfutables et inutiles. Cette logique implacable n'avait été utile qu'aux logiciens et n'avait pas joué le moindre rôle dans l'aventure de la science ou dans l'exploration mathématique.

La preuve logique, même empaquetée dans les cristaux du syllogisme, était trop faible. Seul comptait l'état de tension de l'esprit – le mouvement régulier, inertiel de l'esprit par-dessous toutes les arches de soutènement des édifices logiques. L'esprit était le vrai en tant que force physique. La seule axiomatique possible était la conviction profonde, et presque déraisonnable, de ceux qui tenaient leurs actes de pensée pour vrais.

Tout cela avait fasciné Ferdinand et Joachim. Ils avaient passé plusieurs nuits blanches à évoquer l'enseignement de leur maître, l'étirant dans toutes les dimensions possibles, celle d'un vaste arraisonnement du cosmos pour Ferdinand, d'une réception de sa vitalité prodigieuse pour Joachim.

C'est Joachim qui résuma le mieux la chose : c'est comme si nous avions découvert un outil inédit, un outil qui nous permettrait de sculpter des prises à travers le ciel infini. Mais c'est Ferdinand qui comprit que si ces prises relevaient de l'activité mentale des mathématiciens, on pouvait peut-être en breveter les motifs.

Les deux frères se sentaient en tout cas entraînés vers des horizons plus vastes que tous ceux qu'ils avaient pu concevoir jusque-là. Les mathématiques prenaient autour d'eux l'aspect d'une sagesse orientale, d'un savoir secret, d'une technique spirituelle à visée cosmologique. Gorinski semblait d'ailleurs accréditer de telles positions, quand il mentionnait les vieilles légendes qu'il avait autrefois mises en vers pour le vieux prince Basile, et qui faisaient remonter le royaume ambigu du Karst à des sectateurs d'Épicure remontés beaucoup trop loin au nord, réfugiés dans cette vallée perdue comme s'ils fuyaient quelque chose, sans doute l'hégémonie de la logique aristotélicienne, un impérialisme encore plus implacable que celui de l'armée d'Alexandre – Alexandre, l'élève d'Aristote.

Les épicuriens, à entendre Gorinski, avaient été les premiers des intuitionnistes, les premiers à mettre en doute le principe du tiers exclu, et sa plus célèbre conséquence, le raisonnement par l'absurde.

Il fallait remonter, pour comprendre l'intuitionnisme, à une question philosophique très ancienne, à un dilemme connu sous le nom d'aporie de Diodore.

L'histoire de la philosophie était un massif ennuyeux et opaque, mais il y avait là une sorte de prisme, de périscope, d'appareil optique qui permettait de lui rendre un peu de lumière – comme cette fontaine, sur la place Basile, à Karstberg, d'où coulait une eau très pure filtrée par le rocher de la citadelle. L'aporie de Diodore portait sur les futurs contingents : ce qui serait vrai demain découlait-il nécessairement de ce qui était vrai aujourd'hui, ou bien les événements demeuraient-ils indécis jusqu'à l'instant fatidique de leur apparition ? Il en allait de la nature du temps, de l'existence de la liberté, du salut de l'âme et du statut même de la vérité : soit atemporelle, soit indexée sur le temps. L'aporie portait précisément sur ce glissement, qu'on pouvait sans doute un peu paresseusement confondre avec le passage du temps, qui transformait des événements possibles en événements nécessaires, mais que Gorinski préférait appeler *l'intuition*.

> L'Europe apparaît très tard, comme une anomalie
> de la mer commune, comme si la Méditerranée finis-
> sait par enfin ouvrir les yeux, par dessiner ses deux
> rivages. L'Europe aux paupières lourdes mais rehaus-
> sées d'un peu de mascara.
>
> *Le Nombre de Gorinski*

L'aporie de Diodore allait enchanter Ida, qui s'était jusque-là représenté l'Antiquité à la façon d'un péplum interminable, une reconstitution à grand budget mais d'un formalisme moral glacé. Cela resta aussi, pour elle, une question bien plus religieuse que philosophique, qui ressuscita, étrangement, toute la défiance de son beau-père envers la Réforme, et la conduisit à s'interroger, pour la première fois, sur cette folie qu'elle avait eue de devenir banquière.

Tous les systèmes philosophiques, lui avait expliqué Verninkt, pouvaient être classés selon les réponses qu'ils apportaient à l'aporie de Diodore – ou selon les propositions qu'ils choisissaient de rejeter, plutôt, car l'aporie tenait à trois propositions, individuellement incontestables, mais qui ne pouvaient être vraies toutes les trois ensemble.

La première proposition disait que le passé était inéluctable. Si c'était cette inéluctabilité qui posait le plus de problèmes aux hommes, elle était théoriquement bien acceptée, sauf par quelques rares théoriciens de l'éternel retour.

La deuxième proposition, presque une tautologie de logicien, affirmait que le possible ne pouvait procéder de l'impossible, et inversement.

La troisième proposition était la plus fragile, mais la plus évidente aussi. Elle postulait qu'il existait du possible qui ne se réalisait pas. On touchait là au sens profond de l'existence humaine, au perpétuel défilement d'une liberté impermanente.

C'était cette proposition que Diodore rejetait. D'après lui, le possible se réalisait toujours. L'univers était comme une seule vague, qui se soulevait de façon unanime à travers l'éternité du temps. Certaines choses ne s'étaient pas encore produites, mais elles auraient lieu un jour, et rien de ce qui existait n'échapperait à la vague. Cela semblait familier à Ida, sans qu'elle se sente tout à fait en accord avec cette idée. Dès qu'elle réfléchissait à l'univers, c'était pourtant cette conception qui s'imposait à elle. Un univers de dominos ou d'engrenages, la foule en contrebas dans la rue, la pluie à sa fenêtre, les choix de ses ancêtres.

Elle était elle-même une dirigeante implacable, une *executive woman*, et cela imposait un réglage très serré de sa liberté, une optimisation de son temps, une hygiène mentale renforcée qui devait protéger son discernement et ses facultés de décision. Mais son existence, elle le sentait aussi, était pleine d'actes manqués et de vide, de gestes arrêtés et de pensées interrompues. Elle connaissait la quantité d'indécision qui subsistait en elle, et ce flottement léger était précisément le lieu d'où elle tirait l'essentiel de sa force : elle savait ralentir le temps et, plus encore, elle savait faire advenir, au moment de trancher, des impulsions irrationnelles, des instants de lumière. Cela n'avait rien à voir avec sa raison, rien à voir non plus avec un quelconque déterminisme – c'étaient des intuitions de l'éternité.

Il était d'ailleurs étonnant que les Européens, si épris de liberté, se soient si souvent laissé fasciner, dans leur histoire, par les systèmes de la fatalité – la fatalité comme mystique secrète de l'Occident, comme sa drogue la plus pure.

L'Occident dissimulait en lui-même de ténébreux Orients.

C'était la partie de l'enseignement de Verninkt qu'Ida avait préférée – un récit convaincant et crédible des cinq cents dernières années. En écoutant Verninkt parler, elle tentait de se représenter l'enseignement de Gorinski, et la façon dont il avait pu bouleverser son père – car il y avait dans tout cela quelque chose qui excédait le champ des mathématiques et qui s'imposait comme l'un des récits les plus saisissants qui lui ait été donné d'entendre.

La dynamique du mysticisme, qui rendait Dieu plus intérieur à l'âme que l'âme elle-même, avait été, jusqu'à la Renaissance, le moteur principal de la croyance religieuse. L'idée que Dieu était là, toujours, qu'il voyait à l'intérieur de nous, sans que nous puissions jamais vraiment nous en apercevoir : c'était un paradoxe délicieux. Inutile de se poser la question de son existence, puisqu'il était là, rayonnant, en nous-même. La preuve en était que nous avions une âme, cette sorte de cavité oculaire primitive, destinée, un jour, à devenir notre sens principal : un sens exclusivement voué à la contemplation de Dieu au paradis céleste. Tout s'était déréglé quand on avait voulu élargir les prérogatives de Dieu au temps. Il était facile et doux d'imaginer que nous ne pouvions pas lui mentir et qu'il connaissait chacune de nos motivations profondes. Mais savait-il à l'avance ce que nous allions faire ? En imaginant que Dieu connaissait le déroulement de notre existence à venir, et pouvait lire à l'avance les minutes de notre âme, le calvinisme avait exploré toute la grammaire de la fatalité. Ses sectes successives s'étaient formées comme cela : à chaque fois qu'une nouvelle objection au principe de la liberté humaine était suggérée, les plus radicaux l'adoptaient avec résolution. Dieu, pour finir, pouvait choisir ses damnés au hasard, sauver les méchants et punir les justes – on touchait là au point d'extase de l'hérésie pure, on frôlait le gnosticisme et ces théories étranges qui tenaient Dieu pour une créature mauvaise.

Il existait cependant des solutions plus délicates de l'aporie de Diodore. Des solutions qui visaient la validité de la deuxième proposition – cette loi logique en apparence imparable qui interdisait aux choses d'être à la fois possibles et impossibles. Chrysippe, le premier, suggéra qu'on réforme la logique, plutôt que notre conception fermée du temps. Il pouvait exister des événements relevant du possible *et* de l'impossible. Le règne du tiers exclu était une imposture : il était trompeur de croire qu'une chose soit de toute éternité vraie ou fausse, en dehors des procédures capables de la construire, et d'exhiber sa vérité ou sa fausseté. Le présent était justement l'une de ces procédures – le présent, en son essence fugace et délicieuse, n'avait ni le caractère immuable des choses nécessaires, ni la timide fragilité des choses seulement possibles. Le présent était pure intuition.

On retrouvait, dans toute l'histoire de la philosophie, des spéculations assez proches. Il en était par exemple ainsi du Dieu de Descartes qui, à l'instant de créer le monde, avait peut-être succombé lui-même aux délices de l'intuition, à ce desserrement extatique du possible et du nécessaire : Dieu, avait écrit Descartes, n'était pas astreint aux vérités mathématiques, qui auraient constitué une limitation de sa puissance, et il aurait pu faire que deux et deux fassent cinq.

Le Dieu de Descartes était infiniment libre et les mathématiques intuitionnistes conservaient le souvenir de cette liberté originelle : tout ce qui y était énoncé, démontré, *perçu*, l'était comme par surprise, et puisque les vérités mathématiques ne préexistaient pas à leur invention permanente par l'esprit de celui qui jouait aux mathématiques, elles relevaient, plus qu'aucune autre activité humaine, de l'affirmation d'une liberté intellectuelle totale. Les mathématiques intuitionnistes étaient la part incréée du monde, son matin perpétuel. À sa façon, Kant avait défendu des thèses proches : nous faisions de l'algèbre à partir de notre intuition spontanée du temps, de la géométrie à partir de notre intuition spontanée de l'espace.

L'arithmétique et la géométrie : nos premiers balbutiements en langue intuitionniste.

Ses plus belles périodes, son matin grec, ses embarquements pour Cythère, l'Europe les a passées allongée sur le sable de son littoral infini. Un peuple en villégiature, les bras en croix sur les tissus-éponges, les pieds alourdis par les ballons en mousse. La tête renversée sur le sable, les Européens se voient à l'envers, marchant au ciel, leurs corps bronzés crochetés aux portes du paradis terrestre. Leurs corps lumineux fouissent le ciel bleu comme un biotope intact.

Le Nombre de Gorinski

L'exposé antique le plus complet qui soit resté sur l'argument de Diodore se trouvait chez le stoïcien Épictète et finissait sur un avertissement étrange, à valeur morale : « Qu'as-tu de plus, toi, pour l'avoir lu ? Quelle opinion t'es-tu faite sur la question ? Autant nous parler d'Hélène, de Priam et de cette île de Calypso qui n'a point existé et n'existera jamais. »

Une île qui n'a point existé et qui n'existera jamais : c'était une définition possible du Karst, s'était soudain dit Ida en écoutant Verninkt. Ainsi qu'une définition possible de l'Europe comme empire impossible et comme interminable errance – le décalque continental de l'odyssée d'Ulysse, avec des capitales tournantes en lieu et place de ses îles.

Les Européens, de ce qu'Ida en apercevait depuis les étagères stoïciennes du bureau de Verninkt, et depuis les grandes fenêtres salées de son bureau, qui donnaient sur la meilleure imitation qu'ils aient su créer de la cité de Dieu, avaient un rapport compliqué avec la liberté. Ils avaient construit, autour d'elle, l'un des systèmes politiques les plus solides du monde, pourtant tout donnait à penser qu'ils n'y croyaient pas tout à fait, et qu'il y avait, dans les sciences comme dans les religions, en politique comme en psychologie, un goût toujours contrarié, mais répété et sûr, pour le fatalisme, et pour sa cruauté. Même les Lumières, si raffinées, si polies et si bienséantes, avaient débouché sur les horreurs de la Révolution.

L'Europe était la réserve mondiale des peuples qui croyaient à la liberté, mais qui, à chaque fois qu'ils avaient tenté d'en spécifier la forme, de préciser leur intuition de la chose, avaient imaginé les pires déterminismes, les pires visions de la fatalité, des systèmes délirants qu'on n'aurait nulle part ailleurs appliqués avec un tel zèle, ou seulement osé concevoir – fatalité que dans un réflexe de mauvaise foi, ou d'autoprotection, les Européens avaient toujours attribuée à l'Orient : cela avait commencé par les sectes stoïciennes, sans doute marquées par des influences brahmaniques ou bouddhistes, ramenées vers l'ouest par les conquêtes d'Alexandre, cela avait continué avec le culte initiatique de Mithra, avec la prétendue conversion de Napoléon à l'islam après la bataille des Pyramides, cela incluait, aussi, les fantasmes indo-européens des nazis et leur réemploi fanatique du svastika.

L'Europe c'était cela, au fond : deux cents tribus en guerre réunies, occasionnellement, par des passions orientalistes synchronisées.

Le statut que le christianisme occupait, dans cette typologie inspirée par l'aporie de Diodore, demeurait confus. Ida répugnait un peu à le ranger parmi les cultes orientaux, même si elle savait que certains évangiles apocryphes avaient emmené Jésus jusqu'en Inde. La chrétienté, sans doute car elle avait eu pour cœur doctrinal, jusqu'à la Renaissance, la défense acharnée de la liberté du pécheur, n'avait jamais été une forme d'empire. Elle avait plutôt laissé cet empire à César, et l'avait regardé échouer, à travers les siècles, de toutes les manières possibles.

Prudente, la chrétienté avait choisi de se replier sur les quarante-quatre hectares de l'enclave du Vatican. L'Europe, étrangement, réussissait mieux aux principautés qu'aux empires. Le Saint Empire romain germanique avait conduit, avant sa chute, à l'apparition, inexplicable, surnaturelle, de la principauté du Liechtenstein – et le Karst avait manqué de très peu son indépendance. Les frictions répétées entre l'Espagne et la France avaient miraculeusement épargné l'immarcessible principauté d'Andorre ; la guerre de Cent Ans avait failli aboutir à la naissance, entre la France et l'Angleterre, de la principauté de Calais, sur le modèle de l'enclave de Gibraltar, cette autre anomalie de la géographie européenne. Les guerres franco-prussiennes avaient épargné le Luxembourg, comme les guerres franco-italiennes avaient laissé derrière elles Monaco et Saint-Marin.

Les frontières, en Europe, étaient des entités vivantes et souples à qui il arrivait, au moment où elles subissaient les plus grandes tensions, de laisser échapper brusquement des petites anomalies, à peine plus grandes que ces élastiques qu'Ida avait jadis dû porter, pour rapprocher deux de ses dents qui poussaient trop disjointes.

Avec sa neutralité paranoïaque et son étrange destin – moitié pays international, avec ses institutions, ses comptes numérotés et ses jet-setteurs en villégiature, moitié Land allemand égaré ou province française abandonnée à son détestable calvinisme –, la Suisse faisait, bizarrement, figure de pays européen exemplaire : tout concourait à ce qu'elle disparaisse, mais elle avait subsisté, héroïque, grotesque et escarpée.

L'Europe – comme le montraient Venise ou Berlin-Ouest – était un continent d'enclaves, et on pouvait soupçonner, plus qu'un dysfonctionnement de sa géographie, un dérèglement du temps lui-même : l'Europe était moins l'endroit du monde où le concept de modernité était apparu que celui où tout l'éventail des possibilités politiques s'était déployé librement, indifféremment au sens de l'Histoire. Tous les types de régimes s'étaient accumulés là comme des métaux lourds dans un organisme empoisonné. Rien que dans l'Europe normalisée des Douze, l'Europe transparente, aseptisée de Bruxelles, on comptait cinq monarchies et un grand-duché.

Ida avait ainsi cherché, dans ces longues journées d'exégèse de l'aporie de Diodore, la trace de quelque chose, la clé d'un problème si évident qu'il en était devenu invisible : pourquoi l'Europe existait-elle, pourquoi cette péninsule occidentale de l'Eurasie s'était-elle dangereusement détachée ? Qu'y avait-il d'essentiellement brisé dans le bloc de la fatalité continentale pour qu'il ait été si facile à autant de pays de s'en extraire de façon quasi simultanée, et de continuer à tourner sans fin autour de la Suisse imaginaire de leur indépendance ?

La fatalité, d'une certaine façon, était passée, intacte et glaçante, de l'Asie à l'Amérique, par-dessus l'Europe infidèle, arrivant avec les pèlerins du *Mayflower* : l'énorme masse de la religion en Amérique était partout visible, des petites églises blanches de la Bible Belt aux tours vitrées de Manhattan, toutes vissées au même glacier de la chape calviniste. Il y avait ici un grand Dieu couché en travers de la Terre, et rien n'existait d'autre que sa loi éternelle. Ida le contemplait depuis sa fenêtre et réalisait, lentement, que l'Europe lui manquait – l'Europe dont l'histoire, contre tous les avis de ses analystes, contre tous les rapports de l'administration Reagan, était loin d'être finie.

> L'empire : un jouet entre les mains du pape. La
> chrétienté : un jouet entre les mains de l'empereur.
> C'est ainsi que l'Europe, cette douleur fantôme d'un
> empire disparu, apparaît dans l'Histoire. En découvrant
> cette épaisseur injouable, cette nature duale. L'Europe
> comme un tirage à pile ou face. Le ciel et la terre. C'est
> à partir de ce moment qu'elle se met à calculer son
> destin, à évaluer ses chances.
>
> *Le Nombre de Gorinski*

Ida avait fait discrètement analyser le moulin Spitz de
première génération que Verninkt avait rapporté de l'un
de ses voyages d'études en Europe. Elle avait confié cette
tâche à Karstenberg, le joaillier qui avait confectionné
son alliance, sa bague de fiançailles, ainsi que les rares
bijoux qu'elle portait, deux bracelets et une douzaine
de broches. Karstenberg & Sons : c'était à cause de ce
nom qu'elle était un jour entrée dans la boutique. Et
elle n'avait pas été déçue : l'homme était bien d'origine karste. Son petit atelier, à l'entresol de la boutique,
ressemblait à la translation d'un morceau d'Europe en

plein Manhattan, à un diorama soigné de la Mitteleuropa à son apogée dramatique. Le joaillier était le *son* de l'enseigne. Les Karstenberg étaient des fabricants de meubles miniatures de la Josefstrasse, des rescapés de la rafle de 1940.

Le joaillier n'était pas allé jusqu'à l'appeler « Altesse », mais il marquait, surtout depuis ses fiançailles, une déférence qu'elle n'avait jamais pu obtenir à l'époque où elle lui commandait des broches savamment gravées et inspirées des fables d'Ésope ou des *Métamorphoses* d'Ovide qu'elle appelait, en riant, des blasons de vieille fille. Il était pourtant l'une des deux ou trois personnes dans New York qui connaissaient l'existence du fils d'Ida : il avait personnellement gravé un nom et une date de naissance au dos d'une montre. Ce serait lui, aussi, qui restaurerait le sceptre du Karst, si le Met le restituait un jour.

Ida aimait beaucoup venir ici. La question karste tournait un peu à l'obsession. Verninkt s'était encore rendu là-bas, dans les Alpes yougoslaves, sur les traces de son père, et Ida attendait avec impatience le récit de ses dernières investigations.

Griff écrivait, pendant ce temps-là, à sa demande, un roman sur la société Spitz. Et Karstenberg disséquait maintenant le seul objet qui lui restait de son père, un objet que celui-ci avait conçu, et peut-être même assemblé.

Ce n'était pas un cylindre Spitz ordinaire, comme ceux qui avaient inondé le marché après guerre et dont on retrouvait des exemplaires dans tous les marchés aux puces. Ce n'était pas non plus le prototype du calculateur, très prisé des collectionneurs, dont il restait moins d'une dizaine de modèles. C'était un objet encore plus rare.

Le joaillier avait eu besoin de presque deux semaines. Il avait dû faire fabriquer des tournevis spéciaux et des outils à la forme insensée. S'il n'y avait pas eu ces chiffres sur le boîtier, l'hypothèse extraterrestre aurait été recevable. Il avait été surpris par la qualité de l'objet. Il ignorait qu'on avait atteint, dans l'Europe d'avant guerre, une telle précision d'usinage – une précision, avait-il dit, qui ne serait retrouvée que dans les années 60 par les fabricants japonais d'appareils photographiques :

— Vous êtes certaine que cet objet date d'avant la guerre ? lui avait-il demandé. Cela est presque incroyable. Ce petit calculateur portatif, l'arme de poing d'un comptable ou d'un ingénieur, est la chose la plus compliquée que j'ai jamais vue. Il fallait mettre les vis, dont les têtes arborent des étoiles inconnues, dans une certaine configuration pour accéder aux rouages. Je n'avais pas les plans, bien sûr, ni les outils. Mais, d'après ma meilleure estimation, il fallait au moins une semaine pour l'assembler. Au plus fort de la guerre, c'est le temps qu'on mettait à fabriquer un panzer ou un Messerschmitt. Je ne peux pas croire que cet artefact soit si ancien, en termes de processus industriel, ça ne tient pas. C'est plus raffiné qu'Enigma, et Enigma, jusqu'à preuve du contraire, c'est ce que l'industrie allemande a produit de plus sophistiqué. Vous connaissez, évidemment, les œufs de Fabergé, ces cadeaux dispendieux du tsar aux membres de sa famille. D'abominables kitscheries. Mais qui n'existent précisément que pour cela, pour être les objets les plus raffinés, jusqu'au dégoût, viscéral, qu'ils pouvaient inspirer. Votre objet est de cet ordre. Une machine démoniaque et répugnante. Un enfantmonstre dans son bocal de formol. Excusez-moi d'être aussi franc, mais c'est comme cela que je le ressens. Il y a des anomalies dans cette machine. Il y a ce mécanisme, assez génial, que j'ai identifié. Complètement inattendu, en fait.

Karstenberg avait d'abord cru qu'il manquait une pièce en découvrant, tout au centre de la machine, deux cylindres de céramique tournant dans le même sens. Puis il avait compris qu'il s'agissait d'un engrenage paradoxal. Ce n'était pas la miniaturisation de ses engrenages en céramique qui rendait le calculateur si révolutionnaire, mais cette pièce insensée, qui lui prêtait une intéressante nature analogique : là où les machines concurrentes, des gigantesques IBM à cartes perforées aux énormes Odhner à rouleaux soviétiques, opéraient sur des nombres discrets, et finissaient assez vite, après quelques décimales à peine, par donner des approximations du résultat demandé, le calculateur Spitz possédait en son cœur une roue sans dents, une roue potentiellement infinie. C'était au contact de ce nombre inépuisable que les autres roues venaient prendre leur valeur avant de remonter lentement à la surface de la machine, affichant pour finir, sur les dernières roues, derrière les petites fenêtres de la machine, les chiffres du résultat, délicatement amortis par leur contact originel avec cette roue glissante et abyssale. La difficulté que Joachim avait rencontrée consistait à faire communiquer les parties numériques de sa machine avec son cœur analogique : l'infini potentiel de la pièce centrale se retrouvait broyé entre les dents finies des engrenages déterministes. Joachim avait donc imaginé, pour le premier point de jonction entre les deux univers, un type d'engrenage particulier, un engrenage génial dont le modèle, prisonnier du bloc de l'Est, congelé par le glacis yougoslave, devait rester inconnu en Occident jusqu'à sa redécouverte, récente, par un constructeur automobile européen.

Papes et empereurs. La pièce n'est pas retombée encore. Ou bien elle est restée sur sa tranche.

Le Nombre de Gorinski

En écoutant les conclusions de Karstenberg, Ida avait cru assister à une réinterprétation, en langage mécanique, des explications de Verninkt sur l'aporie de Diodore. L'exposé était brillant mais, à mesure qu'il avançait, Ida se sentait de plus en plus nerveuse et mal à l'aise. Elle devinait qu'il y avait autre chose, quelque chose que le joaillier hésitait à lui dire, mais qui perçait trop derrière ses éloges de la relique familiale.

Le calculateur Spitz, cet artefact jailli du temps de la guerre avec presque un demi-siècle d'avance sur toutes les technologies contemporaines, cette météorite savante, était un gouffre métaphysique, expliqua le joaillier à la banquière pressée qui retrouvait, étrangement, une attention surnaturelle et une patience à toute épreuve dès qu'il était question du Karst.

L'un des principaux problèmes en horlogerie, et en mécanique en général, était de faire tourner des pièces à différentes vitesses. La solution, découverte dans l'Antiquité, consistait à faire varier la taille des roues : le même mouvement, distribué au moyen d'engrenages sur des roues de dimensions différentes, pouvait faire tourner simultanément l'aiguille des heures et des minutes – l'une soixante fois moins vite que l'autre. Il fallait encore ralentir le mouvement pour désigner le jour, et rajouter pour cela une roue plus grande. Solution qui ne présenta aucune difficulté tant que les horloges eurent des cathédrales pour boîtiers. Mais des systèmes de mémoire durent être inventés, pour miniaturiser cela – la roue des jours ou des lunaisons n'avait pas à tourner en permanence, un système pouvait accumuler le temps, et le relâcher brusquement au moment voulu. Quelque chose du temps astronomique, des orbites souples et silencieuses des planètes était ici cassé, compacté. Les horloges étaient devenues savantes, douées de remords et d'espérance. On réfléchit alors à des interactions entre les différentes parties de leurs âmes. Si l'on voulait par exemple afficher les éclipses, il était judicieux de rendre les rouages de la Lune, du Soleil et de la Terre interdépendants – non plus seulement simultanés, mais susceptibles, à certains moments de leur course, de concourir à une action commune, de se regrouper pour animer, sur la façade de l'horloge, une fenêtre nacrée. Bien que la distribution de l'énergie du ressort ou du poids soit harmonieuse à travers la machine, la rétroaction générait des tensions inévitables. Deux roues dentées, situées chacune à l'extrémité d'une fonction mécanique, ne pouvaient pas, en pratique, se réenclencher l'une l'autre sans dommage. À moins d'imaginer un mécanisme amortisseur.

Le problème était identique à celui, en mécanique, de deux roues fixées sur le même essieu et engagées dans une courbe : la roue située à l'intérieur du virage tournant moins vite que la roue extérieure, celle-ci partait en dérapage. Il fallait qu'elle anticipe le mouvement et se mette à tourner plus vite pour rattraper son retard – qu'elle se soit formulé l'idée de la courbe, ou qu'elle soit devenue soudain si sensible au mouvement de torsion de l'essieu qu'elle aurait eu le réflexe, l'idée de le compenser par elle-même.

Cette conscience de soi étant clairement hors de la portée d'une roue, on avait délégué cette fonction à un mécanisme dont l'introduction en Occident était due à l'horloger du dernier roi de France, concepteur d'une horloge astronomique destinée à tenir les planètes entre ses bras pendant les dix mille prochaines années, tout en les mélangeant à sa guise, à la manière d'un cartomancien, pour retomber toujours sur les bonnes figures, parfaitement appariées et comme tombées magiquement des astres.

Ce mécanisme serait nommé *différentiel*. Il prendrait la forme de trois pignons d'engrenage enchâssés dans une boîte. Les deux pignons parallèles en seraient fixés aux roues ou aux planètes, le pignon qui les reliait serait attaché à la boîte, laquelle serait laissée libre de ses mouvements. Si une roue se bloquait, si une éclipse pinçait l'orbite d'une planète, la roue opposée pouvait continuer sa route à la vitesse voulue, le différentiel de mouvement entre les deux axes étant absorbé par la rotation de la boîte. Mieux, la boîte pouvait être asservie à un moteur dont les mouvements se répartiraient de façon égale entre les deux axes, sans souffrir d'aucune contrainte si l'un d'eux s'immobilisait : le moteur imprimait son mouvement aux roues, mais les roues gardaient toute leur liberté, et le moteur toute son indépendance.

Difficile à concevoir et pourtant très simple à réaliser, le différentiel était, strictement, la première implémentation technique de ce que les chrétiens appelaient le mystère de la grâce – sujet si difficile qu'il avait conduit tous les philosophes à s'affronter, et les sujets de tous les royaumes d'Europe à s'égorger pour faire triompher leurs arguments, qu'ils croient au déterminisme absolu de Calvin et Luther ou qu'ils croient à la liberté en vertu de la grâce lubrificatrice du Christ, telle qu'elle avait été réaffirmée par la Contre-Réforme tridentine. Des guerres de Religion françaises à la guerre de Trente Ans, on avait dû laisser alors, pour près d'un siècle, la question de la liberté massacrer l'Europe, faute de compromis métaphysique accessible.

Cela avait abouti, enfin, d'après le récit qu'avait fait Karstenberg à Ida, à la guerre froide de la paix westphalienne, qui avait placé, comme un nouveau deus ex machina, la raison d'État au-dessus des conflits spirituels – et qui, lentement, devait aboutir au désarmement de ceux-ci au bénéfice de celle-là, jusqu'aux grands massacres des guerres de conscription.

Le compromis métaphysique existait peut-être. On disait que Leibniz ou Pascal, tous deux religieusement partagés entre la grâce et le déterminisme, l'un étant le plus romain des protestants, l'autre le plus calviniste des catholiques, l'auraient découvert – Leibniz et Pascal, tous deux connus, à côté de leurs œuvres philosophiques, pour leurs calculateurs mécaniques. Leur solution était pourtant restée ignorée, comme l'avait été le différentiel de l'horloger du roi de France, dont l'horloge astronomique fut rapidement confisquée par les révolutionnaires

– la Révolution, théâtre exacerbé des conflits entre la liberté et le déterminisme, n'avait peut-être pas d'autre cause que celle-ci : l'occultation de cette machine.

En 1814, quand Laplace avait imaginé son démon, une sorte de calculateur capable d'inférer de façon infaillible l'état de l'Univers à n'importe quel moment du temps à partir de la configuration présente, l'hypothèse démoniaque avait ainsi triomphé. Il faudrait attendre la seconde moitié du XXᵉ siècle pour qu'elle soit exorcisée, quand, après la libération des grands démons mécanisés de la guerre, l'Europe avait enfin reçu la visite providentielle, sur ses plages, de ces Jeeps aux énormes, aux insolents différentiels.

Ida n'était pas sûre d'avoir tout compris.

Karstenberg avait l'air un peu fou. Tout le monde, autour d'elle, à New York, était obsédé par l'informatique, qui libérait les hommes et rendait les sociétés plus agiles, mais elle avait dû tomber sur le dernier New-Yorkais obsédé par les engrenages – Karstenberg avait un siècle, ou une allégorie de retard. La liberté était un caramel de silicium noir, pas un moteur de voiture. Tout, dans sa boutique, semblait sortir d'un autre temps, les objets dans les vitrines, vieilles médailles autrefois accrochées à des cous disparus, camées aux personnages figés dans des danses anachroniques, pièces de monnaie en or à effigie impériale, montres à gousset fermées. Karstenberg lui-même n'avait pas l'air d'un Américain, mais d'un Européen débarqué la veille avec toute sa camelote. Il vendait même, étrangeté suprême venue probablement de Chine, un collier de grains de riz sur lesquels était gravée à la main une bible complète.

Tout cela charmait cependant Ida bien plus que ses autres rendez-vous de la journée avec des hommes manucurés du Midwest qui se faisaient appeler Tim ou Bret, et qui se croyaient chics comme des Européens car ils portaient des costumes Armani, se faisaient imprimer des cartes de visite aussi épaisses que des parchemins et prenaient le Concorde sur un coup de tête pour passer leurs week-ends à Paris ou à Londres. Mais si New York était bien une capitale européenne, elle l'était plutôt en la personne voûtée du vieux David Karstenberg, fils de Salomon Karstenberg.

Et David Karstenberg était visiblement plus fasciné par le calculateur Spitz que par le Macintosh ou par le téléphone portable que venait de commercialiser Motorola. Ainsi Ida fut-elle relativement surprise quand il se mit à lui parler d'ordinateurs. De la firme IBM, plus précisément, qui avait acquis une société allemande spécialisée dans les calculateurs mécaniques au milieu des années 20, laquelle avait remporté le contrat du siècle : celui du recensement allemand de 1933. Des millions de cartes à perforer. Une case, en particulier, qui indiquait que la personne était juive. Cinq cent mille trous effectués, à une vitesse record, par les machines de la filiale d'IBM. Cinq cent mille petits confettis pour fêter la victoire électorale des nazis. Les nazis, vus d'IBM : des bureaucrates prussiens à velléité hégémonique. Le rêve absolu de tout fabricant de calculatrices. Ces machines mécanographiques avaient servi d'interface idéale entre les pulsions génocidaires nazies et leur névrose organisationnelle. Aucun camp de concentration n'avait pu, bientôt, se passer d'elles. On commençait cependant, à

Washington, à s'interroger sur la trop florissante filiale allemande d'IBM. D'un autre côté, cette filiale permettait au gouvernement américain de garder un œil sur l'effort de guerre allemand. L'embargo américain, néanmoins, devait finir par s'appliquer à IBM. Les activités de sa filiale lui échappèrent à partir de l'entrée en guerre des États-Unis. Tout ce qu'on savait, c'était qu'IBM, à la fin de la guerre, avait récupéré les machines – notamment celle d'Auschwitz –, et qu'elles avaient été utilisées pour mener à bien, sous contrôle américain, et sans qu'il y ait plus vraiment besoin d'une catégorie « juif », le recensement de 1946.

Apparemment, elles fonctionnaient encore impeccablement à cette date. Était-ce parce qu'elles n'avaient pas été utilisées pendant la guerre, ou bien parce qu'elles avaient été soigneusement entretenues ? Aurait-on cependant confié la partie la plus essentielle, et la plus secrète, du travail de recensement à ces machines qui, bien que réquisitionnées, étaient légalement encore américaines ? N'aurait-on pas plutôt cherché à se doter d'une machine spécifique ?

Ida voyait enfin où Karstenberg voulait en venir. Elle connaissait la rumeur : les dents des déportés auraient transité par le Karst. Il était étrange que, de toutes les atrocités nazies, l'extraction des dents en or sur les cadavres encore chauds soit celle qui avait le plus marqué les imaginaires. Son ami français avait une explication intéressante : cela permettait de distancier l'horreur, en remettant bourreaux et victimes à des places moins métaphysiques. Il était rassurant de ramener les nazis à des êtres fondamentalement mesquins. L'idée que les juifs cachaient de l'or sur eux était, elle, une vieille, une très vieille obsession antisémite. Cette histoire de dents avait ainsi l'avantage de réduire la Shoah à un conflit entre méchants, méchants accapareurs contre méchants profanateurs de cadavres – cela l'annulait presque. Quant au fait qu'on faisait du Karst une place tournante de ce trafic sordide, c'était sans doute dû à sa vague réputation de Suisse miniature : aux Suisses les lingots, aux Karstes les dents en or. La dentisterie était d'ailleurs, avant guerre, et c'est de là que devait venir la rumeur, l'une des spécialisations industrielles du Karst, dont les fours à céramique fabriquaient alternativement des services miniatures pour maisons de poupée et des incisives, des molaires ou des canines humaines. Avec la Grande Guerre et ses millions de gueules cassées, l'Europe s'était de toute façon avérée meilleure consommatrice de fausses dents que de dînettes, et la plupart des artisans de la Josefstrasse s'étaient diversifiés. Notamment la société du vénérable Salomon Karstenberg. Les Spitz avaient eux aussi arrêté la fabrication de meubles miniatures, mais pour se lancer dans les engrenages en céramique. Rien à voir, donc, avec les dents. Rien à voir sauf que *cela* – le petit cœur blanc de la machine, son âme luisante et mécanique – semblait, à bien y regarder, fait de deux dents imbriquées l'une contre l'autre. Des dents de lait toutes petites et toutes blanches. Des dents d'enfant.

Ida était effondrée en larmes et Karstenberg s'en était trouvé un peu désemparé :

— Non ce ne sont pas de vraies dents. Les frères Spitz n'étaient pas des monstres.

Il avait pourtant fallu, pour qu'Ida le croie, qu'il redémonte sous ses yeux la machine afin de prouver qu'elle ne cachait pas d'abominables reliques humaines. Il avait dû ressortir ses tournevis spéciaux et ses lunettes d'horloger. Il avait dû, même, fermer boutique pour l'après-midi, tant la tâche de ramener Ida au calme promettait d'être longue. Il était de toute façon hors de question que quelqu'un la voie dans cet état, pâle, tremblante et sans cesse reprise par des crises de larmes : Wall Street n'aurait pas supporté. Le calculateur Spitz que Karstenberg venait de poser sur son établi avait pris soudain le poids de toute l'économie du monde.

Deux heures plus tard, Ida tremblait encore alors qu'il accédait au minuscule engrenage – moins de la taille d'une dent que des os microscopiques de l'oreille.

C'est Ida, soulagée, qui avait évoqué cette ressemblance.

— Oui, vous avez raison, c'est de cet ordre-là. Je n'aurais pas dû parler de dents. D'ailleurs elles sont moins reliées aux autres roues qu'influencées par elles. Elles vibrent de façon infinitésimale.

— Pourquoi une telle sophistication ?

— J'ai d'abord pensé à un intérêt balistique. Cette pièce, comme une virgule flottante, va chercher très loin les décimales que les autres roues remonteront à la surface. Cela permet un réglage très fin des tirs. La prise en compte de toutes sortes de facteurs, le vent, la force de Coriolis, les variations de la gravité terrestre en fonction de la zone traversée, que ce soit une mer, une montagne ou le simple décrochage des falaises de Douvres.

— Mais ce n'est pas cela, n'est-ce pas ?

— J'ai pensé aussi à un intérêt cryptographique. Un code analogique pourrait être plus difficile à casser. Il faudrait que le dispositif soit dans une certaine position. Et aussi petit soit-il, on en aurait ici une infinité à sa disposition.

— Mais ce n'est toujours pas cela.

— Je vais vous montrer quelque chose. En tournant la manivelle ainsi, on effectue les quatre opérations de façon normale. Mais en appuyant simultanément ici et ici tout en actionnant la manivelle, on peut communiquer avec un compartiment mathématique secret, justement implémenté dans cet engrenage paradoxal. Le chiffre demandé n'apparaîtra plus sur les cadrans de la machine, il sera stocké ici, à l'abri des regards – l'exploit technique étant d'avoir rendu les deux dernières pièces si sensibles qu'elles peuvent implémenter des chiffres anormalement élevés.

Non, ce n'étaient pas des dents, mais Ida avait compris.

— Sur quel chiffre était-elle arrêtée ?

— Elle avait été remise à zéro. Mais elle pouvait atteindre, j'insiste sur l'exploit technique que cela représentait, et sur le génie de votre père, plusieurs millions de décimales – une sorte de poche d'infinité dans un microcosme mécanique – une infinité bien spécifique, je suppose, peut-être liée au mystérieux "nombre de Gorinski".

— Le nombre de Gorinski ?

— Une sorte de limite, le contour déchiqueté d'une entité inconnaissable, quelque chose de presque monstrueux, d'inaccessible à la raison. Peut-être une porte, une voie d'accès vers des mathématiques radicalement autres. Un lieu où on pourrait sans risque effectuer des calculs interdits.

— Et vous pensez que… qu'on a pu l'utiliser pour… que cette machine aurait été conçue pour…

— Pour dissimuler un secret, oui. Je suis désolé. Un simple chiffre, mais qui ne devait en aucun cas être divulgué. Des cendres mathématiques jetées à la rivière.

Ida, après un long silence, s'était finalement reprise :

— Je ne veux plus jamais voir cette chose. Plus jamais. Je vous interdis même de la remonter. Je vous interdis, je vous interdis…

Elle s'était levée et s'était brusquement emparée du cylindre évidé et de toutes les pièces que Karstenberg avait déposées dans un petit baquet. Elle lui avait ensuite demandé de lui remettre les deux dents qu'il avait gardées dans la main, puis elle avait sorti un mouchoir de son sac, recouvert l'ensemble et commencé à frapper dessus de toutes ses forces avec un manche de tournevis. Elle avait ensuite refermé le mouchoir, sans regarder ce qu'elle avait fait, et pris l'ensemble dans sa main avant de sortir de la boutique et de tout jeter par une grille d'égout.

Elle était revenue dans la boutique et avait dit d'une voix très calme :

— Je vous remercie de votre expertise. Je suis désolée de tout cela. De tout ce temps perdu, de tous ces engrenages. Je crois même que j'ai fait disparaître, dans la précipitation, votre tournevis spécial. Je vous dédommagerai, bien sûr. Je vous prierai seulement de ne jamais parler de tout cela à personne.

Karstenberg avait ramassé l'une des deux petites dents, qui avait roulé par terre, et l'avait mise dans sa poche. Ne sachant pas quoi en faire, il avait fini par la déposer, quelques jours plus tard, dans sa vitrine, à côté des grains de riz gravés de sa bible chinoise, aux dimensions identiques.

L'Europe est le nom d'une infinité spécifique.

Le Nombre de Gorinski

Verninkt venait de rentrer de son dernier séjour yougoslave.

Il n'avait aucune information nouvelle sur la mort de Joachim Spitz – celui-ci avait officiellement disparu dans un accident de spéléologie, en 1945, et son cadavre n'avait jamais été retrouvé. Verninkt n'avait pas non plus retrouvé son carnet secret, ni aucun manuscrit autographe – son œuvre mathématique, si elle avait existé, s'était effacée avec lui. Le principal témoin de l'époque, son frère Ferdinand – qui pouvait d'ailleurs faire figure de suspect principal, si la disparition de Joachim était criminelle – venait par ailleurs de mourir, et on lui avait organisé des funérailles nationales, les premières depuis la mort de Tito, sans juger pertinent, évidemment, de convier sa nièce à la cérémonie.

La société Spitz était aujourd'hui dirigée par son cousin Gabriele, qui avait refusé de le recevoir. Verninkt avait en revanche réussi à démêler, en passant de longues après-midi dans des bibliothèques de Belgrade, l'histoire de la société Spitz – des choses bien antérieures à la guerre, d'autres qui avaient trait à la guerre et que la mère d'Ida avait délicatement omis de lui raconter.

Le kaolin – le minerai de base de la céramique, une argile très douce – était à l'origine de l'industrie karste. L'immense rocher qui composait l'essentiel du territoire de la principauté reposait sur une couche de kaolin très pur : il avait été comme arrêté, dans sa descente, par cette substance souple et un peu élastique. Un disciple de Böttger, l'inventeur de la porcelaine de Saxe, avait découvert cette particularité géologique, et formulé cette hypothèse un peu fantaisiste. Dès le milieu du XVIIIᵉ siècle, sa fabrique fournissait la cour de l'empereur. Ce n'étaient pas les pièces les plus délicates, mais celles qui avaient la réputation d'être les plus solides : d'abord la vaisselle des enfants, et bientôt, première ébauche d'une spécialisation industrielle future, les services miniatures que l'aristocratie viennoise offrirait à ses filles, bien rangées dans des petites malles d'osier tressées par l'une des minorités les plus obscures et les plus arriérées de l'Empire.

Le plus ancien Spitz dont Verninkt avait retrouvé la trace était apparu ainsi, comme un nouveau Moïse, dans une malle tressée aux confins de la Bessarabie et livrée au Karst pour y être remplie. Le nourrisson, qui aurait voyagé endormi sur plus de mille kilomètres, aurait alors été adopté par une famille de porcelainiers. Il serait ensuite devenu apprenti puis contremaître de la fabrique familiale. Son fils, enfin, en aurait pris la direction vers 1780 : c'était la fondation officielle de la société Spitz.

Les fils du fondateur – les arrière-arrière-grands-parents du père d'Ida – avaient finalement été admis au palais, l'un comme précepteur, l'autre comme conseiller aux finances. C'était alors l'apothéose du Karst, petit royaume de poupée à l'intérieur de l'Empire d'Autriche, et ultime enclave, avec ses porcelaines de plus en plus tourmentées et fleuries, du style rococo en pleine réaction Biedermeier : les splendeurs du Saint Empire semblaient s'être concentrées ici, dans les vitrines des boutiques de jouets de la Josefstrasse. Celle des Spitz était la plus belle. Les porcelaines miniatures étaient exposées au rez-de-chaussée, tandis que les étages supérieurs présentaient différents modèles de maisons de poupée et de modèles réduits de meubles – les Spitz avaient alors acheté une scierie dans la Slovénie voisine et commencé à acquérir des droits de coupe dans la forêt toute proche mais presque impénétrable du Horvdt, pour se fournir en bois.

Avec l'installation de magasins à Vienne, puis à Berlin, et des contrats à l'export avec Paris et Londres, le petit porcelainier aurait même pu devenir la première multinationale du jouet, si le futur héritier n'avait pas trouvé la mort dans l'insurrection d'octobre 1848. Alors, symbole de la rétraction du groupe et de l'oubli progressif dans lequel allait tomber le Karst dans l'Empire vieillissant, Spitz s'installa durablement dans une niche commerciale en apparence sans avenir : la fabrication de dés à coudre décoratifs, vendus partout à travers l'Europe, qui présentaient des vues de paysages, de villes ou de monuments religieux célèbres, sous forme de panoramas miniatures qu'on pouvait mélancoliquement faire tourner sur son doigt. Cette spécialisation industrielle permit à Spitz de pérenniser son savoir-faire industriel, et de survivre à la plupart de ses concurrents, successivement emportés par la défaite de Sadowa et la crise de 1873. Quant à la catastrophe de 1914, si dévastatrice pour le tourisme européen, la société Spitz s'en était heureusement prémunie en se lançant autour de 1900, pour accompagner l'automobile naissante, dans les roulements en céramique.

Ferdinand aurait d'abord travaillé comme ingénieur pour la petite société familiale, mais il se serait surtout passionné pour l'aéronautique. Il aurait construit et fait décoller quantité d'appareils miniatures, ainsi que, peut-être, des fusées. Joachim, lui, après de courts séjours académiques à Vienne et à Berlin, avait mystérieusement échoué à ses examens finaux, et s'était retrouvé simple dessinateur industriel. Rapidement, cependant, les deux frères auraient uni leurs forces et conçu le premier prototype de leur calculateur.

Les frères Spitz avaient passé une partie de la guerre en Allemagne. En tant que prisonniers, cela ne faisait aucun doute – du moins au début. Verninkt avait rencontré des témoins de leur arrestation. On se souvenait étonnamment beaucoup plus de cela que de la rafle de 1940, celle à laquelle la famille Karstenberg avait échappé de justesse : les deux frères devaient déjà jouir, à cette date, d'un prestige particulier, même s'ils n'avaient encore presque rien commercialisé.

Joachim et Ferdinand auraient été conduits directement dans le camp de Dora, là où von Braun faisait assembler ses V2 par des prisonniers. Que les deux pionniers karstes du calcul mécanique soient conduits à l'endroit du Reich où l'on avait besoin, de façon urgente, de la plus grande quantité de calculs, cela semblait plutôt logique. Avaient-ils été traités là-bas comme des prisonniers ordinaires ? Aucun ancien prisonnier n'avait jamais mentionné leur présence. Leur spectaculaire arrestation relevait-elle du théâtre ? Avaient-ils travaillé pour von Braun ? Pour quelle autre raison les aurait-on déportés à Dora ?

C'était là un matériau si désagréable qu'Ida préférait le transmettre directement à Griff, afin d'avoir à y réfléchir le moins possible. Les éléments en sa possession devenaient ainsi directement romanesques, elle les emprisonnait dans une cellule de Rikers Island où l'un de ses employés secrets accomplirait les différentes manipulations qui leur feraient perdre leur dangerosité. Griff était ainsi devenu le dépositaire de toute cette mémoire industrielle et familiale.

L'Europe c'est la diversité du monde, l'Europe c'est
le continent des nations. C'est ici que l'idée de nation
est née. C'est ici que fraient les nations entre elles.

Le Nombre de Gorinski

Griff avait travaillé dans l'une des usines croates du
groupe, au début des années 70. Il était alors plus ou
moins étudiant en mécanique, et il avait effectué son
stage de fin d'études dans l'usine de Zagreb, spécialisée
dans les engrenages en céramique. Le travail consistait
essentiellement à calibrer des machines de précision qui
assuraient la taille de ces pièces presque microscopiques :
il se souvenait d'un petit sachet en papier, comme ceux
que les diamantaires – ou les drogués – utilisent, rempli
de poudre blanche : il s'agissait en réalité de plusieurs
milliers d'engrenages miniatures.

Impatiente de lire le roman qu'elle attendait de lui,
Ida décida de conditionner la suite de son récit à la
remise des premiers chapitres du futur roman. Et pour
attiser sa curiosité, elle évoqua les trois piliers du groupe
Spitz.

Griff voulut dès lors absolument savoir si la dentisterie était, après la mécanique, l'un des trois piliers du groupe : le Karst était si fier de sa dent creuse, de son rocher qui présentait à sa capitale une face presque lisse d'une centaine de mètres de haut et qui, au lieu de projeter sur elle une ombre, semblait la projection tridimensionnelle du génie de son industrie mécanique – la dent d'une roue gigantesque tombée là par hasard.

Non, lui fit rapidement savoir Ida : la dentisterie n'était pas le deuxième pilier du groupe Spitz. Comme elle commençait à craindre, d'après les brefs aperçus que Griff lui donnait de la violence de la prison, la disparition soudaine du manuscrit – voire de son auteur –, elle négocia trois chapitres en échange du deuxième pilier.

Il apprit ainsi – mais il le savait en réalité déjà – que le deuxième pilier était les mathématiques. Ida lui avait écrit à ce sujet une lettre émouvante, dans laquelle elle évoquait longuement Joachim Spitz, ce père qu'elle n'avait pas connu. Il lui était étonnamment plus agréable d'évoquer tout cela par écrit avec un homme invisible que d'en parler avec Jan – non qu'il soit un mari brutal ou indifférent : c'était juste, avait-elle fini par écrire à Griff, qu'il n'y comprenait rien. Un prince karste mauvais en mathématiques, on n'avait jamais vu cela, se désola Griff. Ce serait comme imaginer un roi prussien qui détesterait l'armée, ou un roi français qui n'aimerait pas les femmes – le cas s'était d'ailleurs présenté, pour le plus grand malheur de sa compagne autrichienne, et on s'était empressé de supprimer cette anomalie.

Le troisième pilier du groupe Spitz, ainsi que Verninkt venait de l'apprendre à Ida, c'était l'espace. La chose était contestée par les historiens, mais il avait bien existé un programme spatial yougoslave, dont son père et son oncle étaient les initiateurs.

Un timbre à l'effigie des frères Spitz venait même d'être édité par la poste yougoslave, pour rendre hommage à Ferdinand. Les deux frères apparaissaient de profil devant une carte de la Yougoslavie, faisant face à une fusée. Il y avait, en bas, deux objets. On reconnaissait le plus petit, le fameux cylindre Spitz. L'autre ressemblait à une représentation stylisée du virus du sida, ou au projecteur d'un planétarium. Le visage de Joachim cachait la partie occidentale de la fédération – son nez, identique à celui de son frère, s'arrêtait juste avant Sarajevo, et son œil était à peu près au niveau du Karst. Ils devaient avoir presque le même âge sur la photo originale, mais l'aîné, Ferdinand, le survivant, avait été un peu vieilli : Joachim évoquait, avec ses petites lunettes rondes, un étudiant idéaliste, tandis que Ferdinand ressemblait déjà, avec ses yeux plissés, à un vieil industriel.

Ida avait très peu de photos de son père et ne lui connaissait pas ce visage – cette calme assurance, cette ferveur titiste. Il était très beau, aussi. Ferdinand avait, lui, cet air un peu méchant que les Yougoslaves puissants aimaient à se donner – une version méridionale de la moue soviétique.

Était-ce lui qui avait tout organisé ? Était-il à l'origine de l'horrible trahison de son père ? Travailler pour von Braun : c'était un fait que l'Histoire avait rendu acceptable. Neil Armstrong avait travaillé pour von Braun ; von Braun était mort en héros de l'Amérique. Comment ne pas être charmé par von Braun, d'ailleurs, avec son sourire si arrogant, mais si sympathique ? L'homme d'une idée, par-delà toutes les contingences de la politique. Un héros du XXe siècle. Du XIXe, plutôt : si on devait retenir un seul candidat au titre de surhomme, ce serait celui-là.

Et von Braun, à un moment de son parcours, avait eu besoin de beaucoup de calculs. Comme il avait eu à un moment besoin des travailleurs forcés du camp de Dora. On n'échappait pas à l'attraction terrestre sans une énorme quantité de calculs. C'était le calcul, la véritable poudre pour aller dans les étoiles. Ida se rappela, à cet instant, quelque chose que lui avait dit sa mère. Elle savait pour Dora, elle avait toujours su. Un jour qu'Ida lui avait demandé une anecdote sur son père, elle lui avait expliqué qu'il détestait les avions. Non pas parce qu'il en avait peur, mais parce qu'il trouvait leur comportement physique incertain ou décevant. Il préférait les fusées.

C'était un trait qu'on retrouvait souvent chez les pionniers de l'espace, lui avait expliqué Verninkt. Un mépris absolu pour les exploits des frères Wright et pour les avions en général – de gros oiseaux, des choses artisanales. On les avait lancés dans le ciel sans rien calculer, et en espérant que ça marche. Des centaines de morts, un héroïsme grotesque. Les as de la Première Guerre mondiale : des cow-boys européens en plein rodéo. Les avions ne volaient pas : ils nageaient comme de gros mammifères marins entre les couches visqueuses de l'atmosphère. Aucun avion, que ce soit à réaction ou à hélice, ne pouvait voler dans le vide. L'aviation civile, si sûre d'elle-même, si fière de ses radars et de ses portes étanches : une colonie de vers de terre. Rien à calculer. De la toile grossière tendue sur des charpentes gauchies. Mais l'astronautique, c'était autre chose. C'était la partie la plus pure des mathématiques appliquées. La courbe que décrivait une fusée était toujours un fragment de parabole, et il ne pouvait en être autrement. La vitesse de libération d'un engin était précise et universelle, quand les avions pouvaient décoller, en fonction de leur masse ou de la force des vents, à presque n'importe quelle vitesse.

L'astronautique était la partie de l'ingénierie la plus proche des mathématiques et il était logique que les frères Spitz s'y soient intéressés quand ils avaient repris l'entreprise familiale.

On disait que Wittgenstein avait renoncé à la métaphysique pendant une année entière pour dessiner une hélice au profil parfait. On ne pouvait renoncer aux mathématiques que pour un objet plus abstrait encore : déplacer des masses sur le grand abaque de l'orbite terrestre. C'était cela, le grand projet des frères Spitz.

— L'autre objet, tout hérissé de pointes, en bas du timbre : j'ai mis longtemps à l'identifier, lui expliqua Verninkt. C'est un pointeur stellaire. Un supersextant destiné aux missiles. La grande spécialité, classée secret-défense, du groupe Spitz. L'un des rares succès industriels, sinon le seul, de la Yougoslavie non alignée. Un objet qui a réussi à transpercer le rideau de fer : il équiperait aujourd'hui la plupart des missiles soviétiques. De même que la station Mir. Et son principe de fonctionnement en aurait été imaginé directement par votre père.

> Les pays d'Europe : des appareils de siège autour d'un empire disparu.
>
> *Le Nombre de Gorinski*

Le Singe de Tito sortit en janvier 1989.

Son auteur, à peine libéré, venait d'être expulsé vers l'Europe.

Le livre, écrit en prison et enveloppé de cette légende noire, allait devenir le premier succès de son auteur : Griff était désormais un écrivain connu – l'écrivain yougoslave le plus connu, le successeur possible d'Ivo Andrić, le prix Nobel de littérature de 1961. On pouvait se mettre à rêver, pour lui, d'un destin similaire, ainsi que pour le Karst, sa patrie, d'un rôle aussi universel que celui que jouait Visegrád, la ville frontalière du livre le plus connu d'Andrić : *Le Pont sur la Drina*.

Le roman mettait en scène ce que Griff appellera plus tard – quand il aurait abandonné sa carrière romanesque pour se consacrer aux essais historiques – *le grand archétype*, un type particulier de récit d'initiation censé résumer toute la civilisation européenne. La trame est toujours la même : un enfant adoptait un animal, mais rapidement les adultes se comportaient mal avec celui-ci, car ils craignaient pour la vie de l'enfant ; ils obligeaient ainsi l'animal à se révolter contre eux et à leur donner raison. Alors la bête était abattue, souvent sous les yeux de l'enfant, dans une scène qui se voulait un simulacre de procès – le grand procès de l'Europe contre la nature.

Le fils d'un ingénieur aérospatial, dans un pays montagnard, se voyait confier un jeune singe au début du roman. L'enfant et l'animal étaient élevés ensemble, sous le regard bienveillant du père. C'était un petit singe, un macaque, comme ceux qu'on voit escalader les temples de l'Inde ou le rocher de Gibraltar. Le père ayant une passion pour l'alpinisme, le singe et le garçon avaient passé toute leur enfance dans les montagnes. Dans l'une des scènes les plus touchantes du livre, le père nommait une à une les constellations à son fils, pendant que le singe, à son tour, les pointait du doigt. Tous les trois éclataient de rire. Mais le singe, soudain, s'interrompait en fixant l'horizon. Un orage était en train de monter et les étoiles s'éteignaient d'ouest en est. Le père allait trouver la mort cette nuit-là, en glissant sur un rocher. Il aurait le temps de prononcer ces derniers mots édifiants : « Adieu, mes enfants, prenez soin de vous et veillez l'un sur l'autre ! » L'enfant aurait sauté dans le vide si le singe ne l'en avait pas dissuadé en lui caressant la joue. Le singe sauva d'ailleurs la vie de l'enfant, en découvrant une brèche où rester pour la nuit à l'abri de l'orage. L'enfant et le singe étaient recueillis par des collègues du père. S'ensuivaient des années sombres, pendant lesquelles le garçon et le singe furent séparés. Exigeant de le revoir, le garçon découvrirait, en lui caressant la tête, des empreintes d'électrodes. Le singe était amaigri et malheureux. Très agressif, aussi. On préféra les séparer pour toujours.

Le garçon avait maintenant quinze ans. Il était devenu un homme. Une nuit où il escaladait la montagne, il aperçut au loin une lueur orange, puis une grande courbe lumineuse. Il apprit le lendemain qu'il s'agissait du tir de la première fusée yougoslave. Un missile amélioré qui emportait un singe en orbite. Il comprit alors que son père l'avait trahi : il avait toujours eu le projet, dès le premier jour, de lui enlever le singe – d'en faire don au camarade Tito. La colère du garçon le mena jusqu'à un ancien collègue de son père qui lui révéla que celui-ci n'avait jamais voulu les séparer, mais les former ensemble, pour faire de son fils, un an ou deux après le singe, le premier cosmonaute yougoslave. Le programme spatial n'irait hélas pas beaucoup plus loin que le singe. Et celui-ci, contrairement au projet initial, ne serait pas ramené sur terre – l'idée de parachute et de bouclier thermique avait été abandonnée, la fusée ne produisant pas une poussée suffisante pour satelliser une telle charge. Le singe, à l'heure qu'il était, avait cessé d'émettre. Il devait être mort de froid ou de faim.

L'ingénieur lui remit, quelques jours plus tard, la bande magnétique qui contenait les cris d'effroi du petit humanoïde. Les cris s'atténuaient progressivement et finissaient par être remplacés par les bips de plus en plus longs d'un moniteur cardiaque. Ne restait, sur les derniers mètres de la bande, qu'un chuintement égal.

Le garçon voulut savoir où était le singe, désormais. S'il allait retomber et brûler dans l'atmosphère ou finir sa vie dans le tombeau volant. Il apprit que l'orbite du singe, au-dessus de ses montagnes natales, subissait à chaque passage une légère distorsion – les Alpes transférant au ciel les abysses de leurs structures tourmentées. On ne pouvait pas savoir, encore, quand le point critique serait atteint – un certain seuil, dans la très haute atmosphère, où la présence de molécules d'air freinerait inexorablement la capsule. Mais, oui, le cadavre du singe finirait en poussière.

Suivait une scène que les critiques avaient qualifiée, de façon plutôt négative, de *rêverie cosmologique new age*, mais qui devait faire beaucoup pour le succès du livre – lui apportant le mysticisme scientifique qui plaisait aux adolescents de cette époque.

Le garçon retournait dans la montagne. Il retrouvait la brèche que le singe avait découverte, la nuit de la mort de son père. Elle s'enfonçait profondément dans la montagne, jusqu'à une vaste cavité aux parois recouvertes de quartz. Un grand trait de lumière passa sur la voûte, c'était la lueur du singe devenu météorite, et transmise par les cristaux de quartz qui affleuraient jusqu'au sommet de la montagne.

Le garçon décidait alors de prendre la succession de son père et d'entrer à son tour, comme ingénieur, peut-être comme cosmonaute, au service du programme spatial yougoslave. On voulut voir dans cette scène finale un passage onirique, un rite d'initiation, une cérémonie de deuil. Plus rares furent les lecteurs à relier ce planétarium troglodyte aux pierres de soleil des Vikings – des cristaux de quartz polarisés capables d'aller chercher le soleil à travers les nuages. Mais Ida fut la seule à saisir la référence discrète à l'histoire familiale. Le roman était une vie rêvée de Joachim Spitz.

III

L'origine de Spitz remonte au Saint Empire. Charriée par les Alpes orientales, cette pépite industrielle est restée longtemps cachée derrière le rideau de fer et le secret-défense. La principauté du Karst, qui abrite l'usine historique du groupe, ne figurait même pas sur les cartes de la Yougoslavie. Spitz, après l'indépendance de la principauté, est devenue le leader mondial des roulements en céramique. Horlogerie de précision, gyroscopes, instruments médicaux ou automobiles, les roulements Spitz accomplissent tout autour de nous leurs révolutions en silence et rendent le monde plus rapide et plus précis. Fort d'un savoir-faire unique au monde, Spitz compte aujourd'hui plus de dix mille collaborateurs, mais concentre encore, avec un soin jaloux, l'essentiel de ses activités dans la principauté du Karst, perpétuant une tradition d'excellence industrielle inégalée dans un environnement économique et politique incroyablement préservé, à égale distance de Vienne et Venise : *Spitz, where the world spins.*

Publicité de la société Spitz,
Financial Times, septembre 1995.

> Il reste, sur les hauteurs de Sarajevo, un grand
> serpent de béton. Il passe entre les arbres, sur les pentes
> du Trebević. C'est l'ancienne piste de bobsleigh olym-
> pique. Le toboggan de l'histoire européenne a décrit ici
> ses tout derniers virages.
>
> *Le Nombre de Gorinski*

Certains diront, un jour, que tout aura été sa faute.
Les cinq ans de guerre et les cent cinquante mille
morts. Les plus grands massacres commis en Europe
depuis la Seconde Guerre mondiale. La démonstration
de l'impuissance de la Communauté européenne, la
réduction à néant du fantasme de l'Europe-puissance.
Un génocide, un continenticide.

Le Karst avait proclamé son indépendance le même
jour que la Slovénie et la Croatie, au printemps 1991.
Les probabilités qu'une guerre se déclenche avaient été
jugées très faibles par les trois républiques sécessionnistes.

Ida n'avait rien anticipé, rien deviné de la guerre – ce
n'était pas le type d'OPA hostiles auxquelles elle était

intellectuellement formée. Le nationalisme lui était un sentiment étranger : elle aimait le Karst comme elle avait aimé New York et Venise – non pour leur identité profonde mais parce qu'ils libéraient, justement, ceux qui les choisissaient comme patrie des lourdeurs bellicistes de l'identité.

Il y avait eu des signes, pourtant, tout autour d'elle, à commencer par le succès inattendu du *Singe de Tito*, dans lequel tous les critiques d'Europe voyaient un grand roman national – comme si les *romans nationaux* étaient devenus un genre littéraire en soi, une variété particulièrement raffinée du pittoresque honni.

Il y avait eu bien sûr l'éclatement de l'URSS, et l'irruption soudaine de quinze nations nouvelles sur la carte du globe. Les premières tensions nationalistes étaient aussi apparues au Kosovo, en Croatie et la Yougoslavie, soudain, s'était mise à ressembler à un agrégat aléatoire de peuples hétérogènes.

Il y avait eu, même chez la très sage Ida, l'attrait irrésistible, non pas du pouvoir – elle l'avait bien connu –, mais de la politique pure, de la politique comme jeu, comme coup impossible et comme risque suprême. Il n'arrivait jamais rien aux banquiers. Des faillites, parfois des suicides, ou encore plus rarement des emprisonnements. Des amendes. Les rois, les présidents, les princes, eux, pouvaient être assassinés. Ida avait vu les images de Ceauşescu, condamné à mort et fusillé, avec sa femme, en quelques heures à peine. Elle avait vu à quelle vitesse on cessait d'être roi. À quelle vitesse, surtout, l'Europe de l'Est s'était vidée de ses élites communistes.

Cela faisait un siècle qu'on rêvait, en Europe de l'Ouest, d'une révolution. Il y avait eu Mai 68 en France, la bande à Baader en Allemagne et les Brigades rouges en Italie. Mais la révolution, étrangement, était venue du bloc de l'Est – des pays qui chérissaient le souvenir d'octobre 17 sur des fresques immenses. La révolution était de retour en Europe et c'était une révolution libérale. Il fallait peut-être remonter à 1848 pour voir quelque chose d'aussi enthousiasmant.

Comment Ida s'était-elle formulé l'idée de retour ? C'était une idée que les émigrants n'avaient normalement jamais. Un peu de nostalgie, à New York, pendant une ou deux générations, tout au plus. Mais l'Amérique l'emportait toujours. La nostalgie – on disait qu'elle était par excellence le sentiment des Slaves – devait pourtant triompher cette fois. Son mariage avec Jan avait fait subtilement basculer Ida dans un monde plus ancien, plus européen, plus archaïque que ce à quoi elle s'était attendue.

On avait un peu ironisé, alors, sur ce mariage entre l'une des femmes les plus puissantes du monde et le célèbre play-boy, on disait que c'était la version féminine du couple que formaient Donald et Ivana Trump. Ida avait voulu un mariage très simple, mais il avait revêtu, de façon involontaire et simplement parce que Jan était lié à toutes les familles régnantes d'Europe, un aspect princier inévitable. Cela ne s'était pas vu immédiatement. Il y avait eu peu d'invités. Mais les lettres de félicitations étaient arrivées du monde entier.

Ida s'était amusée de toutes ces enveloppes, puis elle avait été impressionnée, en les ouvrant, de découvrir les noms complets des créatures exotiques qui les félicitaient, avec leurs titres calligraphiés aux noms de villes et de villages, de fleuves et de forêts – un continent de papier, une histoire réduite, comme par enchantement, à ces délicats jeux onomastiques. On saluait spécialement le mariage d'un prince avec la fille, adoptive, du duc d'Isola d'Istrie – d'anciennes compétences généalogiques avaient dû être mobilisées pour établir que le mariage de la fiancée de Wall Street avec un play-boy vieillissant des Riviera italienne et française n'était en rien une mésalliance.

Il n'y avait pas de snobisme, à proprement parler, chez Ida, sinon celui de savoir que son mari pouvait prétendre à cette royauté imaginaire. Il avait accepté, pour elle, de changer de mode de vie : il collectionnait à présent les timbres avec une ferveur qui l'avait conduit à devenir l'un des principaux spécialistes d'Amérique, et même un expert reconnu, à qui on avait demandé de préfacer plusieurs livres. C'était Ida, astucieusement, qui avait déclenché sa passion, en lui offrant, pour l'anniversaire de leur rencontre, l'un des premiers timbres de l'Empire d'Autriche, un trois-kreuser rouge oblitéré à Karstberg. Elle l'avait fait encadrer et avait pris soin d'inviter quelques jours plus tard un élégant philatéliste turc à dîner, qui était devenu blême quand Jan lui avait montré le timbre, comme s'il avait vu une version inédite de la Joconde : c'était une pièce unique, exceptionnelle.

Les choses s'étaient faites naturellement – une longue discussion, avec Jan, sur plusieurs années. Ils n'auraient pas d'enfant ensemble mais ils pouvaient avoir beaucoup mieux. Quitter New York pour le Karst ? Pourquoi pas, si on faisait venir New York à nous. De quelle manière ? Elle l'ignorait. Un congrès bancaire international ? Pourquoi pas. Un salon international du timbre ? On pouvait l'envisager. Renoncer à sa place à la tête de la Venezia pour prendre la direction d'une usine ? Il ne fallait pas mépriser les usines. On accusait la finance d'être hors-sol, ce ne pourrait être qu'une expérience intéressante. Le faisait-elle pour venger son père ? Elle ne pouvait pas l'exclure. Et Jan, que ferait-il, là-bas ? Il ferait le roi.

Devenir princesse du Karst. Il était possible qu'elle en ait eu l'idée dès le jour de leur rencontre. Ou en entendant les récits de Verninkt, de Griff et de Karstenberg, qu'elle avait toujours écoutés, sans se l'avouer, comme des contes de fées ; et puisque le prince existait, il ne tenait qu'à elle de les compléter en y jouant la princesse, et en inventant le royaume.

Le royaume, elle savait précisément où elle en avait eu l'idée. Elle en avait eu l'idée à Davos.

Mozart est venu, enfant, à Paris. Il aurait joué devant le roi et c'est là que ses premières compositions auraient été imprimées – des sonates allègrement virtuoses, comme l'Europe savait en produire alors par centaines. Leur auteur n'avait que sept ans, l'âge de raison de l'Europe. L'Europe était devenue le continent des prodiges. Il faudrait attendre les tournées américaines des Beatles pour retrouver cette vitalité juvénile.

Le Nombre de Gorinski

Les milliardaires marchaient à pas prudents sur les trottoirs gelés. Ils n'avaient pas leurs vêtements de New York, ils étaient presque méconnaissables. Ils manquaient d'assurance et d'équilibre. La gravité avait, ici, quelque chose de lunaire. Ida avait eu soudain pitié d'eux et de leur monde raffiné et fragile – un monde blotti dans leurs grands manteaux d'hiver, comme un flocon bientôt destiné à disparaître.

Le Forum économique mondial de Davos était alors, en cette fin victorieuse du XXe siècle, le laboratoire du capitalisme, le lieu où il venait puiser, dans les délicates

Alpes suisses, des idées nouvelles. C'était là que le mot *globalisation* était apparu pour la première fois – une énorme bulle, une sphère merveilleuse qui s'était lentement élevée au-dessus de la vallée blanche. C'était là encore qu'on avait commencé à parler d'une nouvelle économie, immatérielle, fondée sur les échanges électroniques. Des chefs d'État et des présidents de multinationales venaient chaque année pour tenter d'apercevoir l'avenir. Un avenir qui leur était raconté par des intellectuels ou des chercheurs. C'était un lieu fascinant, une sorte de Wall Street des idées, de grand marché du temps : ici les valeurs du passé étaient échangées contre celles du futur. Ida avait été fascinée par ce qu'était parvenu à assembler Klaus Schwab, l'économiste allemand à l'origine du Forum, dans la montagne suisse : une merveille du monde moderne. Un lieu de pure bonne volonté. Cela avait marqué Ida dès sa première participation, dans les années 80 : on parlait très peu d'argent ici, on concluait très peu d'affaires. Cela aurait même été vulgaire. Le capitalisme vivait ici, chaque année, sa phase de reconfiguration, il apprenait à muter pour survivre à l'épreuve suivante. C'était cela, au fond, Davos : le moment où le capitalisme adoptait brièvement une incarnation visible, avant de replonger dans la grille transparente des tableurs et des eaux calculantes.

Le capitalisme se donnait à voir, à Davos, en tant que nouvel écosystème, que loi de la nature, et prétendait survivre éternellement. Le défi était fantastique. Il avait aussi sa part de risque. Aucune civilisation n'avait encore possédé à ce jour une telle emprise. L'Empire romain avait à peine débordé de sa Méditerranée natale. Ce que les Anglo-Saxons étaient sur le point de réussir était inimaginable. Davos était peut-être une manière de se mettre sous la protection d'une entité plus haute – les Alpes comme lest aux îles britanniques trop légères, la vieille Europe comme contrepoids nécessaire à la grande voile rectangulaire des États-Unis d'Amérique.

À la chute du mur, on s'était mis à croire que le libéralisme sauverait finalement à lui seul les damnés de la terre. Davos était le comité central de cette révolution. Ce qu'on avait commencé à appeler le néolibéralisme n'était pas autre chose que ceci : le moment où le libéralisme était devenu le plus intelligent, le plus conscient des systèmes – le calcul rationnel de l'humanité entière.

C'est de cette façon, déjà, que le marché unique européen s'était imposé : comme une évidence rationnelle. L'Europe avait eu le choix, et elle avait préféré le capitalisme. Quand le mur était tombé, c'était l'Est qui avait voulu ressembler à l'Ouest. L'Europe présentait l'exemple sans ambiguïté d'un continent qui basculait rationnellement dans le capitalisme. Davos n'était que l'aiguille de cette grande balance historique.

Mais Davos était aussi un lieu de pénitence. Longtemps les milliardaires n'avaient rien eu à faire à Davos. Ils venaient seulement y skier en dehors des périodes du Forum. C'était ce qu'on attendait d'eux. Qu'ils se divertissent et qu'ils ruissellent.

On ne les avait pas vus, au début, déborder un peu de leur programme et rester pour le Forum. Mais ils étaient venus de plus en plus nombreux. Ils traînaient dans le hall de la salle de conférences. Ils invitaient des économistes à dîner. Ils se montraient étrangement attentifs au projet d'une jeune ONG. Ils posaient même, parfois, des questions dérangeantes, et on avait souvent pu les confondre avec des militants de gauche : combien de temps ce niveau d'inégalité pourrait-il se maintenir, le monde avait-il vraiment besoin des milliardaires, comment les cent personnes les plus riches pouvaient légitimement posséder autant que la moitié la plus pauvre de l'humanité ? La bulle ne risquait-elle pas d'éclater un jour ?

Les milliardaires représentaient une sorte d'avant-garde : ils ressentaient, à travers leur fortune, la fragilité de tout le système économique. Il était facile, en apparence, de posséder de l'argent. On le cachait sous son matelas, dans un bas de laine ou dans un lingot d'or malléable. On l'enfouissait, au pire, dans un projet immobilier ou dans un paradis fiscal. La difficulté venait avec la très grande fortune. Une fortune disséminée, immense, un grand corps transparent et cassable, une fortune obligée d'épouser les courbes du monde, une fortune relativiste. Une fortune comme un trésor partagé, comme un consentement populaire à son existence.

Et un doute s'était peu à peu installé sur l'acceptabilité sociale de leurs existences oisives. Si la crainte n'était plus celle de la révolution marxiste, la victoire absolue des États-Unis sur l'URSS, en réunifiant le monde, l'avait rendu paradoxalement plus incertain – l'idée que tout déséquilibre, en l'absence de contrepoids, était désormais irrattrapable. C'était peut-être une inquiétude au sujet des conditions d'une richesse exponentielle sur une planète limitée.

Ce qu'Ida aurait voulu construire, c'était un sanctuaire inexpugnable. Une sorte de bunker dans lequel le monde de Davos pourrait trouver refuge en cas de catastrophe. Quelque chose comme une axiomatique. Il fallait doter ce monde fragile d'un Vatican mathématique qui, de congrès en conciles, donnerait aux mathématiques financières leur forme canonique, et rassurerait les milliardaires sur leur immortalité possible.

C'est à Davos, au cœur des Alpes et à une dizaine de vallées de lui, qu'Ida avait commencé à rêver de son futur royaume.

Ötzi est mort en Autriche à plus de trois mille mètres d'altitude, mais le lent déplacement du glacier où il était enseveli lui a fait passer la frontière et on l'a retrouvé en Italie. Il gardait de cette translation un bras bizarrement tordu. Mozart a pris lui-même plusieurs fois le chemin d'Ötzi. Il était le plus italien des musiciens d'Autriche, le plus européen des musiciens de son temps. Son triomphe : un opéra en italien sur un livret inspiré d'une pièce française se déroulant à Séville.

Le Nombre de Gorinski

Ida avait assisté, cette année-là, quelques mois après la chute du mur, à une conférence de QPS, le père de son enfant, le grand intellectuel libéral, l'aventurier français – être libéral en France, c'est déjà en soi une aventure, avait-il admis un jour. Elle s'était assise, au deuxième rang, et avait sorti son carnet de notes – c'était le genre d'attention qu'il appréciait.

« J'aurais une nuance à apporter à la théorie de Fukuyama. Une nuance scientifique. Je vais lui opposer une expérience très simple dont j'ai eu la chance d'être un observateur direct. »

C'était le dernier, le seul, le contemporain capital, l'esprit du temps toujours réincarné, la vérité et son flambeau, la chouette d'Athéna, le successeur de Sartre, d'Hugo et de Voltaire, l'intellectuel français le plus important de la fin du XXᵉ siècle. Il avait un nom juif et un prénom composé d'aristocrate, mais on utilisait pour simplifier ses trois initiales, qui sonnaient d'autant mieux qu'elles étaient presque les mêmes que celles d'une célèbre compagnie de transport américaine, connue pour ses camions marron, son universalité et sa ponctualité sans faille. Quentin-Patrick Stern était ainsi devenu une sorte de marque, célèbre dans le monde entier, un défenseur de la liberté, des droits de l'homme, l'incarnation de la république universelle.

« Ce qu'on appelle la fin de l'Histoire, c'est le triomphe de la liberté. Soudain dégagés de toutes les influences magnétiques du sacré, des idéologies ou du nationalisme, les hommes flottent enfin librement. Non pas dans les eaux glacées du calcul égoïste, mais dans la brume rafraîchissante du marché, qui les tient, par définition, à l'écart de la violence politique : le commerce est la continuation de la politique par d'autres moyens. »

QPS, c'était sa force et sa faiblesse, ne doutait jamais de lui-même. La chose avait été facilement remarquée et, où qu'il aille, à la télévision ou dans la rue, des âmes charitables tentaient de dégonfler son ego surhumain. Il était un sujet de moquerie facile pour les humoristes, ces moralistes qui s'ignorent, et il avait été plus de dix fois la cible d'un entarteur belge – l'Infâme réincarné spécialement pour lui, la congrégation monopersonnelle qui avait juré sa perte. Tout le monde, au fond, était bien disposé envers lui : on voulait avertir le philosophe d'un manque de recul critique, lui apprendre à se détacher de son image, on en faisait un cas presque clinique d'égotisme médiatique, et on voulait lui épargner le ridicule d'être lui-même.

« Imaginez une machine qui serait comme le moteur insatiable du progrès humain. Cette machine existe et je l'ai vue à l'œuvre. Cette machine, c'est l'économie de marché. »

Mais jamais personne n'avait supposé qu'il puisse être conscient de son propre ridicule et des exagérations de son personnage. Conscient, même, de la contradiction qui existait entre son caractère aristocratique et sa défense obstinée de la démocratie. Personne n'avait eu la présence d'esprit, ou ne serait-ce que la bienveillance d'imaginer qu'il jouait, précisément, de cette contradiction : oui, je suis riche, beau et intelligent, mais je suis en votre possession, je vous appartiens tout entier.

« Au moment de la chute du mur de Berlin j'ai vu toutes les particules rouler d'est en ouest, presque sans aucune exception. Sinon quelques Chateaubriand romantiques curieux, dont j'étais, allant errer dans les ruines du communisme à travers l'Alexanderplatz déserte. Et comment aurait-il pu en être autrement ? Qu'y avait-il à piller à l'Est, sinon les terrifiantes archives de la Stasi, quand tout était à vendre à Berlin-Ouest – la plus jolie ville du monde, une ville creusée entièrement de main d'homme dans la roche sucrée du désir ? »

La carrière d'intellectuel médiatique de QPS dissimulait peut-être un tourment messianique. Il l'avait écrit, autrefois, en pensant à son père, qui venait d'investir, avec sa générosité habituelle, dans l'une de ses aventures : « Si le christ revenait parmi nous, il serait milliardaire. » Seule Ida avait su comprendre cela, Ida qui lui avait toujours répété que les banquiers étaient les confesseurs des grandes fortunes, ceux qui veillaient sur le salut de leurs âmes, eux dont la fortune, trop grande pour les objets de ce monde, n'existait qu'à l'état liquide et distribué – il n'existait de milliardaires que dans le consensus de tous à leur existence ; il n'y avait pas plus démocratique qu'un milliardaire. QPS était l'homme de Davos dans toute sa splendeur, un individu flamboyant, un citoyen du monde, un milliardaire épris de liberté et de justice, un paradoxe résolu et vivant comme il y avait eu, deux siècles plus tôt, des despotes éclairés.

« La démocratie a été inventée en Europe et c'est ici qu'elle doit subir sa grande mutation. On a trop caricaturé l'Europe : un grand marché, un paradis pour les marchandises, un espace de libre-échange qui se serait fait au détriment des humains. Et s'il y avait là-dedans quelque chose de vrai et de salvateur ? »

Le père de QPS possédait des forêts en Afrique. C'était à peu près tout ce qu'on savait de l'origine de sa fortune. Le philosophe habitait un hôtel particulier sur l'île Saint-Louis, à Paris, et il roulait en Rolls – une Rolls dont l'intérieur en acajou clair, comme un arbre unique éclaté et poli, serait tout ce qui le rattacherait à la forêt familiale une fois qu'il en aurait délégué la gestion, à la mort de son père. Cette voiture, et quelques actions lointaines, connues de ses chargés d'affaires et de ses gestionnaires de patrimoine – il avait trop souvent lu *Aden Arabie* de Nizan pour prétendre que sa richesse était autre chose qu'un souffle sur la mer : « Les banquiers, les marchands se croient libres : ils ont cette folie-là, ils ne valent pas mieux que les vagabonds. » Le marxisme avait eu ses beautés. Ida avait compris cela, cette délicatesse des très grandes fortunes – aussi nécessaires aux cycles économiques que les neiges éternelles l'étaient au cycle de l'eau.

Les États-nations, bientôt, se refermeront sur eux-mêmes. Les amusants jeux de tissus des anciennes frontières – camp du drap d'or, échange de princesses, condominium théâtral de l'île des Faisans – convulseront pour donner naissance au blockhaus, le champignon vénéneux de l'Europe moderne.

Le Nombre de Gorinski

« Le monde aura connu deux âges, celui des lois et celui des règlements. Les lois s'appliquent aux hommes, les règlements s'appliquent indistinctement aux hommes et aux choses. »

QPS jouait son propre rôle à la quasi-perfection, c'était le mieux articulé, le plus conscient des êtres humains. Chacune de ses actions, chacune de ses pensées, peut-être, était travaillée. Il y avait toujours, chez les dandys, un soupçon de ratage, de pauvreté – pas chez lui : tout était construit avec une précision rare, son apparence ne dissimulait aucune souffrance, aucune escroquerie fitzgeraldienne, QPS avait incorporé tous les codes sociaux et culturels, il les avait évalués, complétés, améliorés

259

pour en donner une interprétation parfaite. C'est à ce prix qu'il était devenu libre. Libre avec une générosité exceptionnelle : non pas dans une tour d'ivoire mais au milieu des hommes. Libre, car lui qui aurait pu devenir n'importe qui avait choisi, après avoir passionnément étudié la question, d'être seulement lui-même.

« Dans un monde dominé par la loi, les hommes ne s'appartiennent pas. Inoubliable allégorie du jugement de Salomon : la loi à son intensité maximale peut aller jusqu'à découper un homme en deux. On a revu cela à la Révolution. »

QPS avait commencé plusieurs fois son autobiographie – il en avait fait lire, autrefois, les premières pages à Ida : « Je suis le fils de Kurtz. *Toute l'Europe avait contribué à la création de Kurtz*, a écrit Conrad. Je suis moi aussi l'Européen archétypal. La mère de ma mère était une juive polonaise et le père de mon père un Anglais d'origine lituanienne. Ils se sont rencontrés à Paris, et c'est là que mon père est né, quelques heures avant la Première Guerre mondiale. » QPS n'était pas allé plus loin dans son autobiographie : sa mauvaise conscience ne regardait que lui. Être le fils de Kurtz lui donnait une responsabilité particulière : il était l'enfant prodigue de l'histoire européenne, l'ultime surgeon du grand rêve impérial.

« Quelle est la définition unique que donne Sartre de la violence, dans son œuvre gigantesque et protéiforme ? La violence, c'est de casser une bouteille au lieu de l'ouvrir délicatement. »

Son père avait préféré faire des affaires en Afrique plutôt qu'en Europe. Il méprisait les chênes et les hêtres des forêts d'Ancien Régime, trop hautaines à son goût, encore souvent la propriété d'aristocrates antisémites qui n'avaient plus qu'elles pour exercer leurs vieilles prérogatives, lesquelles se limitaient surtout à l'organisation d'une ou deux chasses par an, et qui se manifestaient sinon dans leur attitude méprisante à son égard – son père, pour le dire brutalement, avait préféré être traité en colon plutôt qu'en métèque. Il aimait les bois durs, exotiques et précieux. Il avait ainsi offert à QPS, pour ses treize ans, l'échiquier, tout en ébène et en ivoire, de Napoléon.

« Dans un monde réglementaire, les hommes et les choses sont traités avec égalité et douceur. L'homme n'est plus isolé du monde, il est remis dans son contexte. Lequel, en l'état actuel de l'évolution historique, se trouve représenté par le marché. C'est en cela que l'Europe est un grand marché. Mais elle ne l'est pas essentiellement. Elle l'est en tant qu'elle envisage toutes les choses ensemble. »

La seule forêt européenne que son père aurait aimé exploiter, la coïncidence avait émerveillé QPS quand il avait rencontré Ida, était située à la frontière de l'Autriche et de la Slovénie, dans l'îlot germanophone du Karst : c'était l'ultime enclave où s'était retranchée, après les grands défrichages médiévaux, l'antique forêt hercynienne, celle de la Gaule chevelue de César et des aigles perdus des légions de Varus, une forêt plus ancienne encore que les Alpes. Il y avait là les plus vieux arbres d'Europe, et les derniers bûcherons à adorer encore des déités païennes. C'était là, dans la forêt du Horvdt, que se seraient réfugiés pendant des siècles les rescapés des pogroms, c'était là que finissaient les faux messies chassés de leurs villages, et c'était peut-être là-bas, aussi, que se serait égarée l'une des tribus perdues d'Israël – une tribu de mathématiciens obscurs et géniaux. La forêt était hélas inexploitable : détachée de l'Autriche-Hongrie par le traité de Saint-Germain, elle s'était retrouvée, à quelques centaines de mètres près, du mauvais côté du rideau du fer, où elle continuait à pourrir noblement dans les confins de la république yougoslave. Son père avait tenté en vain de l'acquérir, en allant jusqu'à négocier directement avec Tito, avant d'accompagner la délégation française aux JO de Sarajevo pour rencontrer les nouveaux leaders yougoslaves.

« L'intégration européenne ne s'est pas faite par les armes. Elle s'est faite par le charbon et l'acier, par le blé et le lait. Elle s'est faite de façon organique, par la fusion programmée des industries et l'interdépendance des marchés nationaux. »

QPS était très beau et il l'avait compris très jeune. Les femmes s'arrêtaient de parler à son passage, les hommes le détestaient d'instinct. Il était modeste à cet égard : il savait que c'était le hasard. Le même hasard, peut-être, qui avait fait de Socrate le plus laid des Athéniens. Une élection paradoxale. Et si Socrate avait su jouer de sa laideur pour convaincre, rien ne lui interdirait, à lui, de jouer de sa beauté. Il avait trouvé son style dès sa seizième année. Un style Neuilly-bohème, comme il l'avait théorisé. L'élégance de la bourgeoisie de l'est parisien, des vêtements bien coupés, des mocassins et des chaussettes fines, avec un soupçon de rive gauche, un peu de la rue d'Ulm emporté dans ses cheveux longs, des réminiscences de la Sorbonne insurgée de 68 dans cette façon qu'il aurait de laisser sa chemise entrouverte. Il se rasait le torse pour éviter d'afficher une virilité trop caricaturale. Il avait les traits fins, c'était une promesse intellectuelle, cela disait déjà la précision, la délicatesse de ses arguments. Il était de toute façon utilement préférable de jouer l'androgynie : il troublerait ainsi ses interlocuteurs.

Cette arme secrète était d'ailleurs philosophiquement légale : Platon l'avait théorisée. Sa chemise ouverte, à peine amidonnée, serait comme un second visage, un sourire penché, énigmatique. Et il la choisirait toujours blanche, car ce serait l'écran sur lequel il ferait défiler ses idées. QPS était le seul intellectuel de sa génération à avoir correctement lu Debord : le spectacle comptait autant que la pensée. Sans le spectacle, la pensée était inerte, ineffective, *bourgeoise*. Il fallait sauver la philosophie d'elle-même. L'URSS : une prison fabriquée par des philosophes.

« La construction européenne est la plus grande aventure politique de notre temps car sa forme est encore inconnue. »

QPS s'était construit comme un rebelle. Il s'était fait connaître, avec d'autres jeunes intellectuels parisiens, en dénonçant les crimes du communisme à la fin des années 70 – tout en se revendiquant de gauche, mais d'une gauche moderne, qui aurait accepté l'économie de marché et la liberté absolue de conscience. Ils s'étaient fait appeler les Néophilosophes, ils passaient bien à la télévision et parlaient mieux que Sartre, toujours ambigu vis-à-vis des régimes communistes, qu'il s'abstenait en général de trop critiquer pour ne pas désespérer Billancourt.

« Qui saura montrer le Léviathan qui sommeille au-dessous d'elle ? Mieux, qui saura démontrer son inexistence ? »

Les survivants de l'âge d'or du structuralisme, de la pensée critique et des déconstructions diverses, tous plus ou moins marqués par l'orthodoxie marxiste, n'avaient rien pu faire pour empêcher les Néophilosophes de régner sur Paris, sinon dénoncer, sans y croire tout à fait, un complot de la CIA dans leur apparition – accusation que ceux-ci avaient publiquement toujours jugée diffamatoire, mais qui les flattait plutôt, en faisant de leur groupe informel une confrérie d'agents doubles, d'espions raffinés, de combattants de la liberté. Des pions, mais placés à des cases stratégiques. Ils n'avaient rien, cependant, de philosophes de salon. L'Europe était en paix, mais, farouchement universalistes, ils étaient partis chercher l'aventure aux quatre coins du monde. QPS, sans doute grâce à ses moyens financiers, était celui qui s'était le plus pris à ce jeu. Il était allé, comme reporter et comme témoin, comme écrivain et comme conscience du monde, au Liban, au Cachemire, au Panamá et en Irlande. Il avait été arrêté plusieurs fois et on avait voulu attenter plusieurs fois à sa vie. Recevoir des lettres d'insultes faisait partie de son quotidien, et la police l'avait mis en garde contre des envois éventuels de colis piégés.

« Il faut en revenir, inlassablement, aux intuitions de Jean Monnet, ce négociant en liqueurs qui aura remis les humeurs des hommes en mouvement, ce banquier visionnaire. »

Étonnamment, ce jour-là, QPS avait inspiré de la pitié à Ida. Le bloc de l'Est était tombé, les Néophilosophes avaient vaincu le dernier totalitarisme d'Occident et le libéralisme triompherait bientôt de ses derniers adversaires. Mais, en l'écoutant, Ida avait perçu autre chose. La solitude du vainqueur. Son ivresse dangereuse. Un homme au bord du vide.

« Oui, l'Europe est libérale, commerçante. Mais elle l'est au plus haut sens du terme. Elle est un nouveau commerce entre les choses. Oui, l'Europe est un marché – un grand marché passé avec les choses. »

264

QPS n'avait jamais eu peur de personne, pourtant Ida se souvenait de son inguérissable faiblesse, de ce qui l'avait empêchée de l'aimer vraiment, après les éblouissements d'un amour passion de jeunesse : QPS avait un seul ennemi, immense, encore plus grand que le communisme et l'URSS, et cet ennemi, c'était lui-même. Cela, Ida l'avait immédiatement compris. Non à sa façon théâtrale, exacerbée, exagérément intense de lui faire l'amour, mais quand elle avait découvert que les discours amoureux qu'il lui adressait ensuite, depuis la salle de bains, étaient d'abord adressés à lui-même et à son reflet nu dans le miroir.

« L'Europe est un principe métaphysique d'assouplissement du monde : hommes et marchandises considérés avec le même respect. »

L'idée de l'indépendance du Karst lui était aussi apparue comme cela : ce serait un sanctuaire pour cet aventurier revenu victorieux de toutes les guerres, pour ce vainqueur de tous les totalitarismes, pour le dernier des grands héros romantiques de l'Europe, pour le dernier grand homme – le père de son enfant. Si Jan était appelé à devenir prince du Karst, et Griff à lui servir d'écrivain national, QPS était appelé, lui, à en être le premier citoyen d'honneur.

« Nous ne sommes pas à la fin de l'Histoire. Jamais les portes du temps n'ont été si ouvertes ni nos esprits si libres. »

Ce qu'on entend dans la musique de Mozart, ce sont les premiers craquements de l'Europe westphalienne. C'est la dernière des musiques de cour.

Le Nombre de Gorinski

QPS était sorti enchanté de sa propre conférence : c'était l'une des meilleures qu'il ait jamais donnée et il l'avait, en plus, entièrement improvisée. Il faudrait qu'il demande à Ida de lui prêter ses notes. Il avait laissé parler son âme, et son âme, ce jour-là, était dans une forme excellente.

Mais sa journée avait soudain été gâchée par une rencontre déplaisante avec un diplomate turc.

Il s'appelait Mustafa Aydemir et QPS l'avait instantanément détesté : ce degré de conscience de soi inimitable et voluptueux, cette grâce et cette précision des gestes, cette façon d'utiliser ses premiers cheveux blancs comme des rais de lumière pour souligner la noirceur compacte de l'ensemble, ces yeux vifs et ces traits énergiques travaillés par les rides ironiques de l'intellectuel : un portrait exagéré, une caricature de lui-même. QPS serait hanté pendant des jours par cette cigarette fine qu'il avait extraite d'un porte-cigarettes en platine, et par ce briquet à la forme extravagante avec la manivelle duquel il jouait nonchalamment.

L'homme, à mieux l'observer, était trop bien peigné, il portait un costume trop bien ajusté et ses gestes, trop étudiés, témoignaient d'un maintien obsolète – celui d'un individu faussement libéral, un individu qui n'aurait pas su faire sien le grand relâchement démocratique.

On était en face, se dit QPS, de son portrait en despote oriental.

Il avait demandé à Ida qui était cet homme. C'était, étonnamment, un ami du prince Jan. Le possesseur de l'une des deux ou trois plus belles collections de timbres du continent. C'était un europhile, un diplomate issu d'une grande famille d'Izmir, européanisé depuis toujours. On disait d'ailleurs qu'il menait des négociations parallèles sur l'entrée de la Turquie dans la CEE. On l'avait vu à Monaco et au Vatican – et maintenant à Davos.

Les deux hommes s'étaient croisés dans le vestibule du palais des congrès. Aydemir sortait fumer une cigarette, et ce qui avait le plus frappé QPS, outre la forme étrange du briquet qu'il tenait à la main, était qu'un fumeur puisse avoir l'air en aussi bonne santé – on décelait à peine quelques traces de vieillissement dans les plis discrets que sa vélocité découvrait brièvement à la base de son cou.

QPS avait ressenti instantanément le manque. Cela faisait plus de dix ans qu'il avait arrêté, et il avait oublié cette sensation d'hypnose, cette intelligence soudaine, tactile, des doigts désengourdis par les premières bouffées. Cela avait été un enfer de ne pas prendre de poids – d'autant qu'il se refusait absolument, par admiration

267

pour Sartre et pour Baudelaire, à une quelconque pratique sportive. Il était maigre de légumes et d'intelligence, non pas d'abrutissement physique.

— Vous fumez ?

Presque aucun accent – juste ce qu'il fallait pour créer un trouble chez son interlocuteur. Et cela avait fonctionné : QPS s'était vu tendre la main vers les cigarettes, avant de se reprendre.

— Non. J'ai arrêté. À Beyrouth. Je me suis lassé des Camel de contrebande. Trop sèches et trop dangereuses. Visibles à des kilomètres. J'ai aimé fumer. Mais j'ai aimé arrêter, aussi. Une autre façon d'être libre.

— Elles doivent être de plus en plus rares, ces façons d'être libre.

— Que voulez-vous dire ?

— Vous êtes un personnage public.

À cet instant, un serveur entra en portant une tarte meringuée.

QPS s'accrocha nerveusement au bras de son interlocuteur et se réfugia derrière lui.

— Excusez-moi. Une phobie.

— Oui, je vois : l'entarteur. Votre grand ennemi l'entarteur.

— Vous le connaissez ?

— Je ne dirais pas que je le connais. Mais le récit de vos mésaventures a hélas passé les rives du Bosphore. Comme celles de Salman Rushdie.

— Nos sorts n'ont évidemment rien à voir. Salman est victime de la conjuration d'un État, je ne souffre que de la bêtise la plus crasse.

— N'avez-vous jamais imaginé que votre entarteur pourrait agir en service commandé ?

— Je l'ai cru. Mais j'ai rencontré mon ennemi. Je l'ai interrogé. Et je n'ai rien vu d'autre qu'une immense stupidité.

— Vous l'avez interrogé ? Vraiment ? Et il vous menace encore ? Vos manières libérales me fascinent. Me laisseriez-vous l'honneur de l'interroger à mon tour ? Je saurai, c'est promis, le dissuader définitivement.

— Arrêtons là, si vous le voulez bien, cette discussion.

QPS avait ressenti une inimitié instinctive envers son interlocuteur monter en lui, et c'était là bien plus qu'il n'était prêt à entendre. Pas tant l'idée qu'il existait, peut-être, une résolution possible de son principal problème que de voir transpercer aussi facilement, sous les dehors les plus courtois du monde, la fausseté du personnage. L'homme, beau comme un démocrate, venait quasiment de lui proposer de mettre des assassins à son service. QPS frissonna. Le palais de cristal de l'État de droit s'était soudain fissuré autour de lui.

— Je vous laisse, lui dit l'apparition, en tenant un instant la porte et en laissant s'engouffrer un courant d'air glacial. Vous connaissez votre point faible ? Votre point faible, c'est Alcibiade.

Il disparut sans donner d'autre explication. Et QPS, qui ne le reverrait que des années plus tard, passa des nuits entières à relire en vain Plutarque, Xénophon, Thucydide.

> Mozart connaît intimement les lieux où meurt pour toujours l'idée d'empire européen. Mozart a reconnu les frontières de l'Europe. Il pressent la débâcle de la chrétienté englobante en un tourbillon d'États définitifs.
>
> *Le Nombre de Gorinski*

Il n'y avait pas eu de plan, au début. Il n'y aurait jamais besoin de plan car tout serait étonnamment facile dans l'Europe démocratique.

Ida était née à Venise, elle était devenue une des reines de New York, et elle avait ressuscité, ou fait descendre du ciel, un petit État moderne et audacieux qui avait trouvé naturellement sa place dans la géographie, compliquée mais hospitalière, de l'Europe.

Tout le monde avait les yeux fixés sur les dragons asiatiques, sur les cités-États de Hong Kong, Singapour et Taïwan, qui avaient pris, à une vitesse stupéfiante, le contrôle de quelques secteurs économiques stratégiques et tenaient entre leurs griffes les filets dérivants du commerce mondial.

Cependant la Chine était déjà à l'affût derrière le détroit de Malacca. Ida avait lu un rapport stratégique de la Commission trilatérale – l'un des organes intellectuels de la mondialisation – qui faisait de celui-ci le canal de Suez du XXIe siècle. Le pays, discrètement, était en train de s'ouvrir. Son marché intérieur, de très loin le plus important du monde, son réservoir de main-d'œuvre, son goût confucéen de l'ordre et de la planification : tout tendait à prouver qu'on ferait bientôt face à un redoutable acteur économique.

Des usines allaient fermer par centaines en Europe et aux États-Unis. Mais il ne faudrait pas se laisser aveugler par l'effet à court terme de ce nouveau partage. L'Occident avait gagné, durement, son droit à la désindustrialisation. Ce n'étaient pas des usines qui fermaient, c'était un paradis qui s'ouvrait. Il y aurait dix ou vingt ans à tenir – dix ou vingt ans de chômage de masse et de bassins industriels sinistrés. La mondialisation devrait être le mythe de ces années de désarroi, la manne au milieu du désert. Le dernier des chômeurs aurait une voiture et un ordinateur. La mondialisation serait une religion incarnée. Une religion à capitaux chinois. Les choses iraient en s'améliorant, la Chine verrait ses niveaux de salaires remonter, on assisterait même, in fine, à des relocalisations d'usine. En attendant, tout devait tenir dans un équilibre sophistiqué – un équilibre assuré par les banques, qui ressortiraient leurs vieux abaques pour y suspendre le monde. La Chine investirait dans la dette des anciens pays industrialisés, dette qui leur servirait à offrir à leurs citoyens suffisamment de prestations sociales pour qu'ils continuent à consommer des produits chinois.

Ida adorait ce genre de raisonnement. Elle était là chez elle, dans son univers.

D'ici vingt ans, la situation serait stabilisée. Le coût du travail se serait harmonisé tout autour du globe, et les pays se livreraient entre eux, à armes égales et dans un grand fair-play libéral, à une compétition pacifique – l'économie du monde serait bientôt aussi belle que la cérémonie d'ouverture des jeux Olympiques. Et le Karst aurait, pourquoi pas, sa délégation.

C'était cela, le Karst, pour Ida : le prototype avancé de ce qui resterait des anciens pays une fois la mondialisation achevée – le grand glacier des horreurs historiques finirait par fondre, laissant des rochers étourdis et des nations étonnées d'avoir survécu à toutes les guerres. Des pions sur un échiquier délavé. Des centaines de paradis simultanés, autant qu'il y avait eu, autrefois, de pays en guerre.

Le monde serait devenu une colonie de dragons asiatiques. Il n'y avait plus, déjà, dans les rapports qu'on s'échangeait sur l'état de la planète, de pays du tiers-monde – on parlait aujourd'hui de pays *émergents* : des dragons au stade amniotique.

Et comme dans la célèbre gravure d'Escher, cette faune harmonieuse serait alimentée en continu par ce mouvement perpétuel qu'on était en train d'assembler, dans les grandes places financières du monde et dans les réunions secrètes de la Commission trilatérale : une façon de faire fonctionner ensemble la finance et l'industrie, une façon de déposer le globe, après mille expériences ratées, sur l'étagère du haut de la fin de l'Histoire.

Le mouvement perpétuel de l'économie-monde n'était pas en contradiction avec notre intuition physique – les lacs se remplissent au printemps, mais l'hiver la neige revient toujours sur les montagnes. Le Karst serait bientôt, comme l'était Davos, de l'autre côté des Alpes, l'un des sommets gracieux de ce monde à l'équilibre.

> Mozart aura passé sa vie à dévaler les Alpes, Mozart
> dont la musique ressemble au bruit de l'eau qui ruis-
> selle et dont les mélodies connaissent les lignes de par-
> tage invisibles qui séparent l'Europe en deux continents
> spirituels et en une multitude d'États rivaux.
>
> *Le Nombre de Gorinski*

Avant de prendre une décision définitive, Ida avait entièrement relu la documentation historique que Verninkt avait rassemblée.

La pièce maîtresse du V2 était son gyroscope qui, relié à sa tuyère, permettait au missile d'ajuster seul sa trajectoire en fonction d'un plan de vol préétabli. C'était lui qu'on exhumait le premier, après chaque impact, avant même de secourir les victimes : le fruit le plus précieux de l'Allemagne nazie.

La conservation du moment angulaire, l'orientation inaltérable du disque du gyroscope était la branche à laquelle le missile grimpait pour atteindre le ciel, la branche qui se courbait de plus en plus sous son poids. Le missile escaladait le ciel comme un singe escaladait un arbre – toutes ces métaphores étaient dans le livre de Griff, elles avaient contribué à son succès en le faisant passer pour un récit animiste. Le gyroscope était infaillible mais le vent pouvait, en déplaçant subrepticement la branche, écarter le missile de sa cible initiale. Impossible de corriger la trajectoire, une fois le missile lancé ; rien ne le reliait plus au ciel, sa tuyère hurlante était seulement attachée au prodigieux silence de son gyroscope. La solution la plus évidente était de recourir au guidage radar. Mais on perdait cette qualité rare des engins furtifs – celle d'être des systèmes fermés impossibles à contrôler à distance.

Joachim avait imaginé un dispositif capable de suppléer au guidage inertiel, en prenant appui sur plus inerte encore que le volant d'un gyroscope : sur le ciel étoilé lui-même. Ce que Joachim avait imaginé, la visée stellaire, ce n'était rien d'autre que le principe originel de la navigation, le principe du sextant et de l'astrolabe – mais rendu autonome.

Le dispositif, pour fonctionner correctement, exigeait des capteurs de lumière très précis. Comme ceux que l'armée allemande expérimentait alors, dans les grottes de Dora, pour ses amplificateurs de visée nocturne. La mise en œuvre du dispositif exigeait une patience infinie. Trois petites lunettes devaient être pointées sur trois étoiles, parmi les plus brillantes. Chacune des lunettes devait être dotée d'un mécanisme qui lui permettait de suivre ses étoiles, malgré les mouvements de la fusée. La perte d'un signal lumineux devait enfin, via un circuit électrique, modifier l'orientation de la tuyère pour retrouver la lueur disparue, en gardant les deux autres étoiles visibles, roulis, tangage et lacets donnant naissance à des signaux complices dont les mouvements de la fusée essayaient d'épurer les bruits parasites. La somme de calculs requis était considérable, on était presque aux limites du calcul mécanique – Verninkt l'avait estimé à un minimum de mille cylindres Spitz tournant en parallèle.

On ne savait pas à quel point Joachim avait pu avancer sur ce projet pendant la guerre. La seule chose que l'on savait c'était que le V2 n'avait pas embarqué de tels dispositifs. Le temps était compté et von Braun était allé au plus rapide. À la disparition de Joachim, ses recherches avaient dû être récupérées par son frère : la société Spitz serait la première à faire breveter un dispositif de visée stellaire pour les engins spatiaux.

On suppose qu'à partir des années 70 la plupart des missiles soviétiques furent discrètement équipés, derrière un hublot de cristal, d'un dispositif Spitz – mais le secret d'État qui régnait ici n'avait permis à Verninkt d'apporter aucune preuve. La chose, de fait, était un peu gênante pour le complexe militaro-industriel soviétique, obligé de se fournir auprès de l'industrie d'un pays non aligné pour assurer le bon alignement de ses missiles.

Il se peut que la survie du Karst comme république autonome au sein de la fédération yougoslave ait été une conséquence de ce contrat. La Yougoslavie n'était pas alignée mais le Karst était une sorte de protectorat militaire de l'URSS au sein de celle-ci. La situation devait être tolérée en raison des services que la firme Spitz rendait en retour à la nation yougoslave : elle représentait presque toute son industrie de pointe et une part importante de ses exportations industrielles. Quiconque avait acquis la technologie nécessaire à la fabrication d'un viseur stellaire pouvait à peu près tout fabriquer : des lunettes de visée, des appareils de détection nocturne, du matériel d'exploration médicale – ou des montres. La fameuse Spitz 2000 serait ainsi la seule véritable incursion de la Yougoslavie dans la culture pop mondiale, avec des centaines de déclinaisons du modèle, parfois même aux couleurs de Mickey, de Coca-Cola ou de Michael Jackson, tout autour du Bassin méditerranéen, de la côte dalmate à l'Algérie et à l'Égypte, mais aussi dans l'Indonésie de Suharto et dans l'Inde de Nehru. Spitz avait d'une certaine manière triomphé partout où la banque Venezia n'était pas présente. C'était l'une des icônes discrètes de la grande internationale des décolonisés. Le vaste tiers-monde servait de banc de test aux engrenages qu'on retrouvait dans la partie secret-défense de l'entreprise – ceux qui résistaient aux poignets des prolétaires du monde gagnaient un voyage spatial.

Tito lui-même arbora plusieurs fois la montre, sur des photos officielles, et son succès international n'est sans doute pas étranger à ses voyages.

En 1984, Spitz serait l'un des sponsors des jeux Olympiques de Sarajevo, et tous les athlètes victorieux rapporteraient dans leur pays, en plus de leur médaille, un chronomètre à cinq rubis, délicieusement désuet en cette décennie où triomphaient les montres électroniques. La Spitz 2000, la Swatch des Balkans, après son apogée de 1984, déclina à son tour, victime indirecte de la catastrophe de Tchernobyl et de la crainte qu'inspiraient désormais ses aiguilles fluorées.

À la prise de fonction de Gabriele, en 1980 – année de la mort de Tito –, le groupe était cependant déjà remarquablement diversifié, et implanté dans toutes les républiques de la fédération. On s'amusait, en interne, à l'appeler la *multinationale*. Le siège et les bureaux d'études étaient à Karstberg, où se concentrait aussi l'activité horlogère, héritière directe de l'activité de calcul mécanique. La Slovénie voisine fabriquait des roulements en céramique. Les activités spatiales se concentraient, elles, dans la base aérienne souterraine de Željava, à la frontière croato-bosniaque. Skopje, en Macédoine, Subotica, en Voïvodine et Belgrade accueilleraient à leur tour, à l'apogée yougoslave du groupe, des usines de montage et des laboratoires. Il se disait alors que le pays ne tenait plus, comme les membres d'un pantin disloqué, qu'à ces ficelles industrielles.

Le vieux Leibniz, le dernier homme universel, réduit à griffonner un traité caduc et anachronique à travers les barbelés de l'Europe westphalienne.

Le Nombre de Gorinski

C'est l'une des lois les plus célèbres de l'économie, mais aussi l'une des moins intuitives. Il a fallu deux siècles pour la faire admettre aux hommes. L'histoire de l'Europe et du monde est l'histoire de cet apprentissage. L'Europe est le laboratoire où la *théorie de l'avantage comparatif* de Ricardo est devenue réelle et quantifiable.

Recherches sur la nature et les causes de la richesse des nations, le livre fondateur d'Adam Smith, avait réussi à convaincre les hommes de se spécialiser et d'acheter à meilleur que soi ce qu'ils renonçaient à produire. Fondement du libre-échange, cette règle de l'*avantage absolu*, appliquée à un seul pays, avait fait de l'Angleterre le pays le plus riche du continent européen. Appliquée à plusieurs pays, cette règle semblait mener à des contradictions paralysantes : quel pays voudrait entrer en relation commerciale avec une telle puissance ? Quel intérêt pouvait-il y avoir à vendre du blé ou de la laine à un pays qui nous reprendrait aussitôt nos bénéfices quand nous lui achèterions des produits manufacturés beaucoup plus cher ? Pire, quelle industrie développer, si dans tous les domaines l'industrie anglaise était plus performante ? Les principes de Smith paraissaient de nature à justifier tous les protectionnismes.

Il reviendrait à Ricardo de résoudre cette énigme, et de sauver le commerce international, en démontrant qu'il était bien compatible avec la révolution industrielle. Il a imaginé pour cela le cas de deux pays en autarcie. Ils produisent les mêmes biens, mais l'un des deux pays est systématiquement plus compétitif que l'autre. Ce que montra Ricardo, et qui parut longtemps contre-intuitif, c'est que, en se spécialisant chacun sur un type de production et en important ce qu'ils arrêtaient de fabriquer, les deux pays verraient leur productivité s'améliorer. On pouvait résumer la naissance du capitalisme en Europe aux échanges entre producteurs de laine anglais et drapiers flamands, les bateaux chargés de marchandises passant à travers la mer du Nord comme la navette du plus efficace des métiers à tisser qu'on ait jamais vu – un métier à tisser qui fonctionnait encore à plein régime et dont les merveilleux ouvrages avaient recouvert tout le globe, lui prêtant même, dans la nuit du cosmos, des reflets dorés à la beauté indescriptible.

Voilà ce qu'était devenue l'Europe. Un paradis ricardien, un archipel industriel. Chaque pays avait développé ses propres industries de pointe. L'Europe comptait presque un leader mondial par domaine industriel. Un produit européen, c'était avec certitude le meilleur produit du monde. Un appareil photo allemand, un lecteur de Compact-Disc néerlandais, une voiture italienne, un satellite français, un moteur d'avion anglais. Et des roulements karstes.

La société Spitz avait tous les attributs d'un futur leader mondial. Le spécialiste des roulements en céramique. Le conseil d'administration de la Venezia s'était laissé facilement convaincre – bien que la banque n'ait pas vocation à se lancer dans l'industrie, il fallait y voir un investissement. Et Spitz se présentait comme une véritable pépite industrielle dans une gangue de conglomérats polluants, irradiés et destinés à subir des restructurations innombrables. Une toute petite chose, mais de celles dont on fait des miracles. Les roulements à billes étaient, encore plus que ne l'avait été la roue, une technologie de rupture. Tous les progrès de la conception et de l'usinage étaient inutiles si on ne pouvait réduire les frottements. Le monde industriel tournait autour de ces boîtiers. La magie du monde moderne était là. Son efficacité, sa précision, son silence.

Ida avait alors expliqué, certaine de son effet, que Spitz était présente dans l'espace. Elle avait fait défiler trois diapositives sur le mur de la salle : la première montrait la Spitz 2000 au poignet d'un cosmonaute, la deuxième, le viseur astral Spitz attaché à l'un des modules de Mir, la troisième donnait à voir Mir, dans sa totalité. Elle resta affichée, en arrière-plan, pendant que la Venezia décidait du sort de la société Spitz.

L'URSS était sur le point de mourir, et cette machine déglinguée, enterrée sur une orbite basse, lui survivrait, expliqua Ida. Grâce à une technologie Spitz.

La station spatiale avait quelque chose d'une vieille église russe, quelque chose de bancal et de merveilleux, et le bulbe du petit viseur Spitz renforçait encore cette impression – cette impression euphorisante que l'URSS allait vraiment disparaître, que la Russie serait bientôt de retour après le long cauchemar de la guerre froide, et qu'elle serait aussi archaïque, aussi grêle, aussi naïve qu'elle l'avait toujours été – le viseur Spitz n'était que le petit appeau en bois au cou d'un braconnier, la clochette magique d'un enchanteur, l'épingle grâce à laquelle une main superstitieuse avait accroché ce talisman compliqué à la voûte du ciel.

Ida ressentit une forme de pitié au moment du vote. Pitié pour ces choses de l'Est, maintenant que la guerre froide était perdue pour elles. De la pitié, et de la cruauté : elle venait de venger son père, et de déposséder son cousin Gabriele de l'entreprise familiale.

L'opération de rachat de la société Spitz par la Venezia avait été facilitée par l'absurde dissolution du capital de l'entreprise, qui résultait de la politique de libéralisation et de prudente ouverture des années 80 : Gabriele avait gardé 40 % des parts, le reste était détenu par d'étranges fonds souverains hongrois, tchèques, allemands de l'Est ou russes – des fonds appartenant, en réalité, aux Européens de l'Ouest et aux Américains, qui avaient vu très vite dans la chute du mur de Berlin une opportunité économique majeure. Et cela fut bien le cas quand ils virent le prix de leurs actions Spitz s'envoler, à mesure que la Venezia les rachetait.

Gabriele avait très clairement fait un mauvais calcul économique. À moins que cette précipitation ne témoigne d'un besoin urgent de liquidité, moins pour sauver son groupe que pour financer ses aventures politiques à Belgrade. On touchait ici à des secrets d'État et au confidentiel-défense, peut-être même à la déstabilisation d'un pays, aussi Ida avait-elle tenu à contacter la CIA.

Avec la chute de l'URSS et la fin probable des commandes militaires, le groupe était de toute façon condamné sous sa forme actuelle. Il était en net déclin, depuis une décennie. Les succès horlogers et spatiaux cachaient des revers importants. Spitz avait peu profité de la crise des euromissiles, ayant échoué à remporter le contrat du SS-20 au profit d'un concurrent ukrainien. Gabriele, depuis qu'il avait succédé à Ferdinand, semblait délaisser l'entreprise, comme il délaissait le Karst. Il vivait dorénavant à Belgrade, où il était proche du président Milošević. Il était pressenti pour prendre le ministère de l'Industrie ou celui de l'Armement – fonctions plus prestigieuses que celle de président de la plus négligeable des républiques yougoslaves. C'est lui qui aurait par ailleurs suggéré à Milošević de se rendre au Kosovo, à l'autre bout de la fédération, pour y soutenir de façon extrêmement démonstrative la minorité serbe, et prendre ainsi à revers, en utilisant, voire en militarisant la diaspora serbe, les velléités indépendantistes des républiques centrifuges. Il recrutait aussi, à droite à gauche, des ingénieurs en armement. Il était difficile de savoir ce qu'il prévoyait, mais la CIA se méfiait de lui : Spitz était le genre de société dont on pouvait facilement, et radicalement, modifier l'appareil industriel. La CIA se montra donc très intéressée par le projet d'Ida : si l'on prenait le contrôle de Spitz, on désactiverait sans doute Gabriele.

Le déisme, cet athéisme pour États absolus, connut un éphémère âge d'or. Les philosophes devinrent les courtisans des princes, et exclusivement cela. L'Europe se prit un instant pour une république unifiée qui parlait français et qui résolvait des charades plus ardues que des théorèmes – mais c'était un continent métaphysiquement mort.

Le Nombre de Gorinski

Ida était entrée en fonction à la tête de Spitz en novembre 1990, actant par là même son départ de la direction de la Venezia – au grand étonnement de Wall Street.

La question de l'indépendance s'était posée presque immédiatement : on ne lui parlait que de ça. La Slovénie et la Croatie étaient prêtes. Ida aurait voulu plus de temps, elle aurait préféré redresser Spitz, la lancer à la conquête du marché international. Elle avait pris des contacts à la Nasa et avec General Dynamics. Elle avait obtenu des crédits suffisants pour relancer l'entreprise et en faire le champion européen des roulements en céramique et de l'optronique.

Jan, pendant ces premiers mois, s'était installé à Paris, attendant le signal du retour.

Ida devait d'abord débrouiller et comprendre la situation locale. Il n'y avait pas de police secrète qui pouvait la renseigner sur l'état d'esprit des Karstes – et tout informateur était potentiellement à la main de son cousin Gabriele.

Elle avait reçu des menaces de mort et sa voiture avait été atteinte par une rafale de mitrailleuse – elle n'était heureusement pas dedans, et son chauffeur n'avait été que légèrement blessé. Il avait fallu recruter des gardes du corps en Autriche.

Son cousin avait raison de se méfier d'elle. Ses gardes du corps pouvaient être l'amorce d'une future garde nationale. Fallait-il planifier un coup d'État ? Ida s'endormait avec ce genre de questions, romantiques et sérieuses. Mais un coup d'État contre quoi ? Contre l'administration yougoslave ? Contre le microparlement de Karstberg ?

Elle en avait rencontré les quinze membres. Ils apparaissaient acquis à l'invisible Gabriele – celui-ci n'avait répondu à aucune de ses sollicitations, se contentant d'un communiqué, publié dans un journal de Belgrade, qui accusait sa cousine d'être un agent de la CIA venu ici avec une mission précise : détruire la Yougoslavie, rejouer l'effondrement de l'URSS, utiliser le Karst, ce corps resté étranger à l'âme yougoslave, comme un coin pour faire éclater la grande Yougoslavie.

Elle avait aussi découvert, à sa grande surprise, le crédit intact dont jouissait Joachim dans les bureaux d'études et dans les ateliers. On le tenait pour un esprit universel de la stature de Nikola Tesla – et on faisait jouer à Ferdinand le rôle ingrat d'Edison. Spitz, à quelques rares exceptions, n'avait fait que développer les intuitions de Joachim : les calculateurs mécaniques, la visée stellaire, les engrenages paradoxaux. On lui attribuait même d'importantes découvertes en chimie : ce serait lui qui aurait posé les bases de la céramique à froid et à haute pression – domaine pas encore tout à fait exploré, mais aux retombées spatiales prometteuses : « Le Karst, si Joachim avait vécu, serait une puissance spatiale, une puissance nucléaire, Belgrade et Zagreb auraient peur de nous », lui avait dit un ancien dessinateur qui prétendait avoir bien connu son père.

Cette rhétorique nationaliste, omniprésente, avait mis Ida mal à l'aise, au début. Elle s'était fixé pour règle de ne jamais la soutenir, mais de ne jamais non plus s'y opposer. Laisser dire que son cousin était devenu, par ambition, un traître à la patrie karste ; s'imposer, progressivement, et malgré son statut d'étrangère, comme la représentante la plus légitime du peuple karste : la fille du fondateur du conglomérat industriel et la femme du prétendant au trône.

Elle satisfaisait ainsi les deux camps qu'elle avait cru discerner, les républicains et les monarchistes – encore que ceux-ci, des nostalgiques du royaume yougoslave et du prince Anatol, avaient maintenant plus de quatre-vingts ans. Ils se souvenaient aussi de la grande barbe de Gorinski et des soupçons qui avaient porté sur lui. Le portrait qu'ils en faisaient évoquait une sorte de Raspoutine yougoslave qu'on soupçonnait d'avoir fait assassiner le prince sur ordre de Moscou. La part de leurs souvenirs réels et de la propagande titiste était invérifiable. Et quand Ida les interrogeait sur la mort de Joachim, ils conservaient un silence gêné – héritage probable, cette fois, du culte exclusif voué à Ferdinand dans l'entreprise Spitz.

Des deux interprétations de la doctrine, c'était celle de Ferdinand qui avait triomphé – l'interprétation machinique. Les mathématiques karstes étaient devenues un produit manufacturé, résoudre des équations consistait à assembler des rouages, à refermer sur eux des coques étanches et à projeter le tout sur des orbites basses ou des villes ennemies.

Mais les employés qu'Ida avait interrogés voyaient pourtant en Joachim une sorte de père spirituel et le tenaient pour le vrai découvreur de ce monde – ce monde plus serré, plus régulier que des feuilles de papier millimétré. C'était comme si tout cela, tout cet univers mathématique industriel et guerrier, toute cette force brute, tous ces roulements sous pression et tous ces engrenages écrasés les uns contre les autres, tenait encore aux intuitions délicates de Joachim, à sa vision inextinguible des mathématiques en tant qu'activité spirituelle.

Ida se rappela ce que lui avait dit Verninkt, un jour, et qui tenait lieu selon lui de définition minimale de l'intuitionnisme : c'étaient des gens qui avaient horreur des démonstrations. Le problème, c'est que cela pouvait déboucher sur deux attitudes radicalement opposées : s'en remettre à des machines pour faire les démonstrations à leur place, ou parier sur l'existence d'un mystérieux sens mathématique, d'une modalité quasi divine du fonctionnement de l'esprit humain, capable d'atteindre seul, sans calcul, sans étapes intermédiaires, peut-être sans preuves, des îlots de vérités isolés.

Les deux approches, toutes deux compatibles avec la doctrine originelle de Gorinski, se rattachaient pour l'une à l'interprétation de Ferdinand, pour l'autre à celle de Joachim. On aimait d'ailleurs débattre de leur pertinence respective, et Ida surprit plus d'une conversation où les noms de son père et de son oncle étaient mentionnés comme pouvaient l'être ceux d'Aristote ou de

Platon dans une dispute médiévale : un comptable s'était excusé auprès d'elle de la précision *ferdinandienne* de ses questions. Ida eut aussi la surprise d'entendre un vieux métrologiste aveugle saluer le caractère *joachimien* de son destin : son retour au Karst, son acceptation de cette charge historique et des conséquences de celle-ci étaient cohérents avec cette conception intuitionniste qui voulait que les mathématiques n'existent que dans le temps, ne puissent se déployer que dans une histoire réelle, *soient* du temps déployé – et il lui parla encore, à voix basse, d'un usage divinatoire des mathématiques.

L'intuitionnisme, malgré son caractère irrationnel, malgré l'abominable réputation de son fondateur et l'occultation du rôle de Joachim dans la fondation du groupe Spitz, était encore bien présent au Karst.

Le taux de mathématiciens, par rapport à la population générale, atteignait les dix pour cent : soit, sur une population estimée à cinquante mille individus, cinq mille mathématiciens. Le chiffre avait paru énorme à Ida, jusqu'à ce qu'elle comprenne qu'on appelait ici « mathématicien » quiconque avait un diplôme d'ingénieur, et même n'importe quel technicien un tant soit peu spécialisé. Cette absence de distinction remontait probablement à Gorinski, qui avait toujours refusé la séparation traditionnelle entre mathématiques pures et mathématiques appliquées.

Il y avait donc cinq mille mathématiciens karstes, et le groupe les employait presque tous. Les autres travaillaient pour la petite université locale, qui comptait deux départements indiscernables, celui de mécanique et celui de mathématiques, et semblait servir uniquement à former les cadres du groupe : le bâtiment principal portait d'ailleurs le nom de son oncle.

Ainsi ces ouvrières alignées sur leurs établis, dans les salles blanches des ateliers, et qui manipulaient, sous des loupes éclairantes, des billes invisibles avec des pinces incroyablement fines, étaient considérées comme des mathématiciennes, de même que celles qui dessinaient, dans une pièce voisine, les plans de ces roulements, que ces techniciens qui surveillaient la température des fours ou que ces chimistes qui essayaient, dans un laboratoire isolé, différents dosages de zirconium.

Les mathématiques karstes étaient un objet distribué, une pratique collective, un ensemble de gestes simples coordonnés.

Les rares journées qu'elle ne passait pas dans les ateliers, Ida les destinait à d'interminables réunions plus ou moins secrètes avec les dirigeants indépendantistes croates et slovènes. Les deux États de la fédération yougoslave s'apprêtaient à proclamer leur indépendance, aussitôt les résultats des élections présidentielles connus – des élections anticipées.

Sentant le danger de voir le crédit de Gabriele diminuer encore, les membres du parlement karste avaient accepté d'avancer à leur tour la date des prochaines élections. Celui-ci demeurait favori, malgré la perte de son principal outil d'influence, outil qu'Ida, en un mois de présence, n'avait pu complètement retourner. Il y avait, face à lui, un candidat nationaliste, qui enseignait les mathématiques dans le principal lycée de Karstberg, et une candidate communiste, déléguée syndicale de l'administration fiscale.

Ida, n'étant pas yougoslave, ne pouvait être candidate. Sa popularité grandissait pourtant à mesure que les élections approchaient.

Plutôt que de prendre position sur l'avenir de la Yougoslavie, Ida s'était contentée de faire circuler un fait édifiant : la banque Venezia, dont elle venait d'abandonner la direction pour revenir dans la patrie de ses ancêtres, comptait autant d'employés qu'il y avait d'habitants au Karst. Son chiffre d'affaires représentait en revanche plus de cinquante fois le PIB local. Ce qu'Ida avait à vendre, c'était tout simplement un miracle économique de type singapourien.

L'hésitation qu'elle avait maintenue entre la cause nationaliste et la cause fédéraliste, entre la république et la monarchie, fut enfin tranchée : ce serait Jan – Jan qui, malgré sa naissance en exil, avait hérité par son père de la nationalité yougoslave – qui se porterait candidat à sa place. Non comme prétendant légitime, mais comme prête-nom de la postulante la plus qualifiée pour le poste.

Jan était enchanté de l'idée de sa femme.

L'annonce de sa candidature avait déclenché un étonnant enthousiasme populaire, ainsi qu'une certaine méfiance à Ljubljana et à Zagreb, et une panique à Belgrade. Les postes-frontières avaient été renforcés. Le favori inattendu de la présidentielle était maintenant empêché d'y participer par le déploiement de plusieurs centaines de militaires.

Il apparut pourtant très vite que la situation pouvait s'avérer profitable : si Jan parvenait à forcer le blocus, si Ida arrivait à le produire à temps pour qu'il signe sa déclaration de candidature, il aurait quasiment élection gagnée.

La CIA ne pouvait être mêlée à cela, le risque était trop grand. Restait le recours à une sorte d'agence individuelle, à un millionnaire qui rêvait d'aventure, et qui soit un champion de la logistique. C'est ainsi qu'Ida avait contacté QPS.

Tout se joue à l'été 1789. C'est cet été que la musique de Mozart prophétise et dénonce, célèbre et déshonore. La Déclaration des droits de l'homme, petite fugue improvisée par des juristes amateurs, est l'œuvre de jeunesse de la Révolution française. Une improvisation rapide et élégante sur les thèmes du moment : un peu de l'optimisme de Rousseau, des formules à la Voltaire, des souvenirs de Rome empruntés à Montesquieu. Un peu de droit naturel, aussi, dans cette idée que les individus naissaient libres et égaux, sur la terre nue du monde, avant qu'on applique au-dessus d'eux la mantille des États.

Le Nombre de Gorinski

Le passager mystérieux était arrivé à cinq heures du matin sur le tarmac de l'aéroport du Bourget en moto-taxi. QPS s'était demandé un instant s'il allait garder son casque pendant tout le vol, mais il l'enleva dès qu'il se fut installé dans son fauteuil. C'était Jan von Karst. Le mari d'Ida, le play-boy devenu philatéliste. Ida était habile : elle avait parié sur son impeccable fair-play. Qui donc, mieux que lui, pour prendre soin de Jan ? C'était une question d'honneur. Aucune mesquinerie entre eux ; seul un duel était envisageable. Et on ne se battait pas en duel dans un jet privé. Au pire, on jouait aux échecs.

QPS s'était d'ailleurs assez peu battu en duel – mais proportionnellement beaucoup plus que les hommes de sa génération. La première fois – il s'agissait plus de boxe que d'un duel –, c'était avec un étudiant communiste, dans la cour de Normale sup. Le camarade avait fini dans le petit bassin, avec les poissons rouges. Événement de peu d'importance si l'on n'avait été en avril 1968 : selon certains historiens du mouvement étudiant, l'anecdote pouvait être considérée, avec quelques autres, comme une des étincelles de Mai 68. Hypothèse flatteuse, mais crédible : QPS avait prouvé la faiblesse des staliniens, et ouvert la porte à leur dépassement sur la gauche. Il y avait bien eu, les années suivantes, des rixes avec des étudiants fascistes d'Assas, cependant il aurait été exagéré d'appeler cela des duels : s'ils cognaient fort, ils n'étaient pas du genre à se rendre à l'aube au rendez-vous qu'il leur fixait. Son dernier duel, celui-ci théâtralement authentique, remontait à 1984, et l'avait opposé à un journaliste de *Minute*, qui soutenait que le journal que QPS venait de lancer était financé par la CIA. Il avait fallu trouver un lieu où se battre, et surtout des armes, ce qui avait pris plus d'une semaine – démontrant au passage la nullité de la CIA et le caractère plus que spéculatif d'un coup d'État fasciste. Ils s'étaient finalement retrouvés dans la forêt de la Malmaison, et des Luger de collection avaient été prêtés par un libraire qui vendait, en sous-sol, des souvenirs militaires. QPS avait senti, quand il avait pris l'arme dans sa main, le poids de tous les morts de l'Allemagne nazie. Mais l'objet, à mesure qu'il levait le bras, lui avait paru de plus en plus léger : « C'étaient *eux* qui lui soutenaient le bras, *eux* qui réclamaient vengeance », écrirait QPS dans son journal le soir même. Deux coups avaient été tirés, sans qu'aucun des deux duellistes n'ait pris spécialement la peine de viser. Le bruit avait surpris QPS – un bruit gigantesque, de nature à réveiller tout Paris qui dormait en contrebas. La scène lui reviendrait, quelques années plus tard, avec la netteté d'une réminiscence matinale, sur les hauteurs de Sarajevo.

Jan était peu de chose dans toute cette métaphysique – un simple rival amoureux. Un rival, d'ailleurs, qui lui avait surtout parlé de philatélie : un Penny Black passait en vente le mois prochain chez Christie's, il fallait absolument qu'il vienne voir ça, sa dentelure était intacte, mais le visage de Victoria regardait vers la gauche, comme s'il avait été imprimé à l'envers. Très singulier. Très bon investissement. QPS avait alors pensé avec tendresse à Ida, qui avait su trouver comment occuper la seconde moitié de la vie du prince, et comment s'assurer de sa relative fidélité.

On ne se battait plus depuis longtemps en Europe, ni pour l'honneur, ni par amour. Ou bien on se battait pour le visage obèse de Victoria. QPS eut le bref sentiment d'une décadence – il était le dernier combattant de l'Europe démocratique. L'avion, le vieux Falcon 10 de son père, qui entamait déjà sa phase de descente alors qu'ils avaient eu à peine le temps de faire connaissance – Jan avait décliné la partie d'échecs mais accepté les whiskies –, avait soudain passé la tête à travers les mousselines en dentelle de l'Europe pour contempler le paysage décharné de la Carinthie hivernale.

Un convoi les attendait sur le tarmac de l'aéroport de Klagenfurt.

Jan et QPS prirent place ensemble dans la deuxième Mercedes. Il y avait deux camions bâchés derrière eux.

QPS imagina d'abord une livraison d'armes et pensa avec un frisson au second métier de Rimbaud. Mais les camions abritaient, sous leur bâche kaki, une vingtaine de mercenaires sud-africains, comme le lui apprendrait plus tard Ida.

QPS avait-il participé à un coup d'État ? À une restauration, plutôt. Et il se concentra sur la figure de Chateaubriand, fidèle soutien de Charles X, ayant accompagné celui-ci après la révolution de Juillet jusqu'à son exil de Görz, ville autrefois autrichienne, puis yougoslave, et en passe de devenir slovène.

La Yougoslavie était toute proche, de l'autre côté des montagnes qui se découpaient en noir sur le ciel gris du matin. L'Autriche était une boule de papier froissée et humide au milieu de l'Europe. QPS revit son premier voyage vers l'est, au début des années 70, quand il avait rallié Budapest en bus. C'était au mois de décembre et il se souvenait de ce voyage comme d'une longue et consciente descente aux enfers.

Il était venu cette fois avec un peu plus qu'un sac à dos. Ida lui avait dit de prendre avec lui dix mille dollars en liquide. Elle le rembourserait. Il faudrait arriver à la frontière à une heure précise, qui lui serait communiquée sur son téléphone satellite : il était – QPS avait souri à cette allusion – de loin le mieux équipé des écrivains de son temps.

QPS pensa inévitablement, gravement à la mort au moment du passage de la frontière. Tout devait se dérouler sans problème, mais il restait un risque. Maintenant que le mur de Berlin était tombé, la frontière yougoslave était peut-être la dernière frontière d'Europe, une frontière métaphysique entre le monde de la paix et celui des guerres mal refermées du siècle maudit. Pendant un instant tragique, QPS se demanda s'il ne rapportait pas le germe de la guerre dans la poudrière balkanique. Et si Jan, le play-boy, le prince inconséquent, dissimulait le spectre du défunt archiduc ? C'était un Habsbourg. C'était comme cela qu'Ida l'avait présenté, quand elle lui avait annoncé qu'elle allait se marier. Il y avait quelque chose de définitivement opaque et incompréhensible dans le dessein d'Ida : pour quelle raison avait-elle abandonné la tour de verre de sa multinationale pour s'établir dans le puits sans fond des enfers balkaniques ?

La voiture s'était enfin arrêtée. QPS entrouvrit la fenêtre et échangea son passeport contre un filet d'air froid. Jan, à son tour, tendit le sien. Les deux petits livres furent apportés à un minuscule poste de douane. QPS sourit mécaniquement en pensant à la perplexité du fonctionnaire découvrant la quantité ahurissante de pays dans lesquels il était passé ces dix dernières années. Il se reprit en se disant que Jan devait, en tant que jet-setter, avoir au moins autant de pages tamponnées que lui – quoique ses pays à lui fussent plus exotiques, et plus dangereux.

Enfin QPS vit le douanier ressortir. Il leur rendit leurs passeports sans un mot et leur demanda d'ouvrir le coffre. Il en sortit un grand sac de sport noir, celui dans lequel QPS avait mis les dix mille dollars. Les événements historiques, comme n'importe quelle autre chose, pouvaient ainsi s'acheter.

La barrière s'ouvrit, ils étaient en Yougoslavie, ils étaient au Karst. Le coup d'État était réussi.

> Le nationalisme universel : on avait inventé là l'arme
> qui allait détruire, après un siècle et demi d'existence,
> l'Europe westphalienne. C'est le nationalisme qui
> triompherait bientôt, à Valmy, plutôt que la Révo-
> lution. Bonaparte se montrerait plus cohérent, peut-
> être, que les conventionnels : la Révolution appelait
> un empire, plutôt que des frontières.
>
> *Le Nombre de Gorinski*

Jan avait été élu président dès le premier tour et, après
un référendum qui avait vu le « oui » remporter plus de
quatre-vingt-dix pour cent des voix, la principauté avait
rapidement déclaré son indépendance, en juin 1991, pro-
fitant de ce que Belgrade avait pour l'heure trop à faire
avec la Croatie, la Slovénie et la Bosnie. Ida avait habilement manœuvré, le Karst avait comme sauté par-dessus
la guerre avec l'habileté d'un saumon.

La nouvelle usine avait été ainsi inaugurée dès 1992,
au bord de la rivière, à l'emplacement même du maré-
cage où des paysans avaient découvert, un siècle plus
tôt, la plus ancienne des roues connues – une rondelle

de bois qui venait de la forêt du Horvdt, et dont on avait évidé un carré, au centre, pour faire passer l'essieu. L'artefact, plus précieux que le spectre du Met, avait au moins cinq mille ans et était conservé au Musée ethnographique de Belgrade. On se garda bien, cependant, de demander sa restitution.

Mais Jan avait eu l'idée de le représenter sur le premier timbre karste et, quelques mois plus tard, la roue, sur fond jaune et noir – les couleurs des von Karst – flotterait, au-dessus de la citadelle et dans toutes les rues de la vieille ville, sur le drapeau du Karst. Ida jugea cependant plus prudent d'attendre la fin de la guerre pour procéder à une restauration dynastique complète.

Quelques échauffourées sporadiques s'étaient produites ici ou là – on avait entendu, des fenêtres les plus hautes de la citadelle, quelques rafales d'armes automatiques dans la vallée, quelques grondements d'obus. Il avait fallu occuper le poste de douane par où Jan était entré dans son futur royaume – les douaniers s'étaient docilement laissé faire à l'arrivée d'une dizaine de partisans désarmés, et les mercenaires cachés en retrait n'avaient même pas eu à se montrer. Les policiers avaient aussi facilement rendu les armes, ainsi que la vingtaine de soldats qui occupait alors la citadelle – les fonctionnaires que Belgrade envoyait au Karst n'étaient pas les plus fanatiques partisans de la cause yougoslave.

Les mêmes faits de guerre, plus proches au fond de l'émeute ou de la révolution que de la guerre civile, s'étaient déroulés en Slovénie et en Croatie, quand on s'était avisé que le gros de l'armée yougoslave resterait loyaliste. Les premières escarmouches avaient aussi consisté, pour les deux pays, à s'emparer des casernes et des postes-frontières, pour se constituer des stocks d'armes.

Et les ateliers d'horlogerie et de micromécanique du Karst représentaient une ressource stratégique non négligeable, une sorte d'industrie concentrée, une industrie lyophilisée capable d'assurer, à qui saurait la conquérir, la domination technique sur le champ de bataille. Ainsi Ida, à peine l'indépendance du Karst proclamée, dut veiller à affranchir le nouvel État de ses partenaires sécessionnistes, qui rêvaient d'y puiser des pièces de rechange et des armes secrètes.

Alors que l'ONU venait de voter un embargo sur les ventes d'armes à destination des anciennes républiques yougoslaves, la question de l'outillage était soudain devenue aussi cruciale que dans une guerre préhistorique : il s'agissait moins de pouvoir acheter des armes que de réussir à en fabriquer, malgré l'embargo et le caractère profondément enclavé du théâtre des opérations.

La guerre, du côté des assiégés, dans le fond des vallées bosniaques, à Sarajevo, à Mostar, à Goražde, avait ainsi eu quelque chose d'artisanal. On avait transformé des tuyaux d'égout en lance-roquettes, des vieux fusils de chasse en lance-grenades. On avait cuit dans les cuisines, comme une vieille recette oubliée, des munitions nouvelles à partir des douilles ramassées encore chaudes par les enfants au milieu de la neige.

Ida s'était assurée, avec des juristes, de faire le maximum en enfreignant le moins possible le droit international. Ce serait ainsi au Karst que seraient imaginées, en toute discrétion, les plus fabuleuses transformations d'objets domestiques en armes. C'était ici qu'on avait calculé et testé en laboratoire le type de gouttière qu'il convenait d'usiner pour percer le blindage d'un tank. Ici

298

qu'on avait effectué, de façon décentralisée, les calculs qui permettraient, là-bas, d'atteindre les lignes de crête depuis la lucarne d'un grenier. Le laboratoire qui assurait le gros de cette mission était dissimulé dans les souterrains du palais, et ils étaient moins de dix à connaître son existence. Même Jan ignorait cette chambre secrète où la guerre était enfouie comme un secret d'État.

Ida était-elle revenue en Europe pour y apporter la guerre ? Avait-elle trouvé le moyen de réparer le temps cassé du continent de la fin de l'Histoire ? Avait-elle résolu l'aporie de Diodore ?

Vues du Karst, du fond de la vallée, la Yougoslavie et sa guerre lui sembleraient toujours très loin – plus loin qu'aucun endroit du monde ne lui était apparu depuis Manhattan –, plus reculées que les forêts bleu cobalt du Zaïre, que l'Amazonie caoutchouteuse, que le pétrole glacé de la mer du Nord. Il aurait fallu descendre les eaux froides du Grave, rejoindre la Save sur le territoire slovène, traverser Zagreb et longer la Bosnie enclavée – le cœur enneigé de la guerre –, avant de rejoindre, enfin, le Danube à Belgrade, la capitale déchue de la Yougoslavie et de cette Serbie qui ne serait plus jamais grande.

Vue du Karst, la guerre ressemblait à d'obscurs conflits tribaux sur les rives de ces affluents du Danube, qui marquait l'une des délimitations possibles, au nord, de la péninsule balkanique : des conflits sur les bords d'une rivière, une guerre sans mer ni fleuve – un conflit régional dans la plus mouillée des poudrières.

Ida essayait en vain d'y comprendre quelque chose pendant que les leaders des Serbes de Bosnie, les joueurs d'échecs Karadžić et Mladić, s'épanouissaient en plein air dans cette guerre civile pensée comme une guérilla – guerre de position autant que guerre psychologique, guerre obéissant à des règles simples, à des lois intangibles : telle ouverture entraînait tel mouvement, tel sacrifice permettait tel autre. L'aviation et les tanks étaient inutiles à ceux qui connaissaient ces règles, qui savaient que quelques snipers et quelques pièces d'artillerie suffisaient à tenir Sarajevo, la reine, à leur portée, et tous les musulmans de Bosnie, les pions, à leur disposition.

La guerre de Bosnie aurait ainsi quelque chose de lent, d'appliqué et de maîtrisé, presque une guerre sans bataille, menée à coups d'affrontements sporadiques et de massacres sagement mûris, dans quelques cases connues pour leur discrétion. La fin de la guerre approchait pourtant, et on allait progressivement passer d'une guerre de position et de harcèlement assez classique, quoique exceptionnellement cruelle, à un problème de coloriage du plan nettement plus sophistiqué, un problème qui rappelait bien sûr aux amateurs d'énigmes mathématiques le fameux théorème des quatre couleurs, nom savant de l'intégrité territoriale et dogme incontesté de l'ère des États-nations.

On avait ainsi basculé des échecs et de leur système de pièges déterministes – champ de mine, portée théorique des canons, limites humaines de la visée à mains nues – à l'irrationalité apparente du jeu de go, dont les combinaisons trop nombreuses déjouaient les meilleurs calculateurs, mais correspondaient mieux, peut-être, à l'intuition humaine et à son goût, inguérissable et poétique, pour les enchantements de la guerre – la guerre comme manière, un peu merveilleuse, de poser sur un territoire autant de cartes qu'on pouvait en imaginer, avant de les mettre toutes en mouvement ensemble, pour passer de l'une à l'autre, de l'esprit d'un belligérant à un autre, d'un fantasme de paix à un dernier remords de combat. Toutes ses cartes ensemble, feuilletées et craquantes, formant la seule réalité de ce pays perdu, la Bosnie-Herzégovine, qui ne reprendrait plus jamais la forme d'un pays véritable, mais qui aurait dévoilé à la terre entière ses structures invisibles, ses profondeurs mathématiques.

Tout finirait, d'ailleurs, sur une base américaine de l'Ohio, par une nuit alcoolisée passée à dessiner, sur les montagnes vertes et mobiles d'une simulation informatique, une résolution définitive du conflit, qui assurerait enfin le regroupement des enclaves et la fin des rêves les plus fous de ses belligérants. La Yougoslavie, réduite au test de Rorschach d'une Bosnie exsangue, mais ethniquement cohérente, prendrait là sa forme terminale, et la guerre serait enfin considérée comme finie – mathématiquement close, résolue et gagnée.

En reprenant de façon parodique les voyages initiatiques de l'Allemagne nazie, en refaisant l'expédition Schäfer, les Beatles, après le triomphe sans issue possible du psychédélisme sur la pochette de *Sgt. Pepper*, vont enfin découvrir l'âme secrète de l'Europe, la tribu perdue des Indo-Européens. L'album du retour sera un album blanc, comme si l'Europe s'était résorbée dans l'Asie.

Le Nombre de Gorinski

La guerre en Yougoslavie avait été sa guerre.

QPS était allé à Dubrovnik, à Vukovar et à Sarajevo. Il s'était recueilli sur les ruines du pont de Mostar et au-dessus des charniers de Srebrenica.

Il avait appris à courir sous le feu des snipers avec un gilet pare-balles sur le dos. Il avait fait l'acquisition d'un casque à sa taille, d'un casque blanc comme ses chemises, qu'il continuerait à porter jusqu'au cœur du conflit pour bien marquer sa neutralité axiomatique et son refus répété du mal et des compromissions.

Il avait écrit plusieurs livres et tourné trois films documentaires ; il avait filmé à toutes les saisons les ruines verticales du parlement de Bosnie à travers les vitres entrouvertes de sa voiture blindée.

Le Karst lui avait servi de base arrière, idéalement situé à une heure de voiture de l'aéroport de Klagenfurt.

QPS avait ainsi effectué des dizaines d'allers-retours – aide humanitaire à l'aller et Betacam aux neiges électroniques salies par les empreintes de la guerre au retour.

C'était Goran qui conduisait – il l'avait rencontré lors de son premier voyage à Sarajevo, il lui avait servi de fixeur et d'interprète, et le président Mitterrand avait promis d'accélérer sa régularisation. Avoir un chauffeur et un garde du corps bosniaque était un élément important de sa stratégie médiatique – si on ne le voyait pas à l'antenne, il l'accompagnait toujours jusqu'aux loges – un premier argument à opposer à ses contradicteurs qui n'auraient autrement pas manqué de mettre en doute sa connaissance du peuple bosniaque – les médias étaient pleins de petits révisionnistes proserbes, de salauds prompts à réduire tous les Croates aux Oustachis, tous les Bosniaques à des islamistes perfusés à l'argent saoudien, et ne manquant jamais de rappeler que le droit d'ingérence, spécialement quand il prenait Sarajevo pour objet, dégénérait immanquablement en conflit mondial. Goran avait pour mérite de les faire taire, au moins jusqu'au maquillage, à défaut de les faire réellement réfléchir sur leur lâcheté profonde – aucun d'eux n'avait jamais mis les pieds à Sarajevo.

Goran laissait en général la voiture dans la cour de la vieille forteresse, accessible par une longue rampe, où QPS avait ses appartements de guerre. Le reste de l'expédition rejoignait les usines Spitz, où on transférait les marchandises dans des camions aux bâches recouvertes de grandes croix rouges. On attendait le lendemain pour repartir et jamais QPS n'avait mieux dormi que pendant ces nuits, presque d'avant bataille, passées à la citadelle.

Le lendemain, un peu avant l'aube, QPS rejoignait les camions, et le convoi s'élançait. C'était comme cela, comme simple fantassin, assis sur une caisse à l'arrière, qu'il était entré à Sarajevo la première fois – huit heures de route, sa plus longue, sa plus belle méditation sur la mort et l'histoire.

Il avait convoyé, en plusieurs dizaines de voyages, assez de morphine pour endormir toute l'Europe, mais il était ressorti à chaque fois de l'enfer yougoslave avec des images susceptibles de la réveiller en sursaut – de l'arracher à son coupable état de sommeil.

Il n'avait jamais transporté d'armes. Sa conscience l'en empêchait et ses avocats l'en avaient dissuadé. Ida n'entendait pas de toute façon s'engager dans le conflit : une fois le Karst arraché à la fédération, elle s'était abstenue de toute ingérence dans l'histoire yougoslave.

Si des journalistes automobiles s'étaient glissés parmi les reporters de guerre, ils auraient tout au plus remarqué que les camions militaires croates et bosniaques étaient plus silencieux que leurs cousins serbes – des roulements plus récents, sans doute. Les tirs des assiégeants sur Sarajevo, aux coordonnées déterminées sur les tables de tirs anachroniques accrochées aux châssis des obusiers, étaient de même un peu moins précis que les – rares – tirs de riposte des assiégés, et l'explication tenait sans doute à ces vieux calculateurs Spitz des années 50 que des enquêteurs attentifs et impartiaux auraient pu s'étonner de trouver si nombreux dans la poche des artificiers de l'armée bosniaque.

Mais l'Histoire retiendrait surtout la précision du tir du 5 février 1994 sur un marché de la ville – un tir si bien réglé, si précis et si ravageur qu'il décida l'OTAN à frapper les positions serbes en représailles, positions d'où, selon quelques observateurs plus ou moins crédibles, il était plus que douteux que l'obus fatal ait pu être tiré. La guerre avait engendré jusqu'à Paris un climat paranoïaque, et QPS avait dû écrire un édito pour dénoncer l'atroce calomnie qui tendait à faire de son ami Izetbegović, le président musulman de la Bosnie, un homme délicat et un penseur majeur du dialogue entre les civilisations, le bourreau de son peuple. La calomnie était ignoble, et il n'y avait qu'à ouvrir le dernier recueil de poésie de Radovan Karadžić, son rival, le leader des Serbes de Bosnie et le véritable bourreau de Sarajevo, pour comprendre d'où venaient les tirs – QPS avait fait traduire lui-même, par son ami Armin Halilović, un dramaturge bosniaque qui refusait de quitter Sarajevo assiégée, les vers les plus compromettants du livre :

> Les aigrettes d'un pissenlit métallique
> Là-bas dans la vallée profonde
> Ont donné à l'enfant le baiser de la mort.

QPS se souvenait certes d'une anecdote qui aurait pu affaiblir cette hypothèse, de bon sens, d'un bombardement serbe – une anecdote dont Halilović avait émaillé cette soirée d'amitié et d'alcool qu'ils avaient passée, sous les bombardements, à compulser les œuvres complètes de Karadžić à la recherche d'un indice de préméditation : sa femme aurait découvert, en préparant un biberon pour leur jeune fils, un petit jeu d'engrenages dans son lait en poudre, un jeu d'engrenages soigneusement ensaché. Halilović avait montré la chose à QPS : c'était effectivement comme le morceau d'une machine. Les seuls os retrouvés d'une bête inconnue, avait-il précisé. Peut-être un des chevaliers de l'apocalypse ! QPS s'était senti très gêné : il avait récemment convoyé du lait de cette même marque suisse. Mais l'habile dramaturge avait heureusement désamorcé la situation : « Industrie yougoslave présente partout, participation universelle ! » Un autre événement avait heureusement retenu l'attention du couple, ce soir-là : la soupière en verre jaune avait soudain explosé au milieu de la table, sans raison apparente, comme si un obus était tombé dedans. Personne n'avait été brûlé, mais tout le monde avait levé les yeux au plafond, et s'était étonné de le voir encore en place. Halilović avait sobrement commenté : « Verre yougoslave, très mauvaise qualité. Séparatiste. »

QPS avait pour un temps interrompu ses voyages, limitant ses séjours en ex-Yougoslavie à ses appartements de la citadelle de Karstberg.

C'était là, au tout début de la guerre et par une étouffante nuit du printemps 1992, qu'il avait médité l'un des actes majeurs de sa future légende, son affaire Calas, son « J'accuse ! », son tonneau de Billancourt.

Une chauve-souris venait de pénétrer, par la meurtrière qui lui servait de fenêtre, dans sa chambre circulaire en haut de la vieille tour. L'animal était aveugle et il aurait été inutile d'éteindre. QPS avait ainsi fixé le vol du petit mammifère pendant des heures, écoutant en tremblant chacun de ses cris suraigus et enfouissant son visage sous le drap à chaque fois qu'il se rapprochait de lui. La bête avait tourné, tourné sans fin entre les solives de la charpente. Enfin, vers trois ou quatre heures du matin, la chauve-souris avait miraculeusement retrouvé son point d'entrée. La phrase de Wittgenstein lui était alors revenue : la tâche du philosophe était d'aider la mouche à sortir de la bouteille. Sa tâche, en tant que philosophe, serait de convaincre le président Mitterrand de se rendre à Sarajevo.

> Le béton rend une quantité de chaleur propor-
> tionnelle à son épaisseur. Les grands blockhaus du
> mur de l'Atlantique ont tenu leurs gardiens au chaud
> pendant toute la durée de la guerre.
>
> *Le Nombre de Gorinski*

QPS serait ainsi l'inspirateur du plus spectaculaire déplacement à l'étranger du président Mitterrand : sa venue surprise à Sarajevo, le 27 juin 1992, au troisième mois du siège de la ville. On ignorait évidemment qu'il durerait quarante et un mois de plus. Sa seule présence, incroyable, sur le sol bosniaque, avait alors suffi à suspendre le blocus de l'aéroport et deux avions humanitaires, à sa suite, avaient pu s'y poser. L'espoir, recroquevillé dans ce vieillard plié en deux dans un blindé de la Forpronu, avait été immense : pendant les six heures de sa visite à Sarajevo, la ville avait été en paix, la ville était redevenue cette capitale européenne située, comme aimait à le dire QPS, à moins de deux heures d'avion de Paris. La France avait envoyé pour cela ses biens les plus précieux, son président malade et son philosophe officiel.

La déception serait cruelle. Passé l'effronterie initiale de sa visite inopinée, le président français se montra excessivement prudent, rencontrant successivement le président musulman Izebegović et le chef des troupes serbes de Bosnie, le général Mladić. Il n'avait évoqué que la situation humanitaire, laissant à leurs bonnes volontés respectives le soin de décider de l'issue du conflit en cours. QPS n'avait pas pu obtenir beaucoup plus, ni désarmement des Serbes, ni armes pour la Bosnie.

À peine posé à Paris, le président avait même déclaré que, tant qu'il serait vivant, la France ne ferait pas la guerre à la Serbie, son alliée de 1914. Il resterait inflexible, et QPS ne retrouverait jamais le niveau d'influence qu'il avait atteint en ce mois de juin 1992.

Il n'était pas impossible que la venue du chef de l'État ait contribué à fixer la guerre, en donnant au siège de Sarajevo l'aspect d'une tragédie classique – ces spectacles savamment orchestrés sur la scène desquels seuls les grands de ce monde avaient le droit de figurer. En permettant l'ouverture d'un corridor humanitaire et l'acheminement de vivres dans la ville assiégée, le président français avait peut-être entraîné le siège de Sarajevo dans trois actes supplémentaires, trois hivers de peur, de froid et de privation.

S'il avait eu plus d'autodérision, ou un sens du tragique plus poussé, QPS aurait pu s'amuser du rôle qu'il avait joué dans cette ruse de l'Histoire – mais son romantisme, un peu vain, s'était précisément construit contre l'hégélianisme : il ne pouvait accepter d'influer sur l'Histoire que de façon raisonnée et consciente ; l'idée qu'il ait pu servir de cause adjacente répugnait trop à l'orgueilleuse image qu'il se faisait de lui-même, il se pensait en démocrate, en homme des Lumières, soucieux du bien, précis et constructif. L'idée kantienne de l'Histoire, qu'il avait intégrée adolescent à sa vision du monde, exigeait, chez ses acteurs ordinaires, un minimum de réflexivité, et chez ses grands hommes quelque chose de l'ordre de la pleine conscience.

Il s'ensuivit, entre Mitterrand et lui, une brouille de plus de trois ans, une brouille qui avait duré aussi longtemps que le siège de Sarajevo.

On était désormais à la toute fin de l'année 1995. Les accords de Dayton venaient d'être signés, sous l'égide américaine. La cérémonie avait eu lieu à Paris la semaine précédente. C'était le président Chirac qui remplaçait le président Mitterrand sur la photo officielle. Il était, en tant qu'hôte, au centre de l'image, avec Bill Clinton et Felipe González, le Premier ministre espagnol, à sa droite, et le chancelier allemand Helmut Kohl, le Premier ministre anglais John Major et son homologue russe Viktor Tchernomyrdine à sa gauche, debout tous les six. Devant eux, les trois enfants turbulents de l'Europe, Milošević, Izebegović et Tudjman, étaient sagement assis, pour la première fois de la décennie – et on aurait presque dit qu'ils souriaient, comme la jeune fille à l'œil au beurre noir du tableau de Norman Rockwell.

Le grand absent de la photo, le président Mitterrand, s'était montré ce jour-là particulièrement odieux. Celui qu'on appelait le Sphinx s'apprêtait à passer son dernier Noël en Égypte, mais il avait pris le temps de recevoir son ancien favori la veille de son départ, dans son appartement du Champ-de-Mars, près de la tour Eiffel.

« Vous êtes juif et j'ai toujours trouvé étrange votre soutien aux musulmans de Bosnie, étrange que vous ayez si facilement réussi à en faire les juifs universels de votre cause. Je connais des Palestiniens que cela a beaucoup fait rire, et un peu chagriné. Et des Serbes que vous avez vexés : ils ont pris cette guerre très au sérieux, un peu trop peut-être – l'Histoire nous dira, au fond, s'ils ont eu tort ou raison, mais on ne peut leur reprocher aucune équivoque : ils sont résolument entrés en guerre pour venger leur vieux roi Lazar, décapité par les Ottomans en 1389. Votre Bosnie idéale, multiculturelle et multiconfessionnelle, ne manque pas de charme. Vaulx-en-Velin et Mantes-la-Jolie non plus. Vous gagneriez, cher Quentin-Patrick, à vous rendre là-bas aussi pour vérifier certaines de vos hypothèses. J'ai fait alliance avec les communistes. J'ai fleuri des tombes socialistes dans une église déconsacrée. Je suis agnostique. Je n'ai pas réussi à fermer les écoles catholiques, mais j'ai laissé mon ministre de l'Éducation nationale rebaptiser les vacances de Pâques "vacances de printemps". J'ai été de ceux, enfin, qui ont empêché certains États du sud de notre continent d'ajouter, en préambule au traité de Maastricht, un alinéa sur les racines chrétiennes de l'Europe. Je suis, vous le voyez, irréprochable. Mais je vous le dis, je ne crois pas à votre projet politique, à votre Bosnie européenne, à votre Europe bosniaque. Je ne crois pas à une Europe postchrétienne. L'Europe de la terre et du sang ? Une vaste plaisanterie. Prenez une carte. L'Europe n'est rien d'autre qu'une péninsule asiatique. Une Indochine occidentale. Même pas un sous-continent comme l'Inde. Un vague ensemble de péninsules dans un état de dégradation pitoyable. Souvenez-vous d'Apollinaire : "la Bretagne où lame à lame / L'océan châtre peu à peu l'ancien continent". Enlevez Dieu, et vous l'engloutissez d'un coup.

« Tout cela vous étonne, n'est-ce pas ? Que celui qui a appelé de ses vœux la création de SOS Racisme croie à la guerre des civilisations, que le vieux laïcard croie aux forces de l'esprit ? Je ne suis pas comme vous, obsédé par le droit et par les constructions humaines. Je sais que les traités sont au final assez peu de chose. Que l'Europe soit westphalienne ou maastrichtienne importe peu. L'Europe n'est pas un morceau de papier, c'est un esprit. Un esprit dont il importe seulement de soigner les lieux où il a daigné apparaître. L'Acropole. Le Louvre. La roche de Solutré. Vous être bien placé pour savoir qu'une vague ruine suffit souvent à l'unité d'un peuple : "l'année prochaine à Jérusalem". Désolé, cher ami, pour moi, ce sera Louksor ou Assouan, je mourrai en païen, en exil et entouré de pyramides.

« L'Europe est assez pleine d'églises pour n'avoir plus besoin d'un dieu : les bornes-frontières du continent sont indéboulonnables. Et il reste même, pour les plus paranoïaques, d'intéressantes forteresses, reconnues pour capitales par nos derniers croyants, et demain par leurs enfants athées et antiquaires : le mont Saint-Michel et le Vatican pour les catholiques, les Bourses de Francfort et Londres pour les protestants, et enfin, pour les orthodoxes, le mont Athos en Grèce et les monastères sacrés du Kosovo.

« Voilà pourquoi on ne se fâche pas, jeune homme, avec les Serbes. Le siège de Sarajevo a été une intéressante réplique de celui de Vienne. L'Europe a besoin de ces piqûres de rappel. Il a bien fallu cela pour que les Français votent oui au traité de Maastricht. Vous avez, comme à votre habitude, tout mélangé et failli tout faire échouer. Les musulmans de Bosnie ne sont pas les juifs de l'Europe. Ce sont les Européens, tous ensemble, qui sont les juifs de l'Asie. Notre situation est à peine meilleure que celle d'Israël. N'oubliez jamais qu'ils ont repris Constantinople et que nous sommes à leur portée.

« Soyez gentil avec les Serbes. Regardez, ils viennent de nous rendre, indemnes, nos deux pilotes abattus cet été. Et surtout, surtout, par pitié, ne méprisez jamais les Russes. La frontière entre l'Europe et l'Asie ne passe évidemment pas par l'Oural. Ce serait comme couper la France en deux au niveau du Massif central – cela s'est vu, d'ailleurs, mais ça n'aura pas duré plus de deux ans... Non, la frontière, l'interminable frontière, c'est la Russie elle-même, la plaine russe, ce glacis immense et inutile qui relie les bulbes du Kremlin aux épis grumeleux d'Angkor, qui relie la place Rouge à la place Tian'anmen.

« On a souvent dit que la Russie n'était pas vraiment l'Europe, du moins avant que nos philosophes la civilisent un peu – un peu trop, dans le cas de Marx. La vérité, c'est que sans la Russie l'Europe n'existe pas. Sans ce levier démesuré – faisons-le reposer, allez, pour satisfaire nos géographes, sur le risible Oural –, l'Europe aurait été incapable de faire pencher la balance de son côté. L'Asie a toujours été plus peuplée et plus industrieuse qu'elle. La plaine russe est aussi morne qu'une longue règle graduée, une règle que l'Europe a su utiliser, assez génialement, reconnaissons-le, pour dominer le globe. "Donnez-moi un point d'appui, et je soulèverai le monde", disait Archimède. »

QPS était fasciné. Il était moins venu pour se réconcilier que pour faire ses adieux à l'ancien président, que la rumeur disait mourant, rumeur que son visage émacié et jauni avait instantanément confirmée quand il s'était retrouvé face à lui – au-dessus, plutôt, le président étant allongé sur une méridienne. Mais il avait semblé ressusciter à mesure qu'il parlait, le rose jusque-là cantonné aux cernes maladifs de ses yeux regagnant son visage, puis il s'était redressé de plus en plus, arrangeant lui-même, malgré la position clairement inconfortable de son bras, les coussins derrière son dos, et refusant toute aide.

Et soudain, en prononçant le nom du mathématicien grec, il s'était levé, et QPS s'était presque attendu à l'entendre crier « Eurêka ! ».

« J'ai personnellement tenu le fléau de cette balance. J'ai eu le privilège, vertigineux, de soulever le monde, pendant quelques secondes. C'était pendant la crise des euromissiles, en janvier 1983, devant le Bundestag. Je faisais encore peur à l'Amérique, avec tous mes ministres rouges. Je suis alors venu déclarer devant le parlement de la RFA – devant le parlement de ce qui n'était encore, avant la réunification, qu'une colonie américaine – que la France se souciait des équilibres du monde, et que l'Europe n'entendait pas se séparer de l'Amérique. La question des euromissiles était désormais réglée. L'Europe n'est puissante qu'avec l'Amérique, c'est un corollaire de la théorie du levier : pour dominer l'Asie, il faut s'éloigner le plus possible du point de pivot. Ce n'était pas à nous de mettre fin à la guerre en Yougoslavie. Je vous revois, répétant sur toutes les chaînes, que l'Europe est morte à Sarajevo. Mais c'est vous qui lui avez lancé un défi mortel. J'ai compris cela, heureusement, dès mes premières minutes sur le sol bosniaque. J'ai vu de la méfiance dans les yeux d'Izebegović, j'ai vu passer le fantôme de l'Empire ottoman en serrant sa main froide. Puis j'ai vu de l'espoir dans les yeux de Mladić, un espoir fraternel. Les Français et les Slaves se sont toujours très bien entendus. On parlait français à Moscou, autrefois.

Nous avons vaincu les Russes et cru que l'Histoire était finie pour toujours. Ce n'était pas ce que pensait ce général, et son point de vue méritait d'être entendu. J'aurais pu être assassiné là-bas. C'est une hypothèse que mon service d'ordre avait prise très au sérieux. Je serais mort en martyr et presque en archiduc. J'aurais alors eu le privilège d'avoir été, par deux fois, le fléau de ce monde. Ne me dites pas que c'était aussi votre projet ? »

QPS l'avait alors vu sourire, un sourire que la douleur rendait asymétrique, un sourire parti du coin de la bouche et étonnamment juvénile, juvénile et cruel. QPS mit quelque temps à le reconnaître. C'était celui d'un jeune étudiant en droit des années 30, un étudiant qui manifestait, satisfait, derrière une banderole demandant l'expulsion des métèques.

« J'aurais pu être assassiné là-bas. Mais j'ai survécu à notre petite virée et je ne suis pas tombé dans votre drôle de piège. D'ailleurs, je dois vous faire un aveu. Connaissez-vous la raison pour laquelle j'ai accepté de vous accompagner ? C'est à cause de votre père. J'avais besoin de bois. D'une immense quantité de bois. Et pas n'importe quel bois : de l'ipé du Brésil. C'est ce que recommandait l'architecte de ma bibliothèque pour son esplanade. Qui d'autre que votre père pour me garantir la quantité voulue de bois précieux, à un prix pas trop prohibitif ? Le projet devenait, je l'avoue, vraiment pharaonique. D'autant que mon architecte s'était vanté, dans je ne sais quelle revue spécialisée, du fait qu'il s'apprêtait à engloutir tous les stocks d'ipé disponibles. Ce qui a affolé tous vos amis qui spéculent, depuis la nuit des temps, sur les matières premières. Heureusement que votre père était là ! Ç'aura été l'un des derniers services qu'il aura rendus à la France, avant de mourir.

L'un des plus importants, avec votre conception, bien sûr. C'est lui qui, en appelant tous ses contacts, tous ses précieux amis, est parvenu à faire retomber le cours de l'ipé à un tarif raisonnable. Tout s'achète, cependant. Il m'a parlé de votre petit projet de voyage. Mais avec quelle élégance ! Enfin, vous l'avez bien connu. Il m'a aussi parlé d'une vieille forêt, dans un coin perdu de l'ancienne Yougoslavie, à la frontière entre la Slovénie et le royaume des Karstes. Une forêt où pousseraient les plus vieux arbres du continent. Une forêt dont il rêvait de débiter les grumes, si j'ai bien compris. Des arbres presque aussi âgés que la chrétienté. »

QPS, blême, l'avait laissé profaner en silence la gigantesque figure paternelle. Il serait parti, s'il n'avait pas été convaincu que le moment était historique – les adieux du prince à son philosophe préféré.

L'opération Gomorrhe et son tapis de bombes incendiaires – le Hiroshima d'Europe ; l'opération Hannibal : le torpillage, en janvier 1945, d'un navire construit à Hambourg et rempli de réfugiés allemands fuyant l'Armée rouge – la plus grande catastrophe maritime de tous les temps. Les Beatles sont venus chanter à Hambourg quinze ans après l'opération Hannibal, dix-sept ans après l'opération Gomorrhe. Les Beatles dont le corpus, plein de correspondances et d'échos internes, ressemble aux rues serrées des villes anciennes ou aux coursives jaunâtres d'un sous-marin maudit.

Le Nombre de Gorinski

QPS avait demandé à Goran, son chauffeur, de le laisser à cinq cents mètres de l'appartement du président. Il avait voulu arriver à pied, pour défroisser sa veste et laisser aux photographes en faction le soin de le photographier plus facilement, en donnant à sa visite un caractère moitié improvisé, moitié confidentiel. Mais il était ressorti tellement en colère qu'il avait pris la mauvaise direction et s'était éloigné de la Rolls. Les photographes, autour de lui, avaient de plus en plus l'air de touristes japonais, et la tour Eiffel d'un amas de métal exagérément grossi.

Il était finalement arrivé devant une sorte de modèle réduit du temple de Louxor, un édicule éclectique comme on en voyait dans les cimetières de la Belle Époque, quand une partie de la classe dominante, devenue brièvement saint-simonienne, s'était essayée au déisme. La construction était en réalité récente, et se voulait un monument aux droits de l'homme, spécialement édifié sur le Champ-de-Mars – à l'emplacement même où Robespierre avait fait ériger un calvaire baroque en honneur de l'Être suprême.

QPS était surpris d'avoir jusque-là ignoré son existence, plus surpris encore de ne pas avoir été consulté, à aucun moment, ni pendant l'appel d'offres, ni pendant la conception de l'œuvre, ni pour son inauguration. Les droits de l'homme étaient un peu son domaine réservé. C'était lui qui avait ressuscité ce merveilleux outil pour critiquer les régimes autoritaires de l'Est, lui qui avait refait des Lumières, après le lugubre triomphe des hégélianismes, l'horizon politique de la gauche française, replaçant celle-ci à la pointe du combat pour l'émancipation du monde. C'était lui le véritable metteur en scène des commémorations du bicentenaire de la révolution, c'était lui l'architecte de la chute du mur et de la réunification de l'Europe.

On disait qu'il avait refusé un secrétariat d'État aux droits de l'homme : c'était vrai, et c'était faux. Il en avait été le vice-ministre, l'unique ambassadeur, le représentant acharné et plénipotentiaire. Du moins jusqu'à la trahison de Sarajevo.

Il était incompréhensible que ce monument lui ait échappé. Il se mit à tourner autour, comme s'il cherchait un moyen d'entrer à l'intérieur. La chose, se dit-il soudain, était peut-être vraiment un tombeau. Elle était devenue un tombeau en 1992, quand, à son retour de Sarajevo, Mitterrand avait décidé de ne pas intervenir et de sacrifier ainsi les droits de l'homme à la realpolitik ou à des visées plus sombres encore. Il y avait en effet eu, après son mystérieux soutien aux Serbes de Bosnie, l'incompréhensible apathie de la France pendant le génocide rwandais. Il y avait eu aussi l'histoire de la Francisque et son amitié avec Bousquet, l'organisateur de la rafle du Vél'd'Hiv, à laquelle ses parents avaient échappé de justesse.

Le vieux président allait bientôt mourir, laissant en héritage des droits de l'homme trahis, une gauche dévastée et une Europe affaiblie, à l'heure triomphale de la réunification allemande, par le trop faible acquiescement du peuple de France au référendum de Maastricht.

QPS s'accouda contre le petit monument et passa une main dans ses cheveux. Il ne fut arraché à sa mélancolie que par les bruits répétés de l'obturateur d'un appareil photo.

À peine le temps de relever la tête que le photographe avait pris la fuite.

— Merde ! Pas ici ! Pas maintenant ! Pas comme ça ! Reviens, connard !

Le photographe ne s'était même pas retourné. Ça allait encore lui coûter cinq mille balles, cette histoire, comme avec la photo de son premier entartage, en Belgique. C'était tellement drôle, si drôle que la fois suivante les photographes, sans doute prévenus à l'avance et ayant déjà négocié les droits de leur future photo, n'avaient rien voulu entendre.

Mais il vit, au loin, le photographe se faire étaler par terre. C'était son chauffeur, venu à sa rencontre, qui l'avait frappé en ouvrant brutalement sa portière.

Le téléobjectif de l'appareil gisait, tordu, à côté de lui.

— Laissez, Goran, je vais négocier moi-même. La boîte à gants. Dix billets, pas plus. Donne-moi la pellicule, connard, où je défonce aussi ton boîtier.

— Tiens prends-le, de toute façon il est foutu. Mais je veux vingt billets, tout de suite. Ou je porte plainte.

— Porter plainte pour quoi, connard ? Je te reconnais, en plus, c'était déjà toi, à Bruxelles. Tu sais pourquoi j'étais à Bruxelles ? J'avais organisé un rendez-vous entre Izebegović et le commissaire européen aux relations extérieures. Tu veux te foutre de ma gueule et organiser mon entartage avec tes petits potes fascistes ? Mais alors fais-le à Sarajevo, connard. Tu vas voir le pouvoir d'une photo sur Sniper Alley. Clic, clic. Tu vas faire dans ton froc ! Montre-lui, Goran, montre-lui ce que tu portes sous ta veste !

— Calmez-vous, monsieur. Prenez-lui son appareil, et montez en voiture.

— Je sais que tu n'as pas le droit de porter une arme, se justifia QPS quand il eut repris son souffle, au moment où la voiture traversait la Seine. Mais il ne s'agissait pas de le descendre de sang-froid, seulement lui montrer que je ne rigole pas.

QPS allait finalement payer deux fois pour les photos : puisqu'il avait gardé l'appareil, il avait en effet eu la curiosité de faire développer la pellicule. Le photographe avait bien travaillé. C'était même incroyable. Exactement, dans la composition et dans son visage, trait pour trait, le portrait de Byron.

Ce serait la couverture idéale de son prochain livre. Un roman, peut-être, ou un essai. En tout cas son chef-d'œuvre. Cela parlerait de la guerre et du mal, mais il y aurait des pages sublimes, éblouissantes d'optimisme. Le pessimisme de l'intelligence et l'optimisme de la volonté, son seul guide, comme à chaque fois, son seul guide à travers la nuit européenne. La nuit européenne. Cela faisait un titre. Cela avançait vite. Il avait déjà le titre et la couverture. Quant au lieu où il irait l'écrire, il était tout trouvé. Ce serait au Karst.

Avec un sens parfait du timing, Ida avait justement programmé la cérémonie du sacre pour la dernière semaine de décembre 1995, soit à peine quelques jours après la signature des accords de Dayton et la fin officielle de la guerre en Yougoslavie – comme si le sacre relevait d'une clause secrète de ceux-ci.

Ida avait fait le choix d'une cérémonie discrète, par décence vis-à-vis des victimes du conflit. Tous les Karstes étaient évidemment conviés à prendre part, d'une manière ou d'une autre, aux festivités, mais ni la presse étrangère, ni les chancelleries européennes n'avaient été invitées. On se contenterait de quelques représentations consulaires et des amis proches du prince ou de sa femme – qui deviendrait la chancelière de la principauté.

> Les Beatles, dont le génie léger, précoce, évoque celui
> de Mozart – le génie d'apercevoir, dans le massif écrasant
> de la combinatoire musicale, des mélodies comme autant
> de brèches, de prises intactes sous une main inquiète.
>
> *Le Nombre de Gorinski*

QPS avait remarqué le premier cette particularité étonnante de la guerre en Yougoslavie : ses principaux protagonistes avaient été, à un moment de leur vie, des écrivains. Le leader des Serbes de Bosnie, Radovan Karadžić, avait publié plusieurs recueils de poésie, Franjo Tudjman, le président croate, avait été un historien militaire réputé, Itzebegović, le président bosniaque, était un lettré lui aussi. Il était tentant, dès lors, de faire du plus grand écrivain karste, à son tour, un protagoniste du confit.

Cela faisait des années que Griff avait disparu – depuis qu'il avait quitté Rikers Island.

On disait qu'il avait rejoint son Karst natal un peu avant l'indépendance. On disait qu'il aurait, de là, rejoint les Serbes de Bosnie. On l'aurait vu sur les hauteurs de

Sarajevo, pendant le siège. On l'aurait vu à Srebrenica, un peu avant le massacre. Il aurait dirigé un groupe paramilitaire spécialisé dans le nettoyage ethnique. Il aurait tué des femmes et des enfants de ses propres mains : c'était Barbe-Bleue dans les Balkans.

On racontait qu'il avait arraché un bébé du ventre de sa mère, qu'il l'avait empalé sur une machine à kebab et qu'il l'avait mis à griller sous les yeux de la femme agonisante. On racontait qu'il avait obligé des hommes à violer leur père et leur mère, et des pères à violer leurs enfants. Il aurait appelé ça « la guerre comme expérience du proche et du lointain ».

QPS avait soigneusement recueilli toutes ces anecdotes, la légende noire de l'ogre de Bosnie, comme s'il instruisait lui-même un dossier pour la cour pénale internationale.

Les témoignages ne se recoupaient pas vraiment et il n'avait jamais réussi à obtenir de preuves directes. Il n'avait jamais croisé Griff là-bas, et Dieu savait le temps qu'il avait consacré à sa traque. Il l'avait seulement senti tout autour de lui, sur les crêtes alentour – la présence d'une bête sauvage, du mal à l'état pur, échappé de la dernière guerre et passé à travers les réquisitoires de Nuremberg.

Il avait souvent, la nuit, tourné l'objectif globuleux et humide de sa caméra vers les montagnes grésillantes, à la recherche d'un signe, d'une trace, du blanc soudain d'un œil dans la neige électronique. Il avait ainsi des heures d'images exploitables, de rushes fantasmagoriques qui lui étaient restés après le montage des trois films qu'il avait consacrés à Sarajevo. Une trilogie pour rien. Ni *Treskavica*, ni *Bjelašnica*, ni *Jahorina* – du nom des montagnes qui entouraient la ville assiégée, des montagnes qui avaient accueilli les jeux Olympiques de 1984 – n'avait permis de débusquer la bête. Malgré leur sélection en compétition pendant trois années consécutives, aucun de ces films n'avait d'ailleurs remporté la Palme d'or. Une Palme d'or non pas pour lui, mais pour l'Histoire. Pour la dignité de l'Europe. On avait préféré finalement récompenser *Underground*, du Serbe Kusturica – c'était comme un crachat au visage des habitants de Sarajevo. Autant donner tout de suite le Nobel de littérature à Griff. Autant lui donner carrément le Nobel de la paix.

QPS avait fidèlement rapporté à Ida toutes les horreurs qu'il avait apprises sur Griff, mais elle s'était toujours refusée à en admettre l'authenticité.

Même les aveux ultérieurs de Griff ne la feraient pas changer d'avis – il était trop mythomane pour qu'on puisse le croire. Les rôtissoires ressemblaient trop à du Griff, à une scène d'un roman de Griff. Cela lui ressemblait d'inventer ce genre d'atrocités, mais elle sentait qu'il était incapable de commettre en vrai le moindre mal.

Griff lui avait d'ailleurs fait part d'une théorie sur l'héroïsme, qui en excluait à ce point les écrivains qu'imaginer un écrivain faisant la guerre devenait presque une contradiction dans les termes. L'héroïsme consistait à s'en tenir à un personnage, n'en bouger jamais, et laisser les circonstances se briser dessus. Évidemment, cela ne donnait pas de très bons guerriers – c'était l'un des messages de *l'Iliade*. On pouvait d'ailleurs, après ce catalogue de héros butés et de tacticiens médiocres, considérer *l'Odyssée* comme un repentir d'Homère : Ulysse finissait enfin par accomplir sa mission, contrairement aux deux crétins, Achille et Ajax, parce qu'il ne laissait pas trop les considérations morales empiéter sur les considérations tactiques. Les lâches, eux, changeaient toujours de personnage. Ils s'adaptaient, ils collaboraient, ils finissaient par survivre. Le romancier, à sa manière, était plutôt solidaire des lâches. Les grands romans étaient écrits au style indirect libre. L'écrivain n'adoptait jamais de posture, ou il les adoptait toutes. Provocateur, Griff soutenait ainsi que les meilleurs écrivains du XXᵉ siècle étaient ceux qui avaient collaboré, ou résisté le moins possible.

Ida n'arrivait ainsi pas à prendre la légende noire de Griff au sérieux. L'homme qu'elle connaissait avait épuisé son quota d'héroïsme sur le toit du Met et à Rikers Island. Son nationalisme grandiloquent lui semblait même l'avoir innocenté par avance de toute nocivité réelle. C'était un rêveur, et son intelligence stratégique était tout entière et depuis toujours occupée à restaurer des grandeurs irrattrapables, et quelque peu fluctuantes : elle l'avait successivement entendu défendre la Sainte Russie, la Grande Allemagne, la Yougoslavie de Tito, l'empereur et même le pape. Alors pourquoi pas, oui, la Grande Serbie. Et demain : l'Union européenne, la Forpronu ou l'OTAN.

Il avait, malgré tout, disparu pendant trois ans, insistait QPS – mais il aurait tout aussi bien pu les passer dans une prison quelconque plutôt que dans une milice sanguinaire, lui répondit Ida. Elle devait d'ailleurs finalement avouer à QPS qu'elle était toujours restée en contact avec lui. Elle lui avait fait parvenir un peu d'argent, comme au temps de son emprisonnement. Et comme au temps de son emprisonnement, elle lui avait commandé un livre – la guerre comme atelier littéraire, comme résidence d'écrivain.

La jalousie de QPS ne l'avait pas surprise. Elle comptait un peu dessus pour activer une autre facette de sa personnalité, son tempérament chevaleresque. Car d'autres, notamment à la Cour pénale internationale de La Haye, s'intéressaient de près aux activités de Griff. Ida avait ainsi appris que son sort avait été évoqué à Dayton, parmi celui d'autres miliciens.

Le Nombre de Gorinski n'était encore qu'un manuscrit vagabond, entre récit de voyage au pays du mal et rêverie consolante sur les rivages de la paix, quand Ida proposa à Griff de rentrer au Karst, où elle lui offrait l'asile politique. La guerre allait de toute façon bientôt prendre fin. Et c'était à QPS, une nouvelle fois, qu'elle avait demandé de l'aide. Elle était certaine qu'il accepterait. Il était trop obsédé par Griff, qu'il considérait déjà comme son double maléfique, pour ne pas rêver de le rencontrer. Une vraie scène de roman de QPS, une scène sartrienne, l'apogée probable de tout le fatras moral et existentiel de ses mauvais romans philosophiques.

Elle avait ainsi invité Griff au sacre de Jan, et avait demandé à QPS de faire un crochet par Sarajevo pour le prendre – l'Europe était si petite, quand on s'en tenait aux cartes routières.

Ce qu'on entend, chez les Beatles et chez Mozart, c'est le grand démembrement de l'Europe westphalienne, c'est le bruit que fait, en mourant, la chrétienté – le bruit de l'Europe qui s'est laissé écarteler, des deux côtés de la Manche et des Alpes, par la question de la grâce.

Le Nombre de Gorinski

En cette fin de journée sarajévienne, dans le climat euphorique de la fin du siège, Griff ressemblait plus à un homme qui aurait passé les trois dernières années à s'alcooliser dans une quelconque chambre d'hôtel qu'à un héros de guerre. QPS ne l'avait d'ailleurs pas récupéré sur les hauteurs tortionnaires de la ville, mais dans le fond de la vallée, près du marché martyr de Markale.

Même le sombre Ratko Mladić, sur les photos clairement à charge qu'avaient diffusées les médias du monde, avait l'air plus en forme que lui. Non, Griff ne ressemblait pas à quelqu'un qui avait vécu au grand air, qui avait passé trois étés et trois hivers en camp de vacances – la guerre comme grandes vacances de l'Europe, c'était ce qu'il dirait, bien plus tard, dans les livres qu'il consa-

crerait au sujet, quand sa posture d'écrivain maudit serait
devenue son fonds de commerce.

— Nous nous rencontrons enfin, l'homme des plaines
et l'homme des montagnes ! Je vous ai donc raté. Pas un
obus, pas un tir, mais c'est un véritable miracle que vous
ayez survécu à mes attaques incessantes !

QPS faillit repartir sans lui, mais il laissa Griff monter dans la voiture, par respect pour Ida. Il décida, en
revanche, de garder le silence, comme dans un célèbre
roman de la Résistance – et d'attendre que le misérable
épuise son stock de provocations.

— Deux belligérants enfin face à face, c'est une belle
image de la paix de Dayton ! La paix de Dayton ramenée
à l'habitacle d'une Mercedes Classe G peinte en blanc
avec une colombe. Auriez-vous par hasard, cher collègue,
volé ce véhicule dans les stocks de la Forpronu ? La guerre
en dentelle et en casque bleu : c'est votre mode opéra-
toire, je crois. Le soldat de la paix. Je remarque, pourtant,
que nous ne nous sommes pas vus à Sarajevo, cher QPS.
Ni dans les montagnes alentour, ni le long du Styx de
Sniper Alley. Où étiez-vous exactement ? Je vous ai vu à la
télé : vous étiez à l'aéroport. Vous aviez belle allure à côté
du vieillard que vous promeniez là. Mais où étiez-vous,
toutes les autres fois ?

QPS s'était rendu plus de dix fois à Sarajevo, pourtant l'Histoire ne retenait déjà que celle où il avait amené
le président avec lui. Mais il tenait à sa disposition ses
archives personnelles. Il avait failli être blessé et son
cadreur s'était pris des éclats d'obus dans l'épaule – il
avait dû changer de cadreur. Il avait lu plusieurs fois,
aussi, qu'il s'était arrêté à la frontière austro-slovène, dans
la principauté de son amie intime, la présidente du Karst,
et que la guerre en Yougoslavie avait ressemblé pour lui à

des vacances prolongées dans un Relais & Châteaux. Et quand bien même cela aurait été vrai, n'aurait-il pas eu le droit d'user ainsi d'un sas entre le terrible théâtre de la guerre et le non moins pénible théâtre de la paix ? Car s'il risquait sa vie dans Sarajevo, c'était à sa réputation qu'on s'attaquait à Paris. Le terrain médiatique était anormalement miné, Paris était plein d'écrivains anormalement émus par la cause serbe, d'anciens lecteurs de Soljenitsyne ne se souvenant plus que de sa défense passionnée de la culture orthodoxe et d'intellectuels se rappelant au contraire avec une précision étonnante les exactions passées des Oustachis croates ou les intrusions balkaniques de l'Empire ottoman. QPS entendit, sur un plateau de télé, que la Bosnie avait la forme d'une pointe de flèche et que les Serbes ne faisaient qu'en émousser le mordant historique.

Griff était la synthèse de ce révisionnisme au présent, le chantre de cette guerre trop européenne pour n'être pas vécue comme un merveilleux événement littéraire. Il l'avait d'ailleurs théorisé comme tel : c'était, à l'entendre, une formidable nouvelle pour la littérature du continent. On avait laissé bêtement échapper la chose, après 45, en cantonnant la littérature de guerre à quelques romans humanistes, aux poèmes naïfs de la Résistance. On avait laissé l'expérience de la guerre mourir dans le jazz existentialiste de Saint-Germain-des-Prés, dans une littérature sans grandeur et sans forme. Même les camps qui, ne serait-ce qu'en termes de folklore diabolique ou de pittoresque de l'apocalypse, ne représentaient quand même pas rien, on les avait littérairement assassinés, avec toute une littérature pitoyable de la voix nue, du neutre et de l'indicible.

— Comment s'appelle ce philosophe juif que vous fréquentiez autrefois – oui, il m'arrive de vous lire. Vous le citiez en ouverture d'un de vos livres, celui avec la bibliothèque de Sarajevo en couverture : "La guerre est l'expérience morale absolue, car elle est la négation de toute morale." J'ai beaucoup aimé cette phrase. Elle a été comme un viatique pour moi. J'ai des amis, là-haut, qui l'ont gravée sur des obus – la guerre a ses artistes naïfs. Si vous saviez comme la guerre est longue... La véritable expérience du désœuvrement. Un interminable dimanche. Mais je suis d'accord, oui, fondamentalement, avec votre ami Levinas : il faut avoir vécu dans une zone de guerre, il faut avoir été l'ami des bourreaux, il faut avoir bien défriché les conventions de la paix pour redécouvrir la morale. C'est ce qui tient encore quand on a tout détruit. J'ai assisté, je vous le dis en face, à des séances de viol collectif. J'ai vu des mains, hésitantes, se mettre à caresser un sein, se reprendre, pincer le téton, gifler sa peau flasque et revenir, pourtant, à la caresse. J'ai vu des gestes de compassion incroyable. L'enfant qu'on épargne. L'ennemi qu'on tue en douceur. La femme violée par plus de dix miliciens à qui on fait la grâce atroce d'un baiser sur le front. J'ai vu des choses féeriques.

— Vous êtes un psychopathe.

— Sur ce point, vous avez plutôt raison. Tous les romanciers le sont. Les grands romanciers obéissent à un rythme de travail mystérieux, connu sans doute des seuls serial killers : rien pendant des années et soudain une folle frénésie de livres ou de cadavres. Il faut se débarrasser de quelque chose, soigner une pulsion qui reviendra toujours. Et qui s'ancre, je crois, dans une expérience très intime de l'enfance. Cet instant où on aura tué notre premier animal. N'importe lequel. Cela peut-être un chat ou une fourmi. Le mien, cela va vous étonner, n'est même pas un être animé. C'est un caillou, un modeste cristal de quartz. Je l'adorais. Il était minuscule, de la taille de ma main, mais il était plein de paliers successifs, comme une ville imaginaire. Et un jour, je ne sais pas ce qui m'a pris, je devais avoir cinq, six ans, je l'ai jeté par terre, de toutes mes forces. Je ne m'explique toujours pas ce geste. Un morceau de quartz s'est détaché, la pierre a perdu sa symétrie magique, c'était fini, elle était morte pour moi. Pourquoi faut-il que nous fassions toujours le mal ? Ce n'est pas par cruauté, véritablement, je ne crois pas. C'est plutôt pour nous tenir au plus près de notre absence d'empathie, ce vide profond des écrivains que des plus savants que moi appellent "la création de personnage" ou "la maîtrise du discours indirect libre", ce vide qu'on sent grandir en nous à mesure que la bête qu'on étrangle, que l'enfant qui se vide de son sang nous supplie d'arrêter et meurt – c'est la profanation suprême – en nous aimant comme son maître et plus qu'aucun homme n'a aimé aucun dieu. Enfin vous voyez de quoi je parle, vous êtes romancier, à vos heures.

— Vous êtes un individu ignoble.

Goran conduisait prudemment à travers les faubourgs de Sarajevo. Il restait des barrages et des cratères d'obus à contourner, des hommes en armes un peu partout et des éclats de balles tout autour des fenêtres des tours où avaient dû nicher les derniers snipers, mais ils laissaient une ville en paix. Ils laissaient une ville en paix parce qu'ils venaient d'en retirer Griff, l'épine de la guerre. La guerre était là, dans l'habitacle, à portée de main, et elle leur confessait ses crimes.

Il aurait été peut-être plus sage, ce jour-là, plus économique et plus humain, se dirait QPS plus tard, de suivre son instinct, d'emprunter son arme à Goran et d'abandonner le cadavre de Griff au bord de la route.

L'âge d'or de la théologie européenne ne s'est pas produit au XIIIᵉ siècle, mais pendant les vingt-cinq années qui séparent les quatre-vingt-quinze thèses de Luther de l'ouverture du concile de Trente. Mais en s'avançant ainsi, dangereusement, au cœur des Alpes italiennes, l'Église de Rome semble acter son impuissance à contrecarrer l'orogenèse de la Réforme, la dimension géologique du schisme inévitable. Il n'y aura bientôt plus que le mince anneau du pont du Diable entre les deux Europe rivales.

Le Nombre de Gorinski

QPS avait déjà tué mentalement Griff plus de dix fois, mais Griff se débattait et le provoquait encore, jusqu'à se mettre en position d'accusateur.

— Vous savez pourquoi je ne vous aime pas ? demanda-t-il à QPS.

— Parce que je suis juif ?

— Haha, non, ce serait trop facile. Bien que Voltaire, votre vieux maître lui-même, le tout premier des Européens, le plus ancien des commissaires de Bruxelles, ait semblé ne pas beaucoup vous aimer non plus. Cela dit, il aurait fini par vous accorder, j'en suis certain, la nationalité européenne. Ce qu'il aura en revanche toujours expressément refusé aux Slaves. Et vous connaissez, à ce propos, l'autre grande invention de Voltaire ? C'est la guerre mondiale : en fuyant la Prusse avec les poèmes de Frédéric II pour les montrer à ses amis moqueurs des sociétés savantes, c'est lui qui a initié cette haine si prometteuse entre la France et l'Allemagne. Mais non, si je ne vous aime pas, c'est à cause de ce que vous avez répété, des milliers de fois, pendant la guerre. "Et cela se passe à deux heures d'avion de Paris, et cela se passe en plein cœur de l'Europe." À chaque fois que je vous entendais dire ça, je pensais : il n'y croit pas. Le voilà, le scandale. Il se fait peur comme on aimait autrefois se faire peur avec les Turcs aux portes de Vienne où avec les Rouges à Berlin. Mais il n'y croit pas. Il ne croit pas que cela se passe en Europe. Il dit Europe mais il pense Balkans. Ce mauvais origami d'Europe, cet espace inutile, cette péninsule convulsée et lépreuse. Je me disais : a-t-il seulement regardé une carte, sait-il seulement où nous sommes ? À deux heures de Paris. Au large de l'Italie, plutôt. Ou encore mieux : entre Athènes et Rome. Voilà précisément où nous sommes. Nous sommes entre Athènes et Rome, vos deux premières capitales. Nous ne sommes pas spécialement une province secondaire de l'Europe. J'ai beaucoup réfléchi à l'Europe, voyez-vous. Deux ans dans une prison américaine, c'est quelque chose qu'on n'oublie pas. Personne ne connaît l'Amérique aussi bien que moi. J'ai été expulsé à ma sortie de prison, rendu à la Yougoslavie – c'est amusant, d'ailleurs, car à quelques années près ils auraient été condamnés à me garder en vertu du droit humanitaire. J'ai été expulsé, rendu à l'adversaire

– car pour les Américains le non-alignement de notre glorieux camarade Tito ne change rien à notre appartenance au bloc de l'Est. Nous sommes tous des bolcheviques et des Slaves, des méchants et des fous, une fois passée la frontière de l'Autriche, de l'Autriche très civilisée, lieu de naissance de Mozart et du nazisme, de l'Autriche tombée du bon côté du rideau de fer par sa lâche promesse de neutralité – promesse assez peu crédible, après deux guerres mondiales secrètement commencées là, et un peu trop facilement attribuées à Berlin. Mais c'est Vienne, l'unique coupable, toujours. Sarajevo est innocente. Et même Berlin est innocente : on a compris l'Anschluss à l'envers. Les temps sont incertains mais je souhaite à ma petite Carinthie du Sud de ne jamais se laisser reprendre par le diable autrichien. Il est si facile, pourtant, d'avoir honte d'être yougoslave, si facile de haïr les Balkans. Qui croit encore à la Yougoslavie ? Les Serbes. Quels sont leurs alliés ? Personne. Si, moi, un écrivain karste. Et je me suis mis toute l'Europe à dos, je me suis même fâché pour cela avec le comité Nobel. La république des lettres a tout juste daigné vous envoyer pour parlementer avec moi, pour obtenir ma reddition, mon assujettissement au nouvel Empire austro-hongrois, à sa bureaucratie impériale étendue au continent entier et à sa nouvelle capitale, Maastricht, Strasbourg, Bruxelles ou La Haye – puisque c'est là sans doute, plutôt qu'à Oslo, que vous rêvez de me voir conduire un jour, et évaluer à ma vraie valeur : un écrivain nationaliste yougoslave, un Brasillach de dimension continentale. Le malheur a voulu que je parle, que j'écrive en allemand, mais je le sens, au fond de moi, je suis yougoslave.

« Qui sont les Yougoslaves ? Où sont les Yougoslaves ? En prison. J'ai passé plusieurs années à errer dans New

York sans voir un seul compatriote : évidemment, ils étaient tous en prison sur l'île d'à côté, à Rikers Island. J'ai ainsi partagé ma cellule avec un Kosovar, un petit parrain de la pègre locale. Il était plus ou moins dans le trafic d'armes, en connexion avec la mafia albanaise. Sa situation, en tout cas, était excellente. Il avait une télé et un magnétoscope. Je crois que ma présence était un peu du même ordre : une faveur de l'administration pénitentiaire. Un magnétoscope et un authentique écrivain yougoslave : une certaine vision du paradis terrestre. Il était d'ailleurs d'excellente compagnie. D'abord, il m'a évité plusieurs assassinats, ensuite, il était, comment dire, assez délicat pour ces choses qu'on fait dans les prisons. Il avait pris une très grosse peine, et je crois qu'il était vraiment nostalgique de l'Europe, qu'il n'était pas sûr de revoir un jour. Il avait une obsession : la série allemande Derrick. C'était vraiment bizarre, on était à New York, les meilleures séries policières du monde passaient à la télé, mais lui, il se procurait en contrebande, et pour un prix absolument délirant, des cassettes vidéo de la série policière qu'il regardait en boucle – la plupart du temps en allemand, mais parfois aussi en français, en italien ou en espagnol. Il disait que ça lui rappelait l'Europe. Pas n'importe quelle Europe, d'ailleurs. L'inspecteur Derrick opérait dans la région de Munich : on était là dans l'une des régions les plus riches du Vieux Continent : une sorte de Californie, pour nous autres, pauvres Yougoslaves. Les Américains adorent Columbo, ce fonctionnaire de police dont le métier consiste à jeter des producteurs de cinéma et des millionnaires en prison ; Derrick fait subir à peu près le même traitement à la bourgeoisie allemande, et les Européens adorent ça. Il y a sans doute autre chose, dans cet amour des

Européens pour Derrick : l'Allemagne, dans Derrick, est étonnamment moderne, pleine de vitres coulissantes, d'autobahns et de centres historiques reconstruits. C'est un rappel subliminal du grand manteau de feu qui a recouvert le pays à la fin de la guerre, du feu purificateur qui s'est abattu sur les Allemands. Voir à quel point l'Allemagne – pardon, la RFA – était devenue laide, fonctionnelle et désincarnée, c'était pour nous autres, Européens, une délicate vengeance. Nous ne regardions pas Derrick, mais les âmes mortes des Allemands du Wirtschafstwunder, du miracle de la reconstruction. Et ce qu'ils avaient reconstruit, Derrick nous le donnait précisément à voir : un monde dont on aurait enlevé le cœur. J'ai fêté mes quarante-trois ans devant le meurtre d'une riche héritière de la métallurgie : un cadeau de mon camarade, dont c'était l'épisode préféré. Quarante-trois ans. Record presque battu, pour la plus longue durée de paix en Europe.

« Oui, je suis en né en 1945 – né est un grand mot. Le massacre des innocents, à côté : de la pure rigolade. Mais je raconterai ça un jour. Et tout le monde croira que c'est de la fiction. Né en enfer, ça fait un joli titre de film hollywoodien. C'est pourtant d'une rigoureuse exactitude. Je vous vois saliver : vous imaginez déjà ma naissance à Auschwitz. Vous me l'enviez peut-être. Mais soyez rassuré, je ne suis pas né à Auschwitz. Je suis né dans un endroit encore pire.

« C'est en Amérique que j'ai vraiment découvert que j'étais yougoslave. Quand il a fallu me renvoyer, après ma libération. Écrivain dissident devenu un agitateur nationaliste – Soljenitsyne et Princip en une seule personne, j'ai été renvoyé, comme un cadeau de la CIA, en Yougoslavie. J'ai atterri directement dans une prison de

Belgrade. Une prison très nationaliste. Mais cela ne me dérangeait pas : j'étais encore plus nationaliste qu'eux. Le meilleur écrivain yougoslave de ma génération. Le dernier Yougoslave. Ni serbe, ni croate, ni bosniaque, ni slovène, ni karste. Au fond mon destin est proche de celui des écrivains du Yiddishland : j'aurai vu ma patrie disparaître. Je ne crois pas m'être jamais battu du mauvais côté. Je n'étais pas dans une milice serbe, j'étais intégré à un reliquat de l'armée yougoslave. J'étais au service de l'idée fédérale. Au fond, j'étais un vrai Européen. Ne dit-on pas, chez vous, que les europhiles étaient à Vichy et les nationalistes à Londres ?

— Tout cela est connu. C'est un mauvais paradoxe d'étudiants en première année de sciences politiques. Mais on ne parle pas ici de politique ou d'histoire. On parle de morale. Le mauvais côté, c'est le côté des crimes. Et je vous accuse, oui, je vous accuse de crimes de guerre.

— Sur quelles bases, cher ami ? Mes aveux ? Je suis un écrivain fantasque. Regardez les critiques de mes romans : "Griff ressuscite le réalisme magique", "Griff redonne vie, par l'exubérance, au grand roman européen", "Griff entre Bruno Schulz et Thomas Mann", "Griff écrit comme un enfant qui joue", "un conteur est né". Cela vaut toutes les immunités diplomatiques.

— Répondez-moi, Griff, qu'avez-vous fait, là-bas, ces trois dernières années ?

— La même chose que vous, cher ami. J'ai fait la guerre. La guerre à deux heures d'avion de Paris. Je n'étais pas aussi présentable que vous. Coincé dans un trou sur une crête. Ils étaient tout heureux de m'avoir avec eux. D'avoir un poète avec eux. La guerre, voyez-vous, est avant tout une expérience poétique. Très difficile à définir. On observe beaucoup, on guette, on se faufile. C'est végétatif, en fait, plutôt qu'animal. Comme les champignons : à cheval entre les règnes, pour toujours fugitif, secret, insaisissable. Tout se passe dans des tranchées humides, on prend racine, on fume des cigarettes humides, on a les vêtements qui sentent le moisi, les ongles des pieds qui pourrissent. Il était beau, le règne humain, entre mes orteils. La civilisation n'était elle-même plus qu'une mince frontière. Une porte qu'on enfonce au lieu de frapper, une jeune fille qu'on prend sur la première table venue. Un verre qui tombe et dont on ne ramassera jamais les morceaux cassés. La guerre est un sentier qui descend vers notre humanité profonde. La civilisation n'est jamais tellement plus grande et lumineuse qu'une clairière fermée. La littérature et la guerre sont jumelles au moins depuis Homère, cela nous le savons tous les deux. La seule différence c'est le camp que vous avez choisi, celui des vainqueurs, et cette façon détestable dont vous avez infiltré la guerre à l'intérieur du cheval de Troie de l'aide humanitaire. J'ai préféré le camp des perdants, la grande cause ingagnable, le sacrifice immense. J'ai tout perdu, pourrait-on dire dans votre style humaniste, kantien et épuré, jusqu'à mon humanité. J'ai participé à des actes de barbarie, sans aucun doute. J'étais là dans un coin de la pièce. Mais vous étiez là, aussi : la pièce est si petite.

> Le Dieu de Calvin : une méduse qui s'arrête, et dont
> les tentacules, soudain, lui remonteraient au visage – les
> hommes devenus mortels pour les dieux.
>
> *Le Nombre de Gorinski*

L'agacement, la colère, le mépris de QPS : c'était pour Griff un ravissement. S'il n'avait dû garder qu'une seule scène de la guerre, avoua-t-il plus tard à Ida, cela aurait été celle-ci : la conscience du monde occidental enfermée dans une Mercedes avec la bête immonde. Même dans un roman de Griff, avait-il ajouté, on n'aurait osé rêver scène aussi grotesque. C'était là, cependant, qu'il trouverait l'inspiration pour terminer le livre qu'il était en train d'écrire, *Le Nombre de Gorinski*. Déçu par les réponses de QPS à ses provocations, il déciderait de lui en imaginer de meilleures – une œuvre de charité. Mais pour l'heure, une incompréhension définitive s'était installée entre eux, dans la voiture, une fois les derniers faubourgs de Sarajevo dépassés.

Au grand soulagement de Goran, la voiture était ainsi depuis longtemps silencieuse quand ils arrivèrent enfin au Karst. QPS remit Griff à Ida, comme il aurait remis un prisonnier, et ils s'évitèrent soigneusement pendant les cérémonies du sacre.

Ce fut une cérémonie très simple – la paix était encore fragile et aucun ambassadeur, aucun cousin du prince Jan n'avait fait le déplacement. La citadelle était pavoisée de jaune et de noir, et presque toute la population s'était massée à l'extérieur de la cathédrale.

Assis à l'intérieur, au quatrième rang, QPS surveilla attentivement les divers ustensiles utilisés, l'ostensoir de l'évêque de Karstberg, la couronne et l'anneau du prince Jan, posés sur un petit coussin de velours rouge dans la cathédrale Saint-Joseph. Le sceptre de New York n'était pas là et QPS le vécut comme une victoire sur Griff. Il chercha longtemps celui-ci des yeux et finit par le découvrir, au même niveau que lui, dans la travée de droite.

Ida avait évidemment invité leur fils, Olivier, mais des raisons protocolaires complexes l'avaient repoussé là-bas également, au troisième rang, juste devant Griff. C'était un enfant difficile, influençable. Il venait à peine de fêter ses quinze ans et QPS sentait grandir entre eux une distance de plus en plus difficile à combler. Ida lui avait d'ailleurs fait part de sentiments identiques. Elle le trouvait sombre et renfermé, beaucoup plus, en tout cas, qu'à New York. Il restait des journées entières dans sa chambre, suspendue à l'une des tours du palais.

QPS fut ainsi extrêmement surpris de le voir sourire à chaque fois que Griff lui adressait la parole. Ida l'avait aussi remarqué et ce serait la raison, comme elle le lui apprit des années plus tard, pour laquelle elle avait alors proposé à Griff de devenir le précepteur de leur fils.

Celui-ci avait refusé, catégoriquement, de s'occuper du garçon, expliquant à Ida qu'il avait mieux à faire ; il avait un livre à écrire. Il s'était installé dans une échauguette en forme de fusée, dans un bastion isolé de la citadelle, avec dix rames de papier et deux douzaines de crayons, et ni Ida ni Jan ne le virent jamais. Il prenait ses repas avec la petite garnison du fort, un guide touristique désœuvré et quatre gardes qui surveillaient la frontière slovène en alternance, avec des jumelles à vision nocturne qu'ils lui prêtaient volontiers. Il entamait alors, sur le chemin de ronde, pendant plus d'une heure, en marquant longuement toutes les stations, un long tour de garde mélancolique de la citadelle Europe – c'était d'ici que les Turcs avaient été repoussés pour la dernière fois de l'Empire de Habsbourg, en 1684. C'était d'ici qu'on avait le meilleur point de vue sur le continent.

Le livre, paru quelques mois plus tard, serait un succès planétaire et procurerait à Griff une célébrité instantanée – une célébrité qui devait d'ailleurs lui coûter le Nobel, en attirant trop fortement l'attention sur lui, et en amenant des journalistes, mystérieusement renseignés, à découvrir de sérieuses entorses à son humanisme supposé. Aucune preuve, encore une fois, sinon ces étranges éloges poétiques des miliciens serbes de Bosnie.

Mais *Le Nombre de Gorinski* aurait eu le temps d'être traduit en anglais, en espagnol, en italien et en français. Ce serait, après *Le Nom de la Rose*, *L'Alchimiste*, *Cent ans de solitude* et *Le Monde de Sophie*, l'un des plus éblouissants triomphes de librairie de la fin du XXe siècle – le livre que toutes les élites intellectuelles du monde auraient lu, apprécié, recommandé et offert.

Ni vulgarisation scientifique, ni essai historique, ni conte philosophique, ou tout cela à la fois, *Le Nombre de Gorinski* apparut comme un phénomène d'édition profondément singulier – un livre, pour paraphraser un critique allemand, dont nous serions, nous, Européens, les héros, un livre qui serait un roman d'apprentissage visant à faire comprendre à ses lecteurs les spécificités impénétrables de l'âme européenne. Moins un livre, a-t-on pu écrire ici ou là, qu'un manuel de civilisation européenne.

Bill Clinton l'avait lu, tout comme Boris Elstine. Jacques Delors en avait fait son livre de chevet. Gerhard Schröder, Tony Blair et Lionel Jospin l'avaient tous les trois cité dans des discours. Jacques Chirac l'aurait offert à l'empereur du Japon. *L'Europe expliquée au monde* : c'était le bandeau de l'édition japonaise ; *Europe Is Back*, celui de l'édition américaine.

L'Amérique, piquée, produisit d'ailleurs en retour plusieurs livres pour s'expliquer elle-même et se justifier de n'être pas une idéalité mathématique gracieuse et raffinée, mais un pur bloc de réalisme géopolitique. *La Puissance et la Faiblesse*, de Robert Kagan, par exemple, qui utilisait précisément le fiasco yougoslave comme argument principal. Même *Le Choc des civilisations* de Samuel Huntington, sorti quelques mois après *Le Nombre de Gorinski*, fut lu comme une réponse à celui-ci : une tentative de soigneusement renouer ensemble, dans une même civilisation transatlantique, ce que Griff avait si soigneusement dénoué.

La couverture originale, celle de l'édition allemande, reprenait la plus ancienne carte connue de l'Europe, la table de Peutinger, une copie du XIIIᵉ siècle conservée à la bibliothèque nationale de Vienne d'un original romain disparu. C'était une carte à destination des voyageurs, probablement conçue pour être roulée, et anormalement anamorphosée – le document faisait six mètres de long pour trente centimètres de large. La Méditerranée était ainsi à peine plus large que l'Adriatique ou que la mer Noire, les fleuves étaient fins comme des cheveux et les routes anormalement parallèles. Le continent ressemblait à une sorte de couteau suisse aux lames repliées et Rome apparaissait moins au centre du monde qu'à la position du zéro dans la droite des réels.

Et c'était justement cela que la couverture mettait en scène, en transformant la carte en une règle graduée qu'on aurait tordue pour lui donner la forme d'un triangle rectangle qui rappelait grossièrement l'aspect du continent. Rome occupait évidemment l'angle droit. Mais un observateur perspicace notait immédiatement que, les côtés adjacents de ce triangle rectangle faisant une unité de longueur, la mesure de son hypoténuse était un nombre irrationnel, cette racine de 2 qui avait tant embarrassé les pythagoriciens.

Si à aucun moment Griff ne définissait le nombre de Gorinski – à peine saluait-il, dans un bref chapitre, la figure tragique de ce mathématicien « aussi grand que l'Europe » –, il faisait de la découverte de ce premier nombre irrationnel le principal événement de l'histoire antique. Jusque-là, le monde était entier, dénombrable, géométrique et clos – le paradis des arpenteurs. Cette racine de 2 avait tout changé. Le spectaculaire renoncement des Romains aux mathématiques n'en était que la conséquence la plus connue. Un lecteur attentif pouvait tout au plus supposer que ce nombre de Gorinski jouait un rôle similaire pour l'Europe moderne. La découverte soudaine d'une irrationalité irrattrapable au cœur de l'Europe, la fin d'un cycle mathématique millénaire. Peut-être ce nombre était-il même la cause de la séparation abyssale, océanique entre le Vieux Continent et sa colonie américaine. Griff n'en disait rien, mais la couverture américaine du livre mettrait l'Europe dans une position encore plus délicate, en l'assimilant à un triangle friable de Sierpiński.

IV

Longtemps connue des seuls collectionneurs de timbres, la principauté du Karst pourrait bien aujourd'hui, moins de quinze ans après avoir proclamé son indépendance, rivaliser avec la Suisse millénaire. La société Spitz vient en effet de confirmer son entrée dans le club fermé des fabricants de montres d'exception, en dévoilant la Spitz 3141, l'une des montres à complication les plus sophistiquées du monde. Cette intrusion du Karst dans leur chasse gardée ne devrait pourtant pas réussir à effrayer les horlogers suisses : l'objet, intégralement en céramique, restera hors commerce, réservé à une poignée de collectionneurs. Des collectionneurs férus de mathématiques, le chronographe dissimulant un calculateur capable de déterminer autant de décimales de pi qu'on voudra – tant qu'on sera disposé à en tourner l'inépuisable couronne. Le célèbre philosophe français Quentin-Patrick Stern posséderait l'un des dix modèles, ainsi que Griff, l'auteur du *Nombre de Gorinski*, élu best-seller de l'année 1997 par le *New York Times*.

Watch Magazine, winter issue, 2000.

Des cités englouties ; la statuaire grecque comme technique d'apnée.

Le Nombre de Gorinski

Ida avait initialement confié à Verninkt le soin de superviser les premières éditions du Forum de sciences économiques de Karstberg. Le philosophe des mathématiques avait pour lui de bien s'entendre avec le prince Jan. Il rédigeait ainsi de petits textes humoristiques pour la revue karste de philatélie, des textes remplis de références savantes à des paradoxes mathématiques oubliés qu'il s'épuisait à expliquer au prince, et que le prince parfois finissait par comprendre : « J'ai l'intuition qu'un timbre non oblitéré n'est ni vrai ni faux » ou « Si l'on arrache les dents de tous les timbres qui n'ont pas perdu leurs dents eux-mêmes, peut-on encore écrire à son barbier ? ».

C'était un peu désespérant et les premières éditions du Forum furent abominables. À voir les invités qu'avait rassemblés Verninkt, Ida s'était souvenue des garçons qui excellaient autrefois aux mathématiques quand elle

347

était au lycée : des individus malingres, obsessionnels, inadaptés. Le cas de Gödel, à peine exagéré, était emblématique : il devait survivre presque un demi-siècle à son célèbre théorème, mais comme un animal de foire, oubliant de s'alimenter, maigrissant de plus en plus et mourant finalement de faim tout en tentant d'établir une preuve formelle de l'existence de Dieu – Ida trouvait cela aussi pathétique que Verninkt trouvait cela exaltant.

Au mieux, quelques-uns des mathématiciens invités étaient devenus millionnaires en s'associant à des traders qui avaient su exploiter leurs dons pour l'analyse. La plupart auraient pourtant été incapables de gérer un portefeuille boursier et de comprendre quoi que ce soit aux mécanismes monétaires – quand bien même leurs modélisations mathématiques pouvaient les occuper pendant des mois entiers.

Mais ce qui contrariait le plus Ida, c'était de ne pas saisir le dixième de ce qu'ils disaient en conférence. Cela avait quelque chose de contre-productif. Alors que les critiques les plus courantes du libéralisme dénonçaient la décorrélation entre le monde de la finance et l'économie réelle, ces conférences leur donnaient presque raison.

Réunir ainsi annuellement les plus éminents spécialistes de l'économie mathématique, des théoriciens de l'équilibre général, de la théorie des jeux ou du théorème de Kakutani et ne pouvoir, factuellement, discuter avec aucun d'eux – aucun d'eux n'avait d'avis sur quoi que ce soit de concret, certains ne connaissaient même pas les noms des directeurs de la Fed, du FMI ou de l'OMC : c'était profondément absurde.

Le mépris supposé des traders de Wall Street pour la réalité n'était rien au regard de l'insularité théorique des spécialistes de mathématiques financières. Le monde était, pour eux, une simulation dans un supercalculateur. Mais ce genre de simulations elles-mêmes étaient considérées par les plus radicaux comme encore trop empiriques.

Ida comprit qu'il fallait faire du Forum un événement plus vaste. Il fallait passer de la salle des ordinateurs de la tour Venezia au monde entier. Elle limita le pouvoir de nuisance de Verninkt en le nommant conseiller scientifique, et fit appel à QPS, qui présentait un profil beaucoup plus universel, et qui accepta de parrainer le Forum du renouveau, en septembre 2000.

Ida appréciait son entregent, et ne détestait pas sa pensée. Il n'était pas économiste, il n'y connaissait même objectivement pas grand-chose, mais il était quasiment milliardaire et il faisait partie des rares intellectuels qui, à défaut de savoir ce qu'était l'argent, parvenaient au moins à ne pas le haïr. Sa présence au Forum était devenue incontournable et il avait une façon inégalable de lier démocratie libérale et économie de marché.

C'est lui qui avait ainsi suggéré à Ida d'accueillir les lauréats du concours « Avoir 20 ans en l'an 2000 », lui qui avait monté une conférence sur la moralité du capitalisme, et quantité d'autres aux intitulés voisins : « Le rôle social de l'entreprise », « Espace public et sphère privée, le rôle des marques », « Marché ouvert et développement humain : l'équation miraculeuse ? ».

Le Forum serait appelé à devenir, sous son impulsion, un événement beaucoup plus mondain – de l'ordre d'une cour princière de la vieille Europe, avec ses invités prestigieux et ses vedettes passagères. Les conférences de mathématiques financières n'en seraient plus désormais les événements principaux. Ou bien un modérateur complaisant demanderait à Bill Gates ou à Charles Branson s'ils étaient bons en maths au lycée, et le public serait flatté quand l'invité répondrait oui, mais assez poli pour rire, s'il répondait non, au commentaire du modérateur : « Comme quoi on peut bien réussir dans la vie sans les mathématiques. » On aurait aussi demandé à Carlos Slim ou à Pascal Ertanger, deux tycoons des réseaux, s'ils maîtrisaient un tant soit peu les transformées de Fourier à l'origine de leur immense richesse – c'était grâce à elles, n'est-ce pas, qu'ils parvenaient à compresser l'information qu'ils revendaient à leurs abonnés ? Les rares mathématiciens présents à ce genre de conférence étaient implicitement priés de ne pas commenter l'imprécision du modérateur, mais de simplement se réjouir de l'allusion à leur domaine de compétence.

L'art de la conversation n'était finalement pas moins codifié que les mathématiques, et la politesse pas moins contraignante que la logique.

Pour bien notifier ce changement d'esprit, Ida avait recruté l'un des meilleurs ingénieurs horlogers suisses, et lui avait confié une petite équipe chargée de concevoir, pour les dix ans de l'indépendance du Karst, un chronographe exceptionnel. Ce serait la première montre que Spitz commercialiserait depuis vingt ans. Ce serait également, par ses complications mathématiques – faisons-lui calculer les décimales de pi, avait tranché Ida, après deux ou trois réunions avec des ingénieurs vétérans de l'âge d'or des calculateurs –, un hommage à l'histoire industrielle du groupe.

Et quoi de plus séduisant, de plus irrésistible, pour l'élite des décideurs qu'Ida voulait attirer, qu'un produit de grand luxe ?

L'idée plut beaucoup à Jan, qui fut bientôt le premier possesseur d'une Spitz 3141. Le deuxième exemplaire fut offert à QPS par le prince lui-même, en remerciement pour son dévouement à la cause karste pendant les années de guerre – il lui devait tout simplement son trône. Ida insista enfin, avant d'en confier sept autres à des courtiers prestigieux, pour offrir une montre à Griff, qui demeurait, quoi qu'on pense de son parcours, le Karste le plus célèbre de sa génération et l'écrivain national de la jeune principauté.

Verninkt ne reçut pas la décoration mécanique, mais il se vit, en consolation, accorder la nationalité karste, et la chaire Gorinski de l'université de Karstberg.

Ida avait maintenant reconstitué autour de Jan une cour prestigieuse, qui valait largement cette jet-set insolente qu'il fréquentait vingt ans plus tôt – les milliardaires y tenaient lieu d'aristocrates, et la Silicon Valley de principauté excentrique lointaine.

Ida avait même accepté les obsessions ascensionnelles des mathématiciens, qui semblaient tous raffoler d'escalade, et qu'elle avait dû laisser, la deuxième année, ouvrir des voies à l'aplomb de la forteresse, supposément inexpugnable, qui dominait Karstberg – la chose avait été un peu gênante à voir. Mais Ida avait fini par reconnaître que, comme toutes les cours anciennes, celle de Karstberg pouvait avoir ses acrobates en justaucorps – ils participaient à leur façon du spectacle, comme ce jeune prodige qui s'était produit au dîner de gala, et qui savait résoudre trois Rubik's Cube ensemble en jonglant avec eux, ou ce génie du disco italien né dans les Dolomites et visiblement heureux de retrouver, au Karst, un peu de ses paysages d'enfance, dont il essayait peut-être de retranscrire les crêtes étincelantes sur ses synthétiseurs vintage.

Il pourrait avoir existé, avant qu'Hercule n'entrouvre Gibraltar, un continent dont il ne resterait que les Baléares, la Corse, la Sardaigne et la Sicile. D'étranges sources d'eau douce sous-marines ont été signalées à la verticale de Gênes, ainsi que des grottes ornées aux entrées trop profondes pour avoir été parcourues, sans risque, par des peintres amphibies. Venise a l'air d'avoir survécu, seule, à l'engloutissement du continent adriatique, avec quelques îlots escarpés de la côte dalmate.

Le Nombre de Gorinski

Flavio avait lu *Le Nombre de Gorinski* pendant l'été 1999. C'était le dernier été qu'il avait passé en Bretagne. Il venait d'avoir son permis de conduire et la sœur de sa grand-mère lui avait prêté sa petite Twingo rose, avec son joli compteur central et ses ouïes d'aération toutes rondes. Il avait voulu suivre la côte de Saint-Malo à Vannes, et il s'était laissé des dizaines de fois surprendre par la profondeur des abers. Il fallait parfois plus d'une heure pour franchir le bras de mer, cela donnait une impression d'infini particulière, un infini décompté en chapelles.

Son grand-père venait de mourir. Il l'avait vu, ces dernières années, décliner peu à peu. Il n'était pas monté, la dernière année, en haut du cerisier. Flavio avait été marqué par ses yeux, de plus en plus ronds – des petits noyaux sombres et apeurés.

Il avait repensé avec nostalgie aux gestes simples du quotidien et aussi, avec beaucoup de honte, à la fois où son grand-père était venu le chercher à pied au collège et où il avait refusé de lui prendre la main – il avait compris trop tard qu'il avait simplement besoin de son aide pour marcher. Son grand-père s'était aussi toujours obstiné, le matin, à vouloir le déposer en voiture, et Flavio insistait pour qu'il le laisse le plus loin possible du collège.

C'étaient alors les années noires en Algérie et il avait juste le temps d'entendre le décompte des morts de la nuit à la radio : trente villageois égorgés, femmes et enfants violés, à trente kilomètres d'Alger, sept moines décapités, le président assassiné, une caserne prise d'assaut, et encore soixante nouveaux villageois égorgés du côté de Béjaïa – cela semblait ne devoir jamais finir.

Il avait aussi suivi le génocide rwandais au casque sur son Walkman, la tête enfouie, en larmes, dans un oreiller qui sentait son enfance disparue, et il s'était réveillé plusieurs fois avec ses écouteurs encore accrochés aux oreilles, leurs cordons mystérieusement rompus. Il était en Bretagne l'été qui avait suivi, pendant l'épidémie de choléra dans les camps de réfugiés, et il s'était dit toutes les nuits, en écoutant le désarroi des survivants, qu'il partirait le lendemain au réveil, qu'il irait à pied jusqu'à Brest, qu'il embarquerait dans un navire humanitaire qui se rendait à Kinshasa, qu'il remonterait le Congo jusqu'à la région des grands lacs.

Il se souvenait, des années plus tôt, d'être venu à l'école avec un paquet de riz, mais il ne se souvenait plus si c'était pour la Somalie ou l'Éthiopie, ou bien pour cette entité géographique plus vague, le Sahel, qu'il avait longtemps prise pour un pays.

Il y avait eu, aussi, dans son enfance, la guerre du Liban, lointaine, inexplicable, et la guerre Iran-Irak, bizarrement plus compréhensible, avec ce nom qui faisait comme un bruit de kalachnikov.

Il y avait aussi eu la guerre du Golfe et ses images délicates et faïencées qui rappelaient le service à dessert en porcelaine de Gien de sa grand-mère, avec ses motifs pastoraux imprimés en vert tendre, un service qu'il ne fallait absolument pas mettre au lave-vaisselle pour ne pas en effacer les bergères amoureuses – la guerre du Golfe comme fin de toutes les guerres, comme véritable an 2000, comme enfouissement définitif de l'Histoire dans des abysses chlorophylliens, électroniques et délicats.

En lisant, cet été-là, l'avant dernier du millénaire, *Le Nombre de Gorinski*, Flavio s'était dit qu'aucun Européen de sa génération n'avait jamais tellement cru à la guerre, pas plus, en tout cas, que leurs ancêtres n'avaient cru aux fantômes. Le livre, qu'il avait emporté, et promené sur son siège passager à travers la Bretagne, était encore plus fantastique qu'un recueil de légendes anciennes. Et les côtes déchiquetées du littoral breton semblaient reproduire le dessin de l'ombre des Alpes au lever du soleil – ces Alpes d'où venait justement le mystérieux auteur du livre, d'après le petit rabat de la couverture.

C'était la première fois que Flavio avait enregistré l'existence du Karst, qui ne figurait pas dans la liste des micro-États de son encyclopédie Hachette. Son apparition l'avait moins troublé, pendant le conflit yougoslave qui avait accompagné sa puberté, que celle de ses premiers boutons d'acné. Il s'était sans doute trop peu intéressé à la guerre en Yougoslavie. Il se souvenait du pont de Mostar, de Srebrenica et de Sarajevo, mais il aurait été incapable de les placer sur une carte. Il y avait aussi les noms terrifiants des bourreaux, Mladić, Milošević, Karatžić. Tout cela était confus. Des images floues au 20 Heures. Des images salies par la pluie et la boue, exhumées d'un charnier. Flavio se souvenait enfin d'avoir lu, au bord d'une autoroute, la transcription ironique d'un vers célèbre : « OTAN suspends tes vols. »

Un soir, Flavio avait été réveillé par des bruits venus de la forteresse en ruine située au-dessus de son camping. Il avait d'abord cru à un orage, mais il ne pleuvait pas et le tonnerre, trop régulier, évoquait plutôt un bombardement aérien. Il avait mis quelques secondes à comprendre qu'il s'agissait d'un concert de percussions en plein air. Il s'était ainsi bientôt retrouvé en compagnie de quatre ou cinq autres campeurs partis, comme lui, à l'assaut de la forteresse pour assister au concert. Personne n'avait trop envie de payer un ticket, et l'un d'eux, un Bosniaque venu passer un mois en France pour un stage de judo, les avait alors guidés, avec une assurance étonnante, à travers le glacis de la forteresse, jusqu'à une partie effondrée de ses fossés, qui leur permit d'atteindre clandestinement la place d'armes où se tenait le concert. Cela resterait l'unique expédition militaire que Flavio vivrait jamais – un éblouissant succès –, et la façon la plus directe qu'il aurait de participer, avec peut-être un vétéran de celle-ci, à la guerre en Yougoslavie – mais il l'avait très vite perdu dans la foule et il n'en sut jamais plus sur le leader de leur éphémère commando.

Le livre de Griff n'évoquait pas la guerre de façon tellement plus précise que cela. Il chantait plutôt les louanges, et c'est ce qui avait charmé Flavio, de la longue paix qui venait de recommencer en Europe, et qui avait vocation à ne finir jamais – en tout cas tant que les savants continueraient de jouer ici le rôle des anciens chevaliers. L'Europe, pleine de verreries fragiles et de gestes délicats, ressemblait à un laboratoire. C'était dans la science qu'était l'héroïsme véritable de l'Europe ; l'Europe n'était, en dernier lieu, qu'une société savante.

C'est en comprenant cela que Flavio décida, cet été-là, de devenir chercheur.

Il mit plus de temps à comprendre, à réellement comprendre, que son grand-père était mort. Il venait presque d'achever son tour impossible du littoral breton quand il pleura enfin. Il était arrivé sur le site de Carnac. Un grillage empêchait d'approcher les pierres. C'est en réalisant qu'il ne pourrait pas toucher physiquement les menhirs alignés, comme il en avait vaguement eu le projet pendant ces cent derniers kilomètres, qu'il fondit en larmes.

Il réussit néanmoins à se reprendre pour faire l'acquisition consolante, dans la boutique de souvenirs, d'une grande vue synoptique de l'humanité qui représentait cinq mille ans d'histoire, les extrasystoles des empires et les arrêts du cœur imprévus des grandes invasions, sous la forme apaisée de couches géologiques aux teintes pâles. Et l'Europe, au centre, bariolée d'accidents merveilleux et d'hégémonies impossibles, lui promettait, quand il l'aurait accrochée au mur en face de son bureau, dans l'internat du lycée de Fontainebleau où il allait entrer en prépa, d'être sa bienveillante et sa mystérieuse compagne pendant ses longues nuits d'étude.

Remonter l'Atlantide, urbaniser les Alpes. Les Alpes comme haut-fond de la mer intérieure européenne. Les Alpes et leur Atlantide, la Suisse, à la prospérité insolente malgré son choix d'une technologie alternative – l'horlogerie plutôt que l'informatique, les ressorts en spirale plutôt que le quartz imputrescible.

Le Nombre de Gorinski

La complication était intéressante, mais ce n'était pas non plus une Patek Philippe, et le Karst n'était pas encore tout à fait la Suisse. La montre était aussi un peu lourde, et il aurait préféré porter la vieille Reverso de son père, d'autant que la valeur de pi lui importait peu.

QPS avait néanmoins accepté de bonne grâce de servir d'ambassadeur à l'industrie karste. Il devait justement retrouver Aydemir, le diplomate turc qui l'avait tant irrité une quinzaine d'années plus tôt à Davos, il se souvenait de l'étrange briquet avec lequel le diplomate jouait alors, et il n'était pas mécontent d'avoir à son tour quelque chose d'intrigant pour s'occuper les mains – une couronne qui calculait pi : après tout, pourquoi pas.

La table ronde, qui se tenait dans l'ancienne salle d'armes de la citadelle, devait porter sur les frontières de l'Europe. Il avait retrouvé là son vieil ami, le dramaturge bosniaque Armin Halilović, qui avait égayé le public avec une anecdote bien dans sa manière, tragique et bouffonne : il s'était pris des éclats de shrapnel partout à travers le corps pendant le siège de Sarajevo et il sonnait, depuis, à tous les portiques d'aéroport. Il était devenu l'homme frontière, le tocsin de tous les clochers d'Europe, le messager de l'apocalypse.

Il y avait aussi un géographe français, un spécialiste des frontières, qui l'avait un peu irrité, avec ses positions iconoclastes frôlant le nationalisme : la frontière était une ressource économique, un lieu d'échange, quelque chose de complémentaire des marchés, quand il s'agissait d'échanger main-d'œuvre, services et marchandises. Et si l'on devait résumer honnêtement les années qui venaient de s'écouler en Europe, la construction de nouvelles frontières représentait un événement au moins aussi important que l'intégration européenne : séparation de la Tchécoslovaquie, éclatement de la Yougoslavie, permanence des questions irlandaises, basques et catalanes – l'Europe était le lieu du monde où il s'était créé, ces dernières années, le plus de frontières, le lieu du monde où l'expérience nationale tournait à plein régime, et n'avait peut-être pas encore donné son plein rendement : des régions entières, la Bretagne, la Wallonie, la plaine du Pô, attendaient dans l'ombre.

QPS avait trouvé ces considérations dangereusement bellicistes, et s'apprêtait à répondre, quand le débat s'était heureusement tourné vers la question de l'intégration de la Turquie à l'Union européenne.

Halilović avait défendu, avec un certain talent, une position intéressante : le jour où toutes les anciennes républiques yougoslaves auraient rejoint l'Europe de Bruxelles, le dernier obstacle, plus métaphysique que géographique, à l'intégration de la Turquie disparaîtrait. QPS avait froncé les sourcils et ressorti un argument qu'il avait déjà utilisé : et pourquoi pas le Maroc, alors ? Gibraltar était à peine plus large que les Dardanelles et Ceuta et Metilla valaient bien Istanbul. Céder sur les frontières de l'Europe, c'était retomber mécaniquement dans le péché de l'impérialisme. Halilović avait poliment souri, et laissé la parole au diplomate turc.

« Nous sommes dans l'OTAN, nous allons à l'Eurovision et nos deux meilleures équipes de foot participent tous les ans à la Ligue des Champions. Vous ne pourrez éternellement nous refaire le coup des valeurs chrétiennes, ni de la démocratie. »

Il jouait, comme il y a dix ans, avec son étrange briquet, en montrant au public ses belles et longues mains blanches.

« Vous pensez que vous êtes rationnels, que votre système politique libéral est rationnel. Vous ne supportez pas le sacrifice d'un seul individu au nom de tous les autres. Votre héros politique, c'est Alcibiade. Le meilleur des Athéniens, l'élève de Socrate. La beauté, l'intelligence et la grâce. Et pour se protéger lui-même, lui seul, après sa condamnation à mort suite à une affaire de blasphème, il va rejoindre Sparte, le grand ennemi, et retourner son épée contre Athènes. C'est le cas le plus avéré de trahison de toute l'histoire antique, et personne, pas même Platon, ne semble le condamner tout à fait. Voici votre faiblesse, à vous, Européens, individualistes fanatiques : le pardon d'Alcibiade. Au fond, le Christ ne vous bouleversera pas tellement plus. C'est peut-être même à cause d'Alcibiade que vous êtes devenus chrétiens. Et c'est Alcibiade encore que vous continuez à admirer derrière votre culte irrationnel de l'individu libéral. C'est Alcibiade que vous subventionnez derrière tous ces avocats des droits de l'homme que vous soutenez d'Istanbul à Pékin. Mais nous connaissons bien Alcibiade. Nous l'avons accueilli dans les faubourgs asiatiques d'Istanbul après son ultime trahison, quand il s'est mis au service d'un satrape perse en Bithynie. Quel est ce système politique qui repose ainsi sur la trahison ? Vous vous étonnez de rencontrer des problèmes pour l'exporter encore, après la parenthèse miraculeuse de votre trop facile victoire de 1989 ? Je suis un humaniste, comme vous. Comme vous, je n'aime pas voir des hommes en prison et ne cultiverai jamais l'assassinat politique. Mais pensez au mal qu'un homme seul peut faire à toute une société. Au stress qu'un homme seul peut lui faire ressentir. L'homme de la rue, à Pékin ou à Istanbul, respecte son gouvernement. Et c'est dans ce respect qu'il trouve sa dignité d'homme – dans une société harmonieuse. »

C'était donc cela, la grande théorie politique d'Aydemir, cette théorie qu'il avait mentionnée autrefois et qui faisait d'Alcibiade le point faible de l'Europe – l'inspiration despotique n'en était que trop évidente : ce n'était pas le traître qu'Aydemir condamnait, mais la fidélité à soi-même, l'insoumission fondamentale. Il aurait alors été suffisant, pour emporter l'adhésion du public, d'opposer la grandeur littéraire et philosophique de tous les Alcibiade, de tous les individus libres, à l'étroitesse de tous les Xerxès et de tous les Darius, et de comparer le nombre de ceux qui, dans le public, étaient allés visiter, dans les ruines de Persépolis, le triste tombeau d'Artaxerxès, le contemporain d'Alcibiade, et de ceux qui avaient lu *Le Banquet* de Platon.

Au lieu de cela, et peut-être seulement car il était au Karst et qu'il entendait parler d'économie depuis trois jours, QPS préféra convoquer la polémique monétaire qui avait opposé dans les années 20 le libéral von Mises aux économistes soviétiques : le prix des choses était, pour l'économiste autrichien, une simple information sur leur abondance ou leur rareté – mais cette information, c'était là tout le point, ne pouvait être extraite que par un mécanisme empirique, un mécanisme de calcul distribué à travers le monde, et décentralisé, un mécanisme connu sous le nom de *marché*, et régi par les lois de l'offre et de la demande, quand les Soviétiques entendaient y substituer une régie centrale des prix, une sorte d'énorme ordinateur qui recevrait en input toutes les données économiques et qui sortirait des informations fiables sur la rareté et l'abondance de tous les biens terrestres. Si tant est qu'elle puisse exister, une telle machine permettrait de dépasser le système de l'argent, et d'établir enfin le paradis communiste sur cette terre – et il y avait eu après guerre des tentatives vaines pour la construire, en URSS, évidemment, mais aussi, plus récemment, dans le Chili d'Allende – avant qu'un mathématicien, dont le nom lui échappait, démontre l'inanité théorique de tous ces projets d'économie dirigée.

QPS s'était lancé là dans une démonstration difficile. Mais il était sur le point de la réussir, en comparant cet ordinateur impossible aux fantasmes confucéens ou ottomans de sociétés parfaites, et cette fixation libre des prix à une coalition accidentelle d'individus libres, à un calcul distribué dans des millions d'Alcibiade quand, cherchant le nom de ce mathématicien qui aurait démontré que le libéralisme n'était pas le désordre, mais une promesse d'efficacité supérieure, alliée à une garantie de douceur, il perdit soudain le fil de sa pensée.

QPS, pourtant habitué à de telles prouesses rhétoriques, avait été trahi par sa mémoire et, rebondissant de la plus mauvaise façon qui soit, il commit alors l'un des pires contresens de sa carrière intellectuelle en vantant, sous l'influence des théories de ce mathématicien et après les folies cybernétiques d'Allende, le retour du Chili à l'orthodoxie libérale, sous la conduite des Chicagos Boys de Milton Friedman, un élève de Hayek, lui-même élève de von Mises. C'est en voyant passer un sourire sur les lèvres d'Aydemir que QPS comprit son erreur. Pinochet. Il avait oublié Pinochet.

Il chercha mécaniquement la caméra, comme il le faisait à chaque entartage. Sauf qu'il s'était cette fois-ci entarté lui-même – et que le fasciste, pour la première fois de sa vie, c'était lui. Il n'y avait pas de caméra, mais seulement le sourire fin d'Aydemir.

Les Cascatelles de Tivoli, de Fragonard : la cascade est reléguée au fond du tableau et la prouesse architecturale du pont qui enjambe le gouffre est oubliée depuis longtemps, laissée à la végétation, presque naturalisée.

Le Nombre de Gorinski

Flavio avait fini par enquêter sur ses origines.

Monaco revenait toujours, dans ses hypothèses sur le secret de sa naissance, comme la seule véritable anomalie de sa vie. Il s'en était voulu, à la mort de son grand-père, de ne jamais l'avoir sérieusement interrogé. Il s'en était voulu aussi de ne pas avoir profité du temps du deuil, propice aux confessions, pour interroger sa grand-mère. Grandir avec un mystère rend respectueux de celui-ci. Mais grandir avec un mystère rend également attentif aux signes, à tout ce qui résonne, à tout ce qui sonne creux et aux choses qui pourraient venir, de l'autre côté, perturber le pacte du silence.

Ses premiers soupçons remontaient à un cours de sciences naturelles : Flavio venait d'apprendre que l'eau était inodore, incolore, insipide. Il se revoyait poser la question à sa maîtresse, qui ne la comprenait pas : pour nous seulement, ou bien en général ? Il avait cinq ou six ans, et encore du mal à formuler sa pensée. Il n'y parviendrait que beaucoup plus tard, et cela lui vaudrait la meilleure note de sa classe, à sa première dissertation de philosophie : le poisson de la mer peut-il savoir que l'eau est salée ?

Mais ce que Flavio aurait vraiment désiré savoir, c'était s'il existait un moyen de se prémunir d'une tentative d'empoisonnement – Flavio, depuis toujours, avait ce genre de fantasmes. Il avait jeté tous les bonbons qu'une femme de ménage de son école lui avait offerts un jour qu'il pleurait sous le préau. Pourquoi pleurait-il, d'ailleurs ? Il ne s'en souvenait plus.

D'autres mystères, plus criminels, lui apparaissaient parfois. Il avait pris, pendant des années, une vessie de porc laissée à sécher sur une armoire dans un grenier de la maison de Bretagne pour un crâne humain, et avait accepté cette idée sans poser de question. Il se souvenait aussi d'une promenade en forêt avec ses grands-parents. Ils étaient tombés sur une gigantesque construction à moitié enterrée et fermée par des trappes rondes. Son grand-père lui avait expliqué qu'il s'agissait d'une citerne d'eau, à destination de la ville voisine. Étonnamment, Flavio ne l'avait pas cru. Alors son grand-père était monté sur l'édifice et avait entrepris d'en soulever la trappe. Flavio avait fait semblant de rire, et il s'entendrait longtemps formuler cette hypothèse ridicule : cela devait être rempli de confiture. Mais il avait dit « confiture » en pensant « cadavres » avec effroi : il était certain, de façon inexplicable, que la citerne était remplie de cadavres, et qu'il ne fallait absolument pas l'ouvrir.

Flavio imaginait ainsi depuis l'enfance toutes sortes de conspirations autour de lui. Dans la plus récurrente, il était le seul être humain sur Terre, et tous les autres individus étaient d'une espèce étrangère, et peut-être inconsciente, qui imiterait la vie humaine en sa présence. Plus tard, à l'adolescence, se découvrant un garçon timide et complexé, Flavio renverserait le sens de cette fable, en imaginant que c'étaient les autres qui vivaient avec une spontanéité insolente, et lui qui venait d'une espèce étrangère. Il avait entendu, un jour, sa grand-mère prononcer le mot « autisme » à son sujet, et il avait apprécié le charme cybernétique du terme, qu'il avait spontanément relié au monde des automates, et qui semblait s'accorder parfaitement avec certaines routines qu'il avait secrètement mises en place à l'enfance : toucher du doigt tous les coins de la chambre avant de s'endormir, disposer ses chaussons et ses vêtements d'une certaine manière sur le vieux prie-Dieu, au pied de son lit – à la manière de l'être humain dont il revêtirait le lendemain au réveil la panoplie complète. Il était curieux, intelligent, il apprenait vite à l'école, cependant rien, dans le programme, ne le surprenait tout à fait. Il sentait quelque chose, autour de lui, comme un logos universel, une langue commune entre lui et les êtres inanimés du monde. Les branches du cerisier, à sa fenêtre, ne lui paraissaient pas dessiner des chemins absolument inexplicables. Il ferait siennes, bien plus tard et sans aucune difficulté, les théories du *Ménon* sur la réminiscence – mais lui, de quoi était-il l'esclave ?

Il y avait deux princesses, à Monaco, au moment de sa naissance. Deux princesses et deux princes, le père et le fils. Flavio avait tout imaginé, jusqu'à d'horribles relations incestueuses entre tous ces personnages. Mais il s'était heureusement souvenu de ce que lui avait expliqué son grand-père, dans le bureau du directeur de l'école : que son existence était problématique parce qu'elle impliquait une alliance entre deux familles qui n'auraient pas dû se croiser.

Flavio avait ainsi passé un été entier à étudier les différentes familles régnantes d'Europe pour découvrir laquelle pouvait avoir fabriqué cette petite anomalie généalogique. Il avait même fini par écrire son propre programme informatique, un programme spécialisé dans les questions de succession et fonctionnant comme un automate cellulaire, pour les règles standard – héritage direct, primogéniture, loi salique –, et comme un jeu d'échecs pour certains cas particuliers qui obligeaient à se mouvoir, à la façon d'un cavalier, entre les branches familiales et les générations – dispenses papales pour des mariages consanguins, transmissions à la branche voisine en cas de décès sans héritier, question complexe de la bâtardise.

Flavio, initié par son moniteur de plongée, qui en était l'un des référents français, était alors fasciné par Stephen Wolfram, cet informaticien anglais prodige qui prétendait révolutionner à lui seul toutes les sciences réunies par l'application systématique des résultats auxquels ses automates cellulaires lui avaient donné accès. Ses simulations grisâtres formaient en tout cas, après quelques itérations simples, des systèmes karstiques sophistiqués et aléatoires remplis de cavités de toutes les tailles aux plafonds desquelles pendaient des longues stalactites qui semblaient imiter les aspects simultanément ordonnés et chaotiques du monde réel encore mieux que n'y était parvenu Léonard de Vinci – l'unique compétiteur que le moniteur de plongée reconnaissait à Wolfram – dans ses carnets ou dans les fonds vaporeux de ses tableaux. Ce que Wolfram avait entrepris était herculéen – il s'agissait d'une réécriture complète des sciences naturelles, sciences mathématiques comprises, par des automates cellulaires – et Flavio, tout à l'insolence de ses dix-huit ans, se serait bien vu le seconder pour la démographie et l'histoire. Il n'y était pas complètement parvenu, bien sûr. Mais il avait fini par vendre à un petit éditeur la licence d'un logiciel qui était rapidement devenu la référence dans le domaine de la généalogie. Une sorte de robot vérificateur, de machine à remonter les arbres et à dénouer les nœuds les plus bizarres des systèmes familiaux.

Flavio n'avait cependant rien appris sur le secret de sa naissance. Il n'avait fait qu'obtenir la confirmation, après des journées de codage et des heures de calculs, de choses qu'il avait déjà apprises dans les livres d'histoire utilisés pour nourrir ses algorithmes. Le seul événement significatif qu'il avait isolé, c'était peut-être cette lointaine querelle de succession qui aurait pu aboutir au règne d'un prince allemand sur Monaco – la France s'était tout de suite imaginée avec une base de sous-marins allemands en Méditerranée, et la constitution monégasque avait dû être modifiée en urgence.

Tout ce que Flavio avait découvert, à l'issue de son délire généalogique estival, c'était ce que n'importe quel héritier de n'importe quel trône au énième rang savait, pour avoir entendu ses parents et les proches de ceux-ci en parler devant lui depuis l'enfance – le rayonnement diffus des anciennes monarchies à travers l'Europe démocratique, des histoires d'alliances, de châteaux, de blasons, les reliques d'un monde englouti dont les cloches, ici ou là, dans les derniers royaumes et les dernières principautés du continent, tintaient encore faiblement à travers les vitraux fatigués de la presse people. C'était comme cela que Flavio était entré dans ce monde perdu – moins par sa naissance que par son travail. Et il avait utilisé l'argent qu'il avait gagné avec la vente de son logiciel pour s'acheter une combinaison de plongée neuve, afin de mieux retourner dans son monde aquatique et explorer les branches de l'arbre phylogénétique du vivant, qui valait pour lui tous les arbres généalogiques.

C'est Turner qui popularisera la beauté luciférienne des infrastructures alpines, avec sa célèbre vue du pont du Diable, dans les gorges des Schöllenen, en Suisse, sur le chemin du col du Saint-Gothard – la grande porte de l'Europe, le lieu de passage le plus direct entre la mer du Nord et la Méditerranée, entre l'Europe germanique et l'Europe latine.

Le Nombre de Gorinski

— Enculé de colibri !

QPS était ce jour-là d'une humeur exécrable. C'était à cause d'un livre qui allait paraître dans quelques jours. Il s'en était procuré les épreuves et il revenait d'une semaine à Marrakech où il avait étudié minutieusement la façon de préparer une riposte. Des vacances gâchées, pires encore que la fois où le filtre de la piscine s'était bouché et que l'eau était devenue irrémédiablement verdâtre et puante. Le livre, d'ailleurs, lui avait fait le même effet : ils avaient dû mettre leurs dix cerveaux à pourrir tous ensemble pour fabriquer un objet aussi nauséabond. Car c'était un livre collectif, évidemment : à croire que

369

ses collègues ne savaient plus penser seuls et avaient renoncé à tout héroïsme intellectuel.

Ses auteurs avaient été réunis par un célèbre économiste de gauche nommé Paretti. La mondialisation, le grand événement du début du troisième millénaire, avait fait des économistes les intellectuels dominants de l'époque ; les gens, c'était une nouveauté, s'intéressaient désormais à l'économie, comme ils s'étaient intéressés à la sémiologie du vivant de Barthes, à la sociologie avec Bourdieu, à l'anthropologie du temps de Lévi-Strauss. Depuis la crise de 2008, la chose s'était encore accentuée, et QPS savait que ses livres se vendaient désormais moins que n'importe quel « Que sais-je ? » sur la taxe Tobin, que n'importe quel manifeste à ne pas rembourser la dette ou à égorger son banquier. Car les nouveaux amateurs d'économie ne s'intéressaient évidemment pas à la fixation des taux d'intérêt ou aux mécanismes de l'offre et de la demande. Ils réfutaient même absolument qu'il puisse exister des lois ou même un consensus sur quelques mécanismes primaires. Ils souriaient quand ils reconnaissaient, dans les discours politiques, des arguments néoclassiques éculés. Ils avaient appris à distinguer, derrière le faux bon sens des libéraux, l'antiétatisme traditionnel de l'école autrichienne. Et ils n'hésitaient pas à voir dans la crise actuelle, plutôt qu'un risque renouvelé de guerre mondiale, une victoire idéologique et un cinglant démenti à l'arrogant slogan des années Reagan-Thatcher : « *TINA, There Is No Alternative.* » Keynes, on en était certain, aurait rejeté en riant les critères de Maastricht : à quoi bon s'obstiner à tenir les 3 % de déficit budgétaire quand on avait à ce point besoin d'investissement public ? Tout le monde savait cela, pas besoin d'avoir étudié l'économie pendant dix ans. Ils avaient, eux, les pieds sur terre, contrairement aux banquiers qui flottaient dans une sorte d'antigravité mathématique malsaine. On ne faisait, c'était terrifiant à voir, plus aucune différence entre Alan Greenspan et Bernard Madoff.

Les plus acharnés avaient même repris l'habitude, oubliée depuis les lointaines années 70, de faire semblant d'avoir lu Marx. QPS avait été, alors, l'un des seuls à le lire vraiment. Il possédait encore son édition annotée. Et il avait aussi, quelque part, dans l'une des pièces de son hôtel particulier, une pochette qui contenait les cours d'Althusser – son ancien maître, et peut-être le dernier marxiste d'Europe. C'était Althusser lui-même qui s'était défini ainsi, quand QPS lui avait fait comprendre qu'il ne serait pas son élève – cela lui était moralement impossible, maintenant qu'il avait lu Soljenitsyne.

Le marxisme s'était dissous dans l'interprétation canonique qu'en avait donnée l'Histoire : une philosophie intrinsèquement criminelle. La folie de notre temps, la dernière tentation des modernes.

Le Livre noir du communisme, en 1997, arrivait au chiffre rond de cent millions de morts. Le record serait-il battu ? C'était la première chose que QPS s'était dite quand il avait eu entre les mains les épreuves du *Livre noir du libéralisme*. Les cent millions de morts étaient bien atteints, et évidemment grâce au Chili de Pinochet.

On ne pouvait pas reprocher à Paretti de ne pas avoir lu Marx. Son livre le plus connu jusque-là s'appelait *Marx au XXIᵉ siècle*. C'était une analyse, plutôt argumentée, des mouvements d'accumulation du capital à l'ère contemporaine. À la théorie du ruissellement, qui faisait des ultrariches des sortes de mécènes obligés de dépenser et d'investir leur fortune gigantesque, l'économiste opposait sa facile doxa néomarxiste : les revenus du capital excédant trop largement ceux du travail, les inégalités étaient toujours plus grandes et les ultrariches avaient fait sécession. Ils formaient, dorénavant, une classe autonome. En face d'elle, ni les classes populaires, ni les classes moyennes, ni la bourgeoisie elle-même ne pouvaient résister, et tous tendaient à intégrer une sorte de superprolétariat qui représentait 99 % de la population mondiale.

Le nouveau livre s'ouvrait sur une citation facile de Warren Buffett : « Il y a une guerre des classes, c'est un fait. Mais c'est ma classe, la classe des riches, qui mène cette guerre et qui est en train de la gagner. » QPS faisait partie des maléfiques 1 % – il avait demandé à son comptable de lui donner, ce qu'il ne faisait jamais, une estimation précise de sa fortune pour en être bien sûr.

On savait, cela faisait l'objet, depuis trente ans, d'un nombre incalculable de caricatures plus ou moins antisémites, que QPS était riche. Il était l'intellectuel le plus riche de France. Peut-être même d'Europe.

Toute attaque contre les riches, avait-il fini par se convaincre, était une attaque déguisée contre lui. Depuis deux ou trois ans, QPS tenait ainsi Paretti pour un ennemi personnel. Il avait même recruté plusieurs doctorants en économie, qu'il avait chargés de lui rédiger des fiches dont il s'était abondamment servi pour attaquer les présupposés idéologiques de son adversaire, le confronter à ses erreurs factuelles ou dénoncer son goût obscur pour l'apocalypse – il avait ainsi déclaré, dans une interview, que les seules politiques de redistribution vraiment efficaces qu'on ait vues en Europe étaient la guerre mondiale et la peste noire. Et pourquoi pas, tant qu'on y était, un hiver nucléaire pour lutter contre le réchauffement climatique ?

QPS s'était souvent rendu, avant la chute du mur, dans le bloc de l'Est. Comme sympathisant idéologique au tout début des années 70, comme amer contempteur du totalitarisme ensuite. Il avait rencontré des dizaines de dissidents. Il avait vu la censure et l'ostracisme social à l'œuvre, les assignations à domicile, les exils intérieurs, les cas de dépressions paroxystiques, les solipsismes contraints et poussés jusqu'au suicide.

Il n'aurait jamais pensé devenir un dissident dans son propre pays. Mais on détestait les milliardaires, c'était désormais un fait acquis, on les détestait presque plus qu'on avait autrefois détesté les multinationales. C'étaient eux qu'on accusait aujourd'hui d'empoissonner la terre. Lui-même était accusé, sur certains sites complotistes, d'avoir dépecé les plus anciennes forêts d'Afrique pour permettre à ses amis milliardaires de décorer leurs yachts ou leurs jets.

On avait, enfin, trouvé une réponse à l'énigme du mal : le capitalisme avait détruit la Terre, le libéralisme avait détruit les cœurs.

> Le pont du Diable, aussi fin qu'un dessin technique,
> est la seule courbe régulière d'un paysage incalculable.

Le Nombre de Gorinski

La pratique régulière de l'escalade et de la plongée avait conduit Flavio à s'inscrire à un club de spéléologie, pour réunir ses deux passions.

Il avait visité les parties interdites au public du complexe d'Arcy-sur-Cure et exploré, en plein centre-ville de Châteaudun, les grottes du Foulon. Il était descendu en rappel au fond du gouffre de Padirac l'été de ses seize ans et avait remonté là-bas son premier siphon.

Il s'était inscrit en filière scientifique et, par paresse ou par imprégnation familiale, était entré en prépa agro au lycée François-Ier de Fontainebleau.

Son professeur de géographie l'avait facilement convaincu de s'inscrire au concours « Avoir 20 ans en l'an 2000 » organisé par la Commission européenne, et financé par la fondation Spitz.

Il fallait imaginer le futur de l'Europe en 2050 – il s'agissait de décrire son Europe idéale, celle dans laquelle il désirerait mourir. Ils avaient été plusieurs milliers à participer à travers le continent et Flavio, le lauréat français, avait retrouvé à l'été 2000 les quatorze autres vainqueurs nationaux pour un long périple à travers l'Europe : la visite des quinze capitales des États de l'Union, suivie d'une invitation au Forum de Karstberg.

L'Europe en 2050 : Flavio avait imaginé un récit en deux temps, inspiré de ses deux chapitres préférés du *Livre des records*, celui consacré au triomphe du génie civil et celui consacré aux grandes catastrophes.

Le récit de Flavio s'ouvrait sur l'incendie qui venait de ravager le tunnel du Mont-Blanc, dans lequel on disait que même les os des victimes avaient été réduits en cendres par la chaleur, avant d'enchaîner sur le naufrage de l'*Estonia*, en 1994 – la plus grande catastrophe navale en temps de paix depuis le Titanic, près de huit cents morts noyés dans l'eau glacée de la Baltique, entre l'Estonie et la Suède. Flavio avait ensuite imaginé comment l'Europe pourrait, à l'avenir, se prémunir de ce genre de catastrophes. C'était un catalogue d'ouvrages d'art, déjà bâtis ou à bâtir. Cela commençait par le pont qui reliait Malmö à Copenhague, et qui venait refermer délicatement la péninsule scandinave sur l'Europe centrale, un pont qui entrait dans la mer, au milieu d'une île artificielle, pour se transformer en tunnel – un miracle d'ingénierie civile. Le tunnel sous la Manche, ainsi qu'un hypothétique ouvrage d'art entre le pays de Galles et l'Irlande auraient achevé de recoudre la partie nord du continent. Les Pays-Bas avaient par ailleurs quadruplé de taille et on avait relié entre elles la plupart des plateformes pétrolières de la mer du Nord pour former un grand plateau artificiel à la verticale des forêts englouties du Jutland. On avait aussi lissé les Alpes qui, non seulement pouvaient être traversées du nord au sud, mais également parcourues d'est en ouest, sur une vertigineuse « Autoroute des Crêtes » reliant Bucarest à Marseille. Un train à grande vitesse mettait également Vienne à moins de deux heures de Trieste, un train que par coquetterie Flavio avait fait passer par ce Karst dont il venait de découvrir l'existence dans le livre de Griff. Il avait même imaginé, sur le modèle de la nouvelle gare de Monaco, tout un complexe souterrain qui doublait presque, en sous-œuvre, la taille de la principauté. Flavio avait enfin rêvé d'un désenclavement spectaculaire de l'Europe du Sud, via un pont suspendu au-dessus de l'Adriatique, entre l'Albanie et les Pouilles, puis entre la Calabre et la Sicile, et enfin entre la Sicile et la Tunisie – le concept d'Europe achevait de se brouiller, enfin, avec un long tunnel sous le détroit de Gibraltar.

Le jury, qui comptait Ida et QPS parmi ses membres, avait été exalté. Et Flavio avait ainsi passé un été merveilleux en compagnie des autres finalistes nationaux. Il avait même découvert que sa frêle blondeur juvénile plaisait aux filles et il avait fait l'amour pour la première fois au Luxembourg, sa quatrième étape, avec la lauréate autrichienne – elle avait imaginé un parlement des enfants dont la sagesse éblouissait le monde des adultes.

La tournée de la délégation des lauréats, échantillon idéal de l'Europe de demain, devait enfin se rendre au Karst en septembre. C'était, entre eux, un sujet de blagues récurrentes : ce pays existait-il vraiment ?

Un jour, alors qu'avec ses grands-parents Flavio se rendait comme chaque été en Bretagne, ils avaient dû quitter l'autoroute à cause d'un accident. Ils s'étaient retrouvés dans un paysage de bocage très dense avec, ici ou là, au bord d'une rivière, de jolies falaises bleutées et des châteaux construits entre elles et le cours paisible de l'eau. Il y avait aussi un village au sommet d'une colline, et Flavio avait demandé où ils étaient. Il ne se souvenait plus du nom que sa grand-mère avait donné, mais il se souvenait précisément de ce qu'elle avait ajouté : c'est un petit pays. L'espace d'un instant, Flavio avait pris l'expression au sens littéral, et il s'était étonné de ce qu'il puisse exister dans ce territoire, si dense qu'il laissait à peine dépasser les épis grumeleux des clochers, un pays dont il n'avait encore jamais entendu parler.

Le Karst avait joué à peu près le même rôle, pendant ce long été paneuropéen et initiatique – celui d'une énigme géographique, d'une erreur dans le remplissage de la carte.

Flavio avait assisté là-bas à une conférence intitulée : « Le capitalisme est-il moral ? » Le premier intervenant, un Français, avait d'abord expliqué que la question était mal posée : si l'on en revenait à Pascal, et à la distinction qu'il faisait entre les différents ordres de l'activité humaine, le commerce, l'économie et la finance n'avaient rien à voir avec la moralité. Son contradicteur, un Anglais, défendait une position exactement inverse, qu'il fondait sur sa lecture de la *Théorie des sentiments moraux* d'Adam Smith : la mystérieuse *main invisible* du marché, qui rendait les intérêts individuels compatibles avec le bien général, n'était autre, en dernier lieu, que l'empathie.

Quitté par sa petite amie autrichienne, Flavio avait passé toute la soirée à pleurer à la fenêtre de sa chambre et il ne se souvenait, de son court séjour, que des toits pentus de la vieille ville et la présence inquiétante, au matin, d'une forteresse lugubre qui déployait ses bannières jaunes et noires au-dessus d'une mer de nuages.

Le pont du Diable sera doublé, triplé. Un premier tunnel ferroviaire sera creusé, puis un autre, des dizaines d'autres. Le Mont-Blanc lui-même, l'obstacle principal, sera depuis longtemps devenu le nom d'un tunnel routier.

Le Nombre de Gorinski

QPS en était de plus en plus certain : un jour, on viendrait le chercher. On viendrait le chercher dans son bel hôtel particulier de l'île Saint-Louis. Lui qui dormait si bien, même au milieu des guerres dans le vacarme de la mort, en avait perdu le sommeil. Lui qui se réveillait chaque matin à cinq heures en pleine forme et qui hurlait son amour du monde en prenant une douche glacée multijets restait parfois au lit jusqu'à dix heures, pour récupérer de ses insomnies.

Il avait peur, depuis quelques mois. Depuis la crise de 2008. Depuis la parution de cet appel au meurtre déguisé en livre noir. Le consensus libéral était en train d'exploser. On avait trouvé le nouveau nom du mal, on était passé, avait noté QPS en marge de son exemplaire, « de la main invisible à la main du diable ».

Depuis quand « libéral » était-il devenu une insulte ?
Depuis quand les hommes avaient-ils renoncé à la liberté ?

Il se souvenait, enfant, des oiseaux que son père lui montrait quand ils se regroupaient en face des fenêtres de sa chambre, dans le feuillage des arbres du quai : « Regarde-les : ils sont libres. Ils vont partir en Afrique et ils reviendront au printemps, comme des saisons devenues vivantes. » Il n'avait jamais raconté à son fils comment il avait traversé lui-même la zone de démarcation et la Méditerranée, à l'automne 1942. Mais il lui avait légué l'amour de la liberté et le goût des oiseaux.

Repensant à ces oiseaux innombrables, alors que sa voiture glissait, silencieuse, le long de la Seine, QPS se raidit, soudain, en se souvenant de cette théorie en vogue. La théorie du colibri. Il y avait un incendie dans la savane. Tous les animaux apportaient de l'eau pour l'éteindre. Le colibri lui-même faisait des allers-retours pour apporter quelques gouttes dans son bec. Le pélican, ou bien l'éléphant, il ne savait plus, lui faisait remarquer que ce n'était peut-être pas la peine. Ce à quoi le colibri répondait : « Je fais ma part. » C'était la fable d'un écologiste à la mode. Un vieil agriculteur qui faisait partie des contributeurs réunis par Paretti pour composer sa somme obscurantiste. Il avait rédigé le chapitre « L'agriculture moderne, un crime contre l'humanité. »

— Et la faim dans le monde, connard. Il t'en faut combien, encore, de guerres mondiales, pour tenir tes objectifs de décroissance ? Connard d'enculé de colibri.

Son chauffeur, Goran, s'était retourné :

— Tout va bien, monsieur ?

— Oui, roulez. Tout va bien. Ou plutôt, non. Rien ne va plus. Vous avez entendu parler de la théorie du colibri ?

— L'histoire de cet oiseau héroïque qui "fait sa part". C'est une très belle histoire. Ma fille faisait le colibri pour le spectacle de fin d'année de son école.

— C'est une véritable épidémie ! Ce colibri va tous nous tuer ! Le colibrisme est le nouveau nom du fascisme !

— Je ne vous suis pas, monsieur...

— Vous connaissez l'*Encyclopédie*, de Diderot et d'Alembert ?

— Oui, je crois... Ce sont les livres qu'il y a dans votre bureau.

— Exactement. L'édition originale, le cadeau que m'a fait mon père pour mes vingt ans. Il y a une planche célèbre, la plus célèbre de toutes, même, qui représente une fabrique d'épingles. Un atelier, avec ses machines et ses ouvriers. On est au début de la révolution industrielle, mais tout est organisé, ici, comme dans les usines du siècle suivant.

— Des épingles à coudre ?

— Exactement. De minuscules épingles. Mais ces épingles vont donner naissance à une théorie fantastique. Une théorie posée sur la tête de ces épingles et imaginée par Adam Smith, l'un des pères du libéralisme, le grand théoricien écossais de l'économie. Il a découvert là le concept prodigieux – véritablement prodigieux, qui tient du prodige – de la division du travail. Il y a dix ouvriers et autant de machines. Ce ne sont pas directement des machines, comme on le croit trop souvent, que vient la véritable révolution. La révolution vient de l'organisation du travail, de son découpage en tâches élémentaires. Et les résultats sont exceptionnels. Alors qu'il faudrait à un homme seul – et c'est là qu'on retrouve notre petit colibri écervelé – une journée entière pour produire seulement vingt épingles, nos dix ouvriers, à qui on a attribué à chacun une tâche précise, produisent cinquante mille épingles par jour ! Vous imaginez ? Une telle amélioration du rendement ! C'est l'une des plus grandes révolutions qu'on ait jamais vues ! Alors oui, il est normal que l'éléphant ait du mépris envers le petit colibri. Ce n'est pas un mépris de classe, c'est le mépris du nouveau monde pour le monde ancien. Les animaux de la fable n'arriveront pas à éteindre l'incendie tant qu'ils n'empêcheront pas le colibri de faire sa part. Le colibri, c'est le conservatisme, c'est l'Ancien Régime, c'est le système des castes, la fin de la division internationale du travail, le retour des frontières. J'aimerais bien les voir, alors, nos colibris, quand ils auront si bien fait leur part qu'ils auront ressuscité la guerre et qu'il faudra soudain réorganiser les usines d'armements pour produire des munitions un peu plus vite. Bravo, mes petits colibris ! Vous avez bien fait votre part ! Non seulement la guerre, grâce à vous, sera bientôt de retour en Europe, mais en plus vous aurez au préalable détruit l'outil industriel et lourdement grevé nos chances de la gagner !

La voiture longeait alors le quai de la Mégisserie. C'était là que son père, qui voulait probablement l'initier aux ambiances tropicales, l'avait amené choisir un jour un perroquet du Brésil – une horrible bête, qui vivait toujours, mais qu'il avait depuis longtemps abandonnée à Marrakech. QPS se demanda si on vendait maintenant des colibris aux petits Parisiens dont les parents faisaient pousser des tomates sur leurs balcons.

La voiture s'était arrêtée devant la haie de bambous qui protégeait la terrasse de l'animalerie.

— La loi de la jungle ! C'est ce qu'ils redoutent. C'est pour eux l'essence du capitalisme. Et c'est ce vers quoi ils tendent, les chers colibris, les chers petits colibris qui désirent voir la civilisation industrielle partir en fumée. Je suis inquiet, Goran. Ce colibri m'inquiète. Vous savez, j'ai la chance de bien m'entendre avec mon fils, Olivier. Il me raconte tout. Eh bien même lui, un garçon très intelligent et plus que correctement éduqué, m'a tenu récemment des propos hallucinants. Il m'a avoué qu'il avait renoncé au libéralisme, qu'il n'y croyait plus vraiment et qu'il avait voté non au référendum constitutionnel. Voilà où nous en sommes. Vous vous rendez compte ?

— Vous ne lui avez pas offert d'encyclopédie pour ses vingt ans ?

— Non, Goran, effectivement, je ne lui ai pas offert d'encyclopédie. J'ai manqué à ce rite fondamental.

Un tableau perdu de Fragonard. Un paysage de terre molle, un paysage de l'Europe tempérée. Des bergers viennent abreuver leurs moutons à une source. La terre s'est soulevée pour la protéger. Cela ressemble à la trémie d'un tunnel, à une issue de secours. La terre s'est légèrement écartée pour l'agrément des hommes.

Le Nombre de Gorinski

L'Europe politique était restée longtemps, sous des abords juridiques austères, une enclave de droit coutumier et le complot de quelques hommes, mais l'ère des pères fondateurs était définitivement close et l'Europe élargie méritait des institutions nouvelles.

Flavio avait beaucoup admiré, pourtant, cette « méthode Monnet », à laquelle il avait consacré un exposé d'histoire, à l'invitation de son professeur de biologie, candidat sur la liste des Verts aux législatives de 1997, et europhile convaincu. Flavio avait alors raconté, devant sa classe, qui s'était d'abord attendue à ce qu'il parle de nymphéas et de coquelicots, l'histoire atypique de cet autodidacte né à Cognac, dans une famille de négociants, à l'époque où les spiritueux étaient encore l'un des seuls produits mondialisés – il avait cent ans d'avance. Il avait ainsi passé sa jeunesse à voyager pour exporter la production familiale, développant des rapports de confiance avec ses clients tout autour du monde. La confiance, répétait-il sans cesse dans ses Mémoires : c'était le contrat véritable. L'envie que les choses durent et que les existences se mêlent. La magie pacifique du commerce. Cet idéal avait basculé en 1914. Mais il avait compris, le premier – c'était encore un enseignement du commerce –, que la guerre devait moins être envisagée comme une passion humaine que comme un problème de logistique : elle serait gagnée par celui qui saurait le mieux organiser son ravitaillement. L'enlisement rapide du confit lui avait donné raison, il mourrait là-bas plus d'un homme par mètre de terrain gagné, attaques et contre-attaques se répondaient de façon monotone, la frontière s'agrandissait, immobile, à mesure qu'on l'enfonçait dans des tranchées en zigzag.

Ce n'était pas la puissance des canons, ni leur cadence de tir, qui déciderait de la victoire, mais l'afflux constant de métal dans les machines qui le débitaient en cylindres létaux. La guerre se passait essentiellement à fond de cale, au milieu de l'Atlantique, sous la ligne de flottaison des vraquiers réquisitionnés.

Si la guerre pouvait être gagnée par une amélioration continue de l'effort logistique, la paix elle-même procédait naturellement d'une intensification de celui-ci : il ne resterait bientôt aucun atome de métal ou de charbon perdu. La guerre était une anomalie monstrueuse, non pas tant du point de vue de la morale que de celui de la logistique.

384

Le génie de Monnet était d'avoir su l'expliquer aux dirigeants européens. D'avoir exporté ses idées sur la paix continentale avec la même facilité qu'il avait autrefois exporté du cognac. Et de leur avoir appris à donner à ces intuitions des formes institutionnelles pérennes – sachant qu'il n'existait d'institutions pérennes que dans la forme continuée d'une intuition commune.

Jean Monnet était à lui seul l'âge d'or des institutions européennes. Il était l'homme d'avant Verdun – d'avant les deux Verdun, celui du premier découpage de l'empire de Charlemagne et celui de son déchiquetage final. Il était, plus encore, la promesse incarnée du vieux rêve platonicien de gouvernement des sages : la construction européenne se ferait, par-dessus les États, par la conspiration commune des élites nationales.

C'était cela qui avait particulièrement fasciné Flavio : une solution inespérée, magique, au problème que rencontraient les démocraties. Les vieux États de l'Europe étaient devenus de grands vaisseaux fantômes. Il ne se passait plus rien, en Europe – sentiment associé pour Flavio à la catastrophique réélection de Chirac en 2002. C'était sa première élection présidentielle et il s'agissait de choisir entre le président sortant et son Premier ministre. Tous les commentateurs politiques se plaisaient à souligner, derrière leur opposition factice, leur large convergence de vues. Tous deux étaient des sociaux-démocrates. Quand le candidat d'extrême droite était finalement arrivé en deuxième place au premier tour, devant le calme et rationnel Premier ministre de gauche – le premier incident démocratique sérieux à affecter l'un des pays fondateurs de l'Union –, Flavio était allé voter Chirac, comme tous ses proches, avec résignation. La première expérience démocratique de la génération de Flavio avait ainsi été un peu décevante.

Le passage à l'euro, en janvier 2002, au début de la campagne présidentielle, avait été un singulier non-événement. L'élargissement de l'Union de quinze à vingt-cinq membres, en 2004, ne déclencha aucun enthousiasme, même si on comptait, parmi les nouveaux entrants, les principaux pays de l'Est – les héros des révolutions de l'année 1989 –, ainsi que la Slovénie, le premier des rescapés de l'ancienne Yougoslavie à intégrer l'Union. La victoire de l'Union européenne était totale. À ceci près qu'elle était devenue indifférente. On s'inquiétait tout juste des difficultés inédites que poserait la gouvernance de l'ensemble. Une réforme institutionnelle devrait heureusement accompagner cet élargissement : Flavio l'attendait avec impatience, certain, encore, qu'elle suffirait à réparer l'Europe.

Un architecte allemand, après la Grande Guerre, a rêvé d'architecturer les Alpes – de les métamorphoser en une cité vertigineuse. Le projet verra finalement le jour grâce à la guerre froide qui transformera les Alpes en abri antiatomique.

Le Nombre de Gorinski

Olivier avait adoré la guerre d'Irak. Les préparatifs, surtout, un moment de pur miracle : un mélange de réalisme dur, viril et kissingerien, celui de Dick Cheney, l'homme blanc indéfendable, obèse et maléfique, et de machiavélisme délicat, celui de Donald Rumsfeld, de Paul Wolfowitz et des néoconservateurs en général. Il avait lu *La Puissance et la Faiblesse* de Robert Kagan ; il en avait retenu que le multilatéralisme était l'arme du faible et qu'on sous-estimait – à commencer par les intéressés eux-mêmes – la puissance impériale américaine : c'était maintenant qu'il fallait agir, en Irak comme ailleurs, avant que la Russie ne se réveille, maintenant que la Chine n'avait pas encore de flotte digne de ce nom, maintenant que le Japon et l'Europe étaient à peine plus que des protectorats. L'idéalisme européen était précisément un leurre, un leurre ou un piège : le monde ne serait en paix qu'à condition d'y être contraint – l'ONU était une fiction, les sommets du G8 des distractions passagères.

Les États-Unis, depuis la chute de l'URSS, étaient entrés dans leur phase impériale, ils étaient à l'apogée de leur puissance, mais la liste de leurs victoires militaires faisait un peu pitié : Koweït, Bosnie, Kosovo. Ils n'avaient même pas réussi à empêcher la Somalie de sombrer dans la guerre civile.

Olivier irait ainsi voir trois fois d'affilée *La Chute du faucon noir*, le film que l'Amérique traumatisée par sa déroute dans les rues de Mogadiscio consacrerait à cette guerre humanitaire perdue. Il avait insisté pour y emmener son père. C'était quelques mois après le 11 septembre et ce fut l'une des toutes dernières fois qu'ils se trouvèrent politiquement du même côté : il fallait, oui, venger le faucon noir et restaurer la grandeur impériale des États-Unis d'Amérique. La théorie des dominos démocratiques était alors irréfutable : d'abord on ferait tomber le dictateur d'Irak, puis la vague se propagerait sans difficulté jusqu'aux rivages du Maroc, à l'ouest, et à l'est de l'Iran au sultanat de Brunei.

S'il y avait une seule leçon à retenir de l'Histoire, avait expliqué QPS à son fils, c'est que la clé secrète du monde se trouvait là-bas, dans la péninsule arabique et dans ses marches septentrionales : que ce soit le christianisme ou l'islam hier, ou la démocratie demain, ce qui réussissait à prendre là-bas avait quasiment planète gagnée – en quelques siècles autrefois, en une ou deux décennies aujourd'hui, où tout allait si vite.

QPS ne releva pas la pique de son fils : on pourrait hélas dire la même chose du djihadisme. QPS ne releva pas non plus tout de suite les premiers démentis que la réalité de la guerre d'Irak – qu'il fut l'un des rares intellectuels européens à soutenir publiquement – opposa à ces plans triomphaux. Il passa un peu à côté du scandale d'Abou Ghraib et mit longtemps à comprendre que la situation militaire devenait incontrôlable – il avait sincèrement cru que l'arrestation de Saddam Hussein allait mettre fin au conflit, qui dégénéra, hors de tout contrôle, en guérilla puis en guerre civile. Il se réjouit ainsi, trois ans plus tard, et de façon étonnamment naïve, de l'exécution du dictateur, et ce fut à cette occasion qu'Olivier lui donna sa première leçon de géopolitique : ce qu'on entendait derrière la vidéo de sa pendaison, ce n'étaient pas de simples cris de vengeance ni des invocations religieuses, ce qu'on entendait scander, c'était le nom d'un leader chiite, Moqtada al-Sadr – un appel évident à la guerre civile.

QPS fut moins vexé que flatté de voir son fils si compétent. Ils pourraient peut-être écrire un jour un livre à quatre mains. L'atlantisme du fils faisait la fierté du père, qui ne le vit pas évoluer lentement vers quelque chose de plus inquiétant. Olivier s'était ainsi rapidement mis à croire que le 11 septembre était un complot interne, pour mieux en saluer la pertinence historique, qu'il attribuait au sombre génie de la raison d'État.

Olivier n'avait jamais été un enfant très prometteur. Il était sans cesse, au cours de sa scolarité, passé d'un continent à l'autre, jusqu'à faire de vagues études de littérature à Columbia. Il vivait là-bas, à New York, hors sol et au-dessus du monde, avec des fils de milliardaires inconséquents qui parlaient de révolution et qui vénéraient Chomsky. Olivier était ainsi revenu un jour avec un tee-shirt à l'effigie de Che Guevara qui sentait le haschich – la provocation était grossière.

QPS l'avait contraint, dans son hôtel particulier de l'île Saint-Louis, à une existence plus monastique. Il l'avait forcé à lire des livres de Jean-François Revel. Il lui avait aussi acheté *Dostoïevski à Manhattan*, de son camarade Glucksmann – un beau livre sur le nihilisme.

QPS lui avait également fait rencontrer, en vain, toute la sphère libérale, de Guy Sorman à Nicolas Baverez, de Nicolas Bazire à Alain Minc, mais Olivier s'était à chaque fois ridiculisé, en les attaquant, très mal, avec de mauvais arguments tout droit sortis du *Monde diplomatique*.

QPS avait finalement relâché la pression. Peut-être, après tout, que son fils ne s'intéressait pas à la politique – à l'exception de cet aberrant besoin qu'il avait éprouvé de voter non au référendum.

Mais Olivier, livré à lui-même, était revenu lentement à la politique, en autodidacte. Le premier signe avait surgi une nuit à un péage d'autoroute, l'un de ces nouveaux péages où les hommes sont remplacés par des machines et où cette tristesse humaine qu'on avait longtemps pensée indépassable, celle des guichetiers solitaires, s'était peut-être encore accrue, jusqu'à se propager aux automobilistes. Olivier, secrètement, avait toujours fantasmé sur ce métier absurde – et dangereux, peut-être. Il lui avait toujours semblé que quelque chose transcendait là la condition de prolétaire. Les agents écoutaient la radio ou lisaient des romans. Ils étaient éveillés au milieu de la nuit, immobiles au milieu des voyageurs, seuls occupants de leur cabine vitrée et lumineuse. Plus jeune, il avait voulu de la même façon devenir chauffeur routier après avoir aperçu, sur une aire de repos, l'intérieur d'une cabine : il y avait là un lit, derrière un rideau de perles, et une minitélé. C'était l'endroit du monde où il aurait le plus aimé vivre, sur les grandes routes de l'Europe infinie. Il se rendait ce soir-là dans la villa normande d'une amie et la nuit était tombée depuis longtemps déjà quand il s'était arrêté au péage de Beuzeville. Il y avait un autocollant juste à côté de la fente où il devait mettre sa carte pour soulever la barrière. Et il était écrit, en lettres noires sur fond blanc : « Griff a raison. »

Il existe, quelque part dans l'ancienne Yougoslavie, des collines en forme de pyramide qu'on a longtemps prises pour des tombeaux géants – certains des massacres qu'on a récemment perpétrés tout autour ne sont peut-être que des tentatives d'accréditer cette thèse.

Le Nombre de Gorinski

La campagne pour le référendum constitutionnel de 2005 avait représenté, de l'aveu unanime, un tournant majeur de l'idée européenne : la catastrophe évitée de justesse en 1992 s'était avérée, à mesure que le scrutin approchait, de plus en plus inéluctable.

Flavio terminait alors un doctorat en biologie dans un laboratoire situé rue Buffon, à Paris, dans une annexe du Muséum construite sur l'ancien lit de la Bièvre. À l'inverse de ce qu'il avait fait autrefois, quand il avait tenté de circonscrire une algue tueuse avec une feuille et un crayon, il utilisait cette fois un programme informatique pour agrandir les écosystèmes forestiers du continent. Il était arrivé là un peu par hasard, plus par intérêt, sans doute, pour les modélisations informatiques que pour la forêt elle-même. Mais il avait appris à en apprécier les cycles biologiques. Son travail portait spécifiquement sur l'intégration des rétroactions humaines à des modèles plutôt conçus pour les forêts primaires : la main de l'homme envisagée comme une nouvelle espèce, particulièrement invasive, de champignon ou de limace.

Bien qu'habitué à considérer l'homme comme une perturbation paramétrable, il avait été surpris, pendant la campagne référendaire, de la politisation soudaine de son environnement de recherche : l'immense majorité des doctorants et des chercheurs faisaient campagne pour le non. Il y avait des autocollants pour le non sur leurs vélos et sur leurs ordinateurs. Ils ne parlaient que de cela toute la journée.

L'un de ses collègues avait été jusqu'à offrir, obéissant peut-être à une mystérieuse inspiration luthérienne, des éditions miniatures de la constitution, imprimée sur papier bible, que tous s'étaient mis à lire un marqueur à la main. On fluotait tous les articles qui promettaient des transferts de souveraineté risquant d'affaiblir l'État-nation ou de livrer des citoyens sans protection à l'appétit carnassier des multinationales ; jamais conditions générales d'utilisation n'avaient été plus minutieusement analysées.

On s'indignait sans fin d'une mystérieuse directive Bolkestein, de la mainmise des lobbys, de coup de poignard dans le dos d'un modèle français qu'on peinait un peu à définir ; on se scandalisait théâtralement du second alinéa du troisième article de la première partie, sur les principes de l'Union : « L'Union offre à ses citoyens un espace de liberté, de sécurité et de justice sans frontières intérieures, et un marché intérieur où la concurrence est libre et non faussée » – inscrire la libre concurrence si haut dans la constitution, c'était donner à celle-ci une regrettable tonalité libérale, c'était condamner les peuples à la barbarie capitaliste.

Plusieurs fois, Flavio avait tenté, timidement, d'exprimer sa pensée – à la fois plus nuancée et plus fanatique. Ses collègues affichaient des sentiments paradoxaux, ils avaient peur de l'Europe, en même temps qu'ils en condamnaient la mesquinerie technocratique, le courttermisme et l'aveuglement face aux vrais enjeux écologiques et sociétaux. Flavio ressentait précisément l'inverse : l'Europe était pour lui quelque chose de bien plus important que tout ce qu'ils croyaient, de bien plus essentiel aussi. C'était un processus qui ne s'était laissé enfermer dans aucune fin : la fameuse « union sans cesse plus étroite » du préambule des traités successifs. Il y avait là quelque chose qui transcendait toutes les formes politiques connues jusqu'alors. Sans cesse plus étroite, cela voulait dire ni une nation, ni une fédération, ni un empire. Cela voulait dire qu'on suivait la piste étroite d'une sortie du monde ancien, d'une fin inconnue de l'Histoire. C'était de l'ordre de la quête plutôt que de la révolution politique – et Flavio n'arrivait pas à trouver quoi que ce soit d'inquiétant à tout cela. L'Europe était aussi inconnue que familière. L'Europe était une aventure. Une sorte de complot sans auteurs et sans destination véritable.

La grandeur de la construction européenne, ce miracle de paix et de prospérité, cette apothéose kantienne, cet avènement possible de la raison universelle, serait pourtant à peine évoquée pendant la campagne du référendum, qui porterait presque exclusivement sur les points secondaires du traité – la question de la libre concurrence et du libéralisme très largement haï à gauche –, ou absents de celui-ci – la question trop facilement éludée, au goût de la droite conservatrice, des racines chrétiennes de l'Europe.

Le Saint-Esprit ne se manifesta pas mais on vit apparaître à sa place une figure mythologique improbable, celle du plombier polonais, héros du dumping social en salopette, moins libidineux que son alter ego, le plombier libertin des comédies pornographiques, mais doté d'un don d'ubiquité plus répugnant encore : il serait bientôt, à quatre pattes, dans toutes les cuisines et toutes les salles de bains des pays fondateurs.

Si l'idée européenne réunissait encore facilement la majorité de la classe politique, les journalistes et les intellectuels, sa popularité était en déclin – on aurait même dit qu'un peuple se construisait dorénavant contre elle.

C'était précisément contre ce type de dangers que Monnet avait conçu l'Europe : comme une machine à détruire le sectarisme de l'expertise individuelle, du ressenti démocratique, des impressions sommaires – comme un grand objet rationnel flottant loin au-dessus des passions populaires et des oppositions partisanes. On vit ainsi deux adversaires politiques, le leader du principal parti de la droite et son homologue de gauche, poser ensemble en couverture d'un magazine pour appeler à voter oui, quand le Premier ministre, de centre droit, s'empêtra dans l'un des derniers usages politiques de la dialectique hégélienne jamais entendus en France, en déclarant, dans un anglais rêveur : « *Win the "yes" needs the "no" to win against the "no"*. »

Le non l'emporta facilement, au printemps 2005, dans deux des quatre pays, la France et les Pays-Bas, qui avaient organisé des référendums.

Peu importait la question, non était toujours la bonne réponse, en avaient conclu la plupart des analystes amers.

> Des centaines de cathédrales dans des centaines
> de villes, des milliers d'arcades gothiques comme un
> premier étage à la tour de Babel, une tour de Babel
> agrandie au continent entier, étrangement dilatée
> et devenue aussi transparente que le bâtiment de la
> commission de Bruxelles – la chrétienté sous sa forme
> la plus nette.
>
> *Le Nombre de Gorinski*

Olivier avait brièvement croisé Griff au Karst à la fin des années 90, quand celui-ci vivait en ermite dans l'une des tours de la citadelle. Il l'avait revu à la télé quelques années plus tard, au moment de la sortie du *Nombre de Gorinski*. Il se souvenait de la façon dont l'animateur l'avait présenté : comme un nouveau Dostoïevski. Olivier avait vu son père s'étrangler.

Il n'avait jamais eu la curiosité de lire *Le Nombre de Gorinski*, mais il avait parfois recroisé son nom sur des forums internet qu'il fréquentait la nuit. Griff avait disparu des médias généralistes à la suite de la polémique sur ses possibles exactions pendant le conflit yougoslave et il était subrepticement passé, comme il en convenait lui-même avec délectation, du camp du bien au camp du mal. On avait cessé de réimprimer *Le Nombre de Gorinski*.

Devenu infréquentable, son auteur s'était réfugié sur internet, où il avait fini, banni d'un peu partout, par créer son propre site, sur lequel il diffusait de longs messages vidéo, d'une voix lente et majestueuse – tout prenait dans sa bouche la sombre profondeur d'un récit véridique. C'étaient des fables pour adolescents et jeunes adultes. Il était capable de lier ensemble les faits les plus disparates : la guerre en Irak et la volonté secrète de Saddam de rétablir le dinar or des Omeyyades pour contrebalancer l'hégémonie du dollar, la mainmise de la CIA sur l'histoire de la construction européenne, de Monnet au réseau Gladio, l'existence, dans tous les pays d'Europe, d'un gouvernement parallèle appelé *État profond*, l'asservissement global du continent par l'euro, la dette et le libéralisme économique en général.

Les Européens, racontait-il aussi à longueur de vidéo, étaient le grand peuple de la forêt. Toute cette civilisation immense avait été conquise sur la forêt. Les Européens étaient un peuple de défricheurs. Des hommes avec une hache. L'Europe chrétienne avait toujours eu peur de ses bûcherons. C'étaient eux qui avaient pourtant transformé la forêt primaire, cet océan presque aussi profond que la mer, en terres habitables. C'étaient eux qui avaient asséché la terre et permis à l'agriculture d'apparaître sur ces terres fertiles jusque-là ensevelies sous un humus inexploitable – en raison de sa richesse même. C'étaient eux qui avaient fabriqué le charbon de bois et permis à l'âge de fer de sortir ses premières griffes du sol puis, comme un grand fauve indomptable, de domestiquer l'Europe tout entière, puis le monde, qu'elle avait attrapé et facilement fait rouler dans la cage de son réseau ferroviaire. Infatigables, ces bûcherons continuaient à vivre dans les marges, de plus en plus loin des villes, dans les fonds sableux ou les crêtes inexploitables des grands bassins sédimentaires, dans les montagnes jeunes, au fond des Alpes inexpugnables. Un front pionnier de plus en plus morcelé, des enclaves barbares au milieu de la plus grande civilisation mondiale. Ils avaient depuis toujours leurs propres chapelles, consacrées à des cultes anciens et hérétiques. Ils avaient découvert, dans les dernières forêts du continent, des objets oubliés, des fibules celtes ou des vénus callipyges. Ils avaient rouvert, en secret, les grottes abandonnées et fait basculer, avec les souches millénaires, des crânes à la lumière du jour – des crânes trépanés ou fendus, et des os longs présentant de curieuses marques de découpes. Ils avaient lentement atteint la grande forêt des ogres et ils s'enfonçaient encore. Ni le culte de Dieu, ni celui de la raison ne pouvaient leur convenir. Leurs chapelles étaient des artifices destinés à tromper les prêtres missionnaires qui venaient les voir, et qu'ils n'assassinaient pas toujours. Leurs chapelles, derrière les autels et les statues grossières en bois, étaient remplies d'idoles raffinées et cruelles. L'Europe était restée, à son avant-garde, un continent barbare. Les nazis, sur certains points, avaient vu juste. Le continent de la liberté croyait au fatalisme. Les Européens les plus purs, les Indo-Européens, étaient plus proches des brahmanes que du Christ. L'énorme édifice de la science moderne n'avait été qu'une machine destinée à souscrire à nouveau à cette adoration des astres impitoyables. Ces troupeaux d'enfants qu'ils avaient résolument conduits à la mort avaient une portée mystique. Cela avait été un crime ineffaçable, une rayure rageuse dans le cosmos intact. Des traces d'ongles dans le béton des chambres à gaz. La trace que les nazis laisseraient dans l'Histoire. Plus aucune liberté, jamais. Un fatalisme inexpiable.

Ces vidéos dépassaient maintenant les dix millions de vues – plus que Griff avait jamais vendu de livres. Il était devenu un élément important du folklore internet – encore un Slave fanatisé, un nouvel embranchement de cette sous-culture faite d'accidents mortels filmés à la dashcam, d'escalades à mains nues des points hauts de la Russie, des Sept Sœurs moscovites aux pylônes du pont de Vladivostok, et de starets électroniques.

Griff avait ainsi remporté des batailles décisives sur des territoires que QPS avait abandonnés en vieillissant – les jeunes Européens venus à la politique après le 11 septembre, ceux qui n'avaient connu des États-Unis que les plus lamentables défaites : les bourbiers irakiens et afghans, les tueries dans les écoles, la crise de 2008.

Au début, QPS avait suivi cela de très loin, avec un peu de pitié. Il avait eu peur, à l'époque où lui-même visait encore le Nobel – paix ou littérature, il aimait hésiter secrètement entre les deux, avant que son téméraire soutien à l'intervention en Irak ne le mette au-dessus de ce genre de contingences –, que Griff, alors au sommet de sa gloire, ne l'obtienne avant lui. Il avait tout fait pour que cela n'arrive pas, et son triomphe le rendait magnanime. Il avait ainsi acheté, sur internet, le dernier roman de l'écrivain, publié par un éditeur inconnu : sa déchéance était spectaculaire.

L'ouvrage, une sorte de suite, ou de réfutation, plutôt, de son livre le plus célèbre, s'appelait *Le Parlement fantôme* et il présentait une jeune femme seins nus en couverture – une sorte de Jeanne d'Arc à la beauté remarquable. Le livre, dans la même veine, s'ouvrait sur une citation d'Alice Sabatini, la dernière Miss Italie : « J'aurais aimé vivre en 42. Pour voir vraiment la Seconde Guerre mondiale. »

QPS l'avait rangé dans sa bibliothèque sans en lire beaucoup plus. Il ignorait qu'à quelques mètres de là, sous les combles, dans les appartements de son fils, il existait un autre exemplaire de ce livre, entièrement lu et largement annoté.

QPS, c'était sans doute une faute professionnelle, était resté attaché aux médias traditionnels et aux anciennes explications du monde. On ne trouvait là-bas, sur les réseaux sociaux et les forums de la nuit, que les cendres de l'intellectuel qu'il avait été : la fois où il avait quitté le plateau d'une émission oubliée, les polémiques que ses rares approximations, sans doute inévitables en quarante ans de carrière, n'avaient pas manqué de susciter, mais dont on retrouvait maintenant aisément les traces, et ces entartages, enfin, ces malheureux entartages qui étaient devenus, à leur façon, une autre de ses spécialités.

Il lui était arrivé de payer pour supprimer des vidéos, mais elles étaient à chaque fois réapparues, c'était sans espoir ; Griff, il devait bien l'admettre, avait su mieux négocier que lui son virage numérique.

Et si la liberté, se demandait parfois QPS, était tout simplement une idée mourante ?

À l'âge où il avait découvert le Grand Canyon et la contre-culture californienne, son fils Olivier s'était rendu en Transsibérien jusqu'à Vladivostok pour s'y faire photographier dans la main d'un gigantesque Lénine.

Olivier, étonné que son père continue, comme la majorité des intellectuels français ou américains, à vénérer Gorbatchev, lui avait même montré, sur une carte du monde, que la totalité des bases militaires américaines était étrangement disposée tout autour de la Russie : qui était l'agresseur ? lui avait-il demandé. Et pourtant, avait-il ajouté d'un air sombre, cela n'a pas empêché Poutine de gagner des batailles précieuses. Il a réglé la question tchétchène bien mieux que Bush la question irakienne. Et il finira par forcer le blocus qu'on lui impose : la seule règle qui n'a jamais changé, en géopolitique, c'est qu'à la fin, c'est toujours la Russie qui gagne.

La chute du mur de Berlin était depuis longtemps oubliée, et même deux fois vengée : par la chute des Twin Towers et par celle de Lehman Brothers.

Olivier s'étonnait, enfin, que son père continue à défendre cette doctrine, l'*atlantisme*, qui voulait que l'Europe, n'ayant pu se refermer comme l'Empire romain sur les deux rives de la Méditerranée à cause de l'islam, ait finalement trouvé dans l'Atlantique sa mer intérieure. L'idée était séduisante, mais on en oubliait que l'ouverture, ou le comblement, plutôt, de cet océan avait été rendu possible par la conquête russe des grandes steppes orientales : cela n'avait jamais été, au moins jusqu'à récemment, les civilisations océanes qui avaient menacé l'Occident, mais toujours, des Huns d'Attila aux Mongols de Gengis Khan, les peuples de la steppe – peuples que l'Empire russe, en s'étendant jusqu'au Pacifique, avait pris à revers. On négligeait trop, émerveillé par le far west, le rôle essentiel de cette frontière immense. QPS avait été surpris de reconnaître, en écoutant son fils lui raconter cela avec fanatisme, la dangereuse théorie eurasiatique esquissée autrefois par Griff dans les pages finales du *Nombre de Gorinski*.

On redoute, en Europe, la malédiction de Babel. On redoute les vieux mythes et le temps de la guerre. La fusée Ariane, tirée de l'Amérique du Sud, est le point par où l'Europe aux industries labyrinthiques tente d'apercevoir le ciel. Mais les moteurs de V2 ont bien été retrouvés sous des corps déblayés au bulldozer. La conquête de la Lune comme cadeau d'adieu du Reich.

Le Nombre de Gorinski

Flavio se souvenait du moment où le dualisme fondamental du jeu politique lui était apparu comme arbitraire et injuste. C'était à la fin des années 80 et il était en voiture avec ses grands-parents, dans les rues asymétriques de leur lotissement pavillonnaire. Il était mitterrandien alors, sans trop savoir pourquoi, parce qu'il n'avait connu aucun autre président et que celui-ci venait d'être réélu. Il était droitier, aussi, et il avait soudain voulu savoir, alors que la voiture tournait sans cesse, si Mitterrand était de droite ou de gauche. Il avait alors été déçu d'apprendre que le président était de gauche. En tant que droitier, en tant que citoyen majoritaire de la république des mains, cela l'avait un peu déçu : il s'était senti un instant du mauvais côté du monde.

L'Europe était peut-être la réparation de cette ancienne disgrâce, une échappée géométrique de ce dilemme enfantin et labyrinthique, un objet nouveau, à la structure instable et délicieuse – une structure à la mesure de ce continent dont il ne se lassait pas d'admirer le dessin improbable, la fragilité délicieuse. L'Europe se convulsionnait comme une anguille électrique dans les galeries d'une grotte sous-marine – dans les réduits obscurs de ses longs bras péninsulaires. Le Dieu révélé, trinitaire, s'était perdu depuis longtemps dans ce dédale géographique. L'Europe politique était un objet totalement nouveau, comme une divinité future.

L'Europe, asymétrique, n'avait ni droite ni gauche, et l'Europe qu'on tentait de construire était elle-même au-dessus des partis. C'était une aventure inédite et Flavio s'en sentait, parfois, l'interprète privilégié. Il était le plus pur et le plus heureux des Européens.

L'Europe politique était le nom d'un transfert de souveraineté comme il y en avait eu très peu dans l'histoire du monde – cela rappelait la façon dont les prêtres s'étaient progressivement soumis aux princes et les princes aux peuples.

À quoi les peuples accepteraient-ils de se soumettre ? Flavio avait entendu parler de la technostructure. C'était sans doute un terme un peu facile. Mais il était unanimement honni dans son laboratoire.

Flavio avait compris, lors des débats qui avaient précédé le référendum, que l'expérience serait rejetée avant d'être tentée. L'Europe renonçait à elle-même, à sa lente métamorphose, à la plus douce des révolutions de son histoire. Cela l'avait désolé. Bruxelles était une capitale assiégée, comme Rome à la veille du sac d'Alaric, Constantinople un jour avant sa chute – Flavio n'avait jamais pu oublier cette image de son encyclopédie Hachette, qui montrait un assaillant à casque pointu égorger l'un des défenseurs de la dernière capitale de l'Empire.

Jusqu'à quel point la faiblesse numérique des défenseurs de l'Europe serait-elle tenable ? Ils seraient bientôt moins nombreux que les membres du comité Monnet – mais on connaissait l'efficacité de celui-ci, et plutôt qu'une confirmation du slogan *noniste* sur l'Europe confisquée, Flavio était tenté de voir, dans cet amenuisement de l'idéal européen, quelque chose de l'ordre d'un repli tactique, d'une concentration des forces avant la contre-attaque. L'idée européenne, élitiste, était plus forte quand elle était minoritaire. Il pourrait même lui être profitable, comme au moment du référendum, que les passions politiques nationales l'occultent complètement.

Le scientifique en lui validait totalement l'existence fantasmatique, à la frontière de la théorie du complot, d'un gouvernement occulte des experts ou des sages.

Il y avait dans l'Europe, c'était ce qui exaltait secrètement Flavio, la promesse d'une mise à mort de l'État-nation, la forme stabilisée de l'expérience politique, et déjà obsolète, au regard de la montée des nouveaux royaumes – royaumes végétaux, climatiques ou réglementaires. L'État-nation n'était pas une anomalie moins monstrueuse que le trou de la couche d'ozone ou que le réchauffement climatique. L'Europe avait été saturée d'États-nations. L'Europe était la niche écologique privilégiée de l'État-nation. Il restait une dernière chance de le faire évoluer de façon satisfaisante. L'Europe était cette chance. L'Europe était redevenue le laboratoire politique du monde.

L'Union européenne était un pur jeu de structures, une administration livrée à elle-même – éprise d'elle-même, de sa lenteur et de son impuissance, comme de la forme d'éternité que celles-ci lui conféraient. L'Union européenne était une société secrète fonctionnant en pleine lumière. Ses intrigues étaient publiques, ses complots étaient connus, ses bâtiments transparents.

L'image la plus satisfaisante que s'en faisait Flavio était celle d'une forêt primaire. Celle de la reconquête des ruines de l'Histoire par le monde naturel. Des droits identiques accordés aux choses et aux hommes. L'Europe comme un écosystème complet – de la roche-mère à la pointe agitée des sapins nietzschéens. La liberté humaine : fougère parmi les fougères. Les objets manufacturés : fruits parmi les fruits. Les textes de loi, les règlements, les normes : lianes parmi les lianes. Aucun monde n'était mieux tenu, plus complet, plus enchanté.

L'Europe était une forêt de conte de fées et Bruxelles un très ancien élément de ce folklore immémorial.

La Porte de l'Enfer se trouve à Paris, au musée Rodin, rebut génial d'un demi-siècle de création affolée. Mais ce n'est pas l'œuvre qu'on admire le plus. L'œuvre la plus admirée se trouve à l'étage. C'est un grand cheval en bronze entouré de tout un réseau de tubes : l'empreinte des conduits par où on a fait couler le bronze et évacué la cire du moule original. Les visiteurs, trompés par tant de didactisme, regardent la chose comme s'ils avaient devant les yeux le chef-d'œuvre du maître. Aucun ne prête attention à la musculature du cheval. Ils sont là exclusivement fascinés par cette infrastructure.

Le Nombre de Gorinski

Le Parlement fantôme était devenu la Bible secrète des nationalistes du continent.

Le livre faisait le lien entre leur imaginaire, un peu fruste, et l'un des grands mythes de la civilisation européenne, les histoires de chevalerie. Les personnages principaux en étaient des hooligans – les plus barbares de tous les nationalistes, des nationalistes incapables de se projeter dans la nation, et se haïssant tous d'une ville à l'autre, et souvent même entre eux. Mais Griff avait

réussi, c'était de l'ordre du miracle littéraire, à les rattacher aux chevaliers de la table ronde.

Cela se passait en réalité à une époque indéfinie, des
années 80 ou 90 idéalisées, à l'apogée du mouvement
skinhead, et cela racontait les combats, souvent mortels,
entre deux groupuscules rivaux. Griff leur faisait incarner, presque à leur corps défendant, toute la dureté et la
noblesse de l'idéal européen. Le continent était maintenant entré en décadence, et ces jeunes fanatiques – plus
inspirés par l'alcool, la drogue et le goût de la violence
pure que par la statuaire grecque – s'étaient retrouvés,
dans leur nudité primitive, celle de leurs crânes rasés et
de leurs corps maigres de prolétaires sous amphétamines,
à représenter des îlots d'héroïsme sacrificiel, quelque
chose comme « les derniers des corps, dans le dernier
des décors » – l'éditeur français avait mis cette formule
en quatrième de couverture. C'était le peuple premier
d'Europe, ou bien, selon les pages, les derniers gardiens
de la civilisation. Ceux dont on ne parlait que lorsque
l'un d'eux était mortellement blessé, ou blessait mortellement. Longtemps ce peuple de hooligans – le hooliga-
nisme en tant qu'université d'été et dernier refuge des
survivalistes de l'Europe démocratique – s'était financé
grâce au commerce des armes anciennes. Les antiquités de la dernière guerre. Un arsenal enfoui dans les
lieux les plus improbables, dans les blockhaus du mur
de l'Atlantique, dans les complexes karstiques du nord
de l'Italie fasciste, dans les derniers réduits de la forêt
hercynienne. L'or nazi : un ensemble de colifichets et
de boutons nacrés dans un état de dégradation avancée.
De la profanation de cadavres. Les fibules celtes et les
camées romains du sombre XXᵉ siècle. Avec, une fois
sur mille, la bonne surprise : les restes d'un Luger ou

d'une mitrailleuse. L'extrême droite européenne, racontait Griff, avait poursuivi ce filon très mince, cette piste métallique : le sentier de la guerre des derniers sauvages de l'Europe pacifique. Griff faisait aussi du salpêtre qui cristallisait sur les murs des blockhaus où ses héros se réunissaient la réapparition explosive et spectrale de la dernière guerre. Cette guerre qui avait laissé l'Europe en ruine, qui l'avait arrachée à sa propre histoire.

Le bunker de la scène finale était ainsi, logiquement, un bunker de l'OTAN – le mausolée de l'Europe défaite. Le fantasme de l'Europe comme tombeau. De l'ossuaire de Douaumont aux cénotaphes des camps, toute l'histoire de l'Europe convergeait vers cette structure béante.

L'entrée du bunker était seulement accessible à marée basse, par une porte perdue dans la falaise blanche. Un peu trop haute pour un homme seul. C'était une immense grève de galets, un lieu indéfinissable – la Normandie, peut-être, mais sans la profanation du débarquement. C'était une expression européenne, le débarquement, se plaisait à souligner Griff. Les Américains parlaient, avec plus de justesse, de l'*invasion de l'Europe*.

Les héros du livre se faisaient la courte échelle avant d'ouvrir la porte perdue et de s'enfoncer dans la craie blanche : « Nous sommes la craie elle-même, la craie comme dépôt compacté des cadavres des animaux marins. Nous sommes l'Europe toute blanche, nous sommes le continent de la blancheur. »

Parvenus au bout du boyau, ils escaladaient un puits. Les barreaux rouillés de l'échelle étaient aussi tranchants que des silex. Des silex disposés en veines parallèles. Ils arrivaient enfin dans une salle souterraine en forme d'hémicycle, avec des pupitres disposés en demi-cercle sur plusieurs niveaux. Des écrans brisés et des cartes lumineuses noircies : la salle de commande de l'ancien bunker. C'était une des terminaisons nerveuses de l'OTAN, une station radar – « la pupille dilatée de la nuit nucléaire ». Le complexe avait été brutalement évacué, à la suite d'un incendie mystérieux. Tout était carbonisé, la voûte était noire, le verre des ordinateurs avait fondu. Comme si l'holocauste nucléaire avait vraiment eu lieu, et qu'on le découvrait alors.

C'était dans ce spectacle d'apocalypse, dans ce simulateur de guerre mondiale, qu'allaient se retrouver, alors, tous les protagonistes du roman : le groupe rival s'était faufilé entre les dalles de béton brisées du toit de l'édifice.

Leur rencontre allait donner lieu, plutôt qu'à la rixe attendue, à une scène de fraternisation. Ils allaient délibérer, en secret, d'une action à entreprendre. Griff ne précisait pas ce qu'ils avaient décidé, mais quand ils se séparaient, au lever du jour, et ressortaient par la falaise blanche, on sentait que tout pouvait basculer. Le livre s'arrêtait là : « Nous sommes les invasions barbares, faisait-il dire à l'un de ses personnages, nous sommes le parlement fantôme. »

> Le mur de l'Atlantique comme fondation et l'étoile
> ferroviaire d'Auschwitz comme mégastructure auto-
> portante. La gare de triage qui manquait à la Nouvelle
> Europe, son cœur industriel, la capitale d'hiver du
> Reich, pleine de serres au sol fertilisé. Il faut réussir à
> penser Auschwitz en tant que ville idéale, en tant que
> capitale impériale. L'Atlantide maudite. L'Allemagne
> nazie : la bibliothèque d'Alexandrie des sciences et
> des techniques.
>
> *Le Nombre de Gorinski*

Le premier article scientifique que Flavio avait cosi-
gné, avec une équipe internationale rassemblée par son
directeur de thèse, portait sur le bilan carbone de Gengis Khan : c'était le genre d'article qui ferait facilement
parler de lui et qui rapporterait des financements à son
laboratoire. On trouvait, distinctement, grâce à différents carottages dans les limons du Léman et jusqu'en
Antarctique, des preuves que les ravages provoqués par
les conquêtes de celui-ci avaient fait baisser la concentration de CO_2 dans l'atmosphère en permettant à la

forêt de reprendre ses droits sur des millions d'hectares de terres agricoles soudain laissés en friche – l'herbe avait particulièrement bien repoussé sous les sabots de Gengis Khan.

Flavio avait mené lui-même une partie des calculs, en effectuant, aux confins du cercle polaire, dans les lointains de la plaine polonaise et jusqu'en Géorgie, des prélèvements sur des édifices religieux en bois datant du XIIIᵉ siècle et en s'appuyant sur les résultats de plusieurs capteurs de CO_2 qu'il avait disséminés à travers les forêts de toute l'Europe – il était même pour cela retourné au Karst.

L'étude sur Gengis Khan avait abouti, une fois toutes ces données intégrées à différents modèles climatiques, au chiffre impressionnant de sept cents millions de tonnes de carbone figées dans la forêt nouvelle. C'était à peu près ce qu'on émettait annuellement, huit cents ans plus tard.

Flavio avait pris l'habitude, à cette époque, de rester à discuter avec Paul Bouvier, son directeur de thèse, dans le laboratoire vide. Le botaniste, proche de la retraite, lui rappelait son grand-père. Il l'avait d'ailleurs un peu connu, de par les diverses missions remplies pour l'ONF, qui était, avec l'Église catholique, la plus ancienne institution européenne, au dire du vieux chercheur. Elle avait été fondée par Charlemagne pour l'administration de ses domaines de chasse, et continuée par tous ses successeurs – une sorte de clergé.

Flavio n'avait jamais entendu son grand-père parler de sa mission en termes si lyriques, et il écoutait, fasciné, son directeur de thèse lui raconter des histoires envoûtantes de la forêt européenne. Il lui parlait de la domestication oubliée de l'ours et de la nécessité métaphysique de conserver des ours et des loups en vie dans les Pyrénées et dans les Alpes. Il lui parla de ce renard qu'il avait pisté, une nuit, à travers le dédale de la City de Londres, et du cerf qu'il avait aperçu en plein Berlin, au beau milieu du no man's land, de ces castors qui avaient failli déclencher une catastrophe nucléaire en construisant un barrage sur un bras de la Loire un peu avant Chinon, de cette allée de séquoias qu'on pouvait apercevoir du ciel en se posant à Orly, de ce sapin, dans la forêt de Tchernobyl, qui produisait les pommes de pin les plus symétriques qu'il avait jamais vues.

Il lui racontait comment la forêt avait basculé, à un moment, du monde réel au monde symbolique – de celui des chasseurs à celui des conteurs et des fabulistes. Il lui parla de La Fontaine et de ses exclusions initiatiques dans la lugubre forêt de Château-Thierry – le pendant septentrional de la lumineuse forêt de Fontainebleau.

On était pourtant, depuis un demi-siècle, tous les indicateurs le confirmaient, dans une phase où la forêt regagnait du terrain. Les friches de la Politique agricole commune étaient un événement anthropologique majeur : les Européens seraient peut-être, s'ils tenaient leurs objectifs, la première civilisation durable de l'histoire de l'humanité – après la civilisation mongole.

Flavio avait ensuite travaillé sur les traces de la grande forêt hercynienne – le massif forestier qui s'était évanoui avec l'apparition de l'Europe comme acteur politique, à la fin de l'Antiquité. L'hypothèse de Flavio reposait sur l'idée que les forêts actuelles exprimaient quelque chose de la structure de l'objet disparu. La forêt ancienne avait fondu sous la pression des hommes mais il devait en rester des traces dans la géographie du continent, comme ces longues stries que les glaciers laissaient en dessous d'eux. Ainsi Flavio avait-il réussi à mettre en évidence, en étudiant une dizaine de régions bocagères, de l'Irlande à la Slovénie, en passant par la France et l'Italie, que la grille était toujours imparfaite, que les haies étaient toujours asymétriques, et les parcelles légèrement trapézoïdales – et cela indépendamment des contraintes topographiques. C'était comme si cet immense quadrillage avait été pincé, étiré, selon une grande diagonale qui parcourait toute l'Europe, et cette anamorphose, cette contrainte structurelle invisible, témoignait de l'existence continuée de la forêt fantôme.

Bouvier s'était montré particulièrement enthousiaste : « Si cela est vrai, vous venez de localiser l'Atlantide, le continent disparu. »

Il avait alors incité Flavio à étudier, en faisant tourner quelques modèles simples, la possibilité d'utiliser ces ruines pour reconstruire tout ou partie du massif forestier disparu. Ses premières simulations furent particulièrement concluantes, et Flavio les généralisa bientôt à tout le continent, et à tous les types de structures forestières subsistantes, aussi ténues soient-elles : les bordures végétalisées des autoroutes se rejoindraient ainsi ensemble, reliant des bois éloignés, rattrapant au passage des bosquets isolés et coloriant toute la carte dans un vert de plus en plus sombre. Les lignes de train abandonnées et devenues des cycloroutes, dans les vallées, connecteraient bientôt les forêts des plaines à celles des montagnes. Les haies, subventionnées partout pour leur apport à la biodiversité et à la régulation des eaux fluviales, prenaient la forme d'une forêt labyrinthique et les îlots de fraîcheur, dans tous les centres-villes, se retrouvaient reliés aux jardins infinis des zones pavillonnaires, formant autour d'elles d'immenses écosystèmes tentaculaires.

L'Europe contrebalancerait bientôt les défrichements des forêts tropicales – c'était le grand rêve, la grande vision de Flavio.

Il imaginait quelque chose d'aussi chaotique mais d'aussi continu que les cavités karstiques – une incursion souterraine de l'élément végétal à travers le monde des hommes, des coulées vertes au milieu des mégalopoles qui se transformeraient dans leurs faubourgs en haies paysagères, qui plongeraient soudain dans un siphon avant de réapparaître un peu plus loin, sautant à travers la plaine céréalière sur le damier des réserves de chasse, pour s'épanouir enfin cinquante kilomètres plus loin. Flavio arrivait ainsi à connecter sans difficulté les forêts de Dourdan et de Fontainebleau à celle d'Orléans, à la Sologne et au Morvan. Il parvenait même à remonter la piste du loup jusqu'à l'Italie, par-dessus les Alpes, à restaurer le royaume de l'ours, des Pyrénées aux Alpes slovènes.

Le paysage mental qu'il composait alors craquait comme un sous-bois et il entendait, dans ces craquements mêmes, prononcer le vieux mot mystérieux et tabou de *chrétienté*.

C'est une image de l'Europe. La guerre vaincue par le grand dieu des projets d'infrastructure. Un monde de tunnels et de ponts. Une planète creuse, troglodyte et communicante. Une croûte terrestre allégée et tenue aux haubans des grands ponts. La fin de l'Histoire et le règne pacifique de la géographie. Nous avons tué la bête, en avons tanné l'échine, nous avons fait de l'Europe le continent de la douceur.

Le Nombre de Gorinski

Ida, avant de revenir vivre au Karst, avait presque toujours vécu sur des îles. New York et Venise, un stage à Hong Kong, un autre à la City de Londres.

Venise était une île artificielle, mais une île qui avait déjà trouvé sa forme définitive à l'époque où Manhattan était encore une forêt indienne. Elle avait d'ailleurs vu New York replonger dans le noir, quelques années plus tôt, pendant l'ouragan Sandy, et alors que tous les bas quartiers de la ville, tous les anciens docks sur laquelle elle avait bâti sa splendeur, s'étaient retrouvés inondés.

Vue du sommet de l'ancienne tour Venezia, où elle avait un rendez-vous avec le président de la Wells

Fargo – la crise de 2008 avait été fatale à la Venezia, qui n'avait de toute façon jamais retrouvé l'éclat qu'elle avait à l'époque d'Ida –, la chose était presque aussi effrayante que l'avait été le 11 septembre. Le capitalisme était devenu si sensible que le moindre dérèglement climatique pouvait lui être fatal, comme ces orchidées précieuses qui ne toléraient qu'un seul type d'eau, et qu'une seule température. New York n'était pas beaucoup plus protégée que Venise.

Il ne resterait peut-être un jour, tout au-dessus du monde, que l'archipel alpin et le gros rocher du Karst pour dernière capitale.

Ida avait supervisé, comme chaque année, la sécurité du Forum : deux cols à bloquer, et le Karst redevenait imprenable. Mais on ajoutait aussi, comme à Davos, des snipers bien visibles au-dessus des balcons, et deux hélicoptères de location, venus de l'héliport de Graz, tourneraient dans le ciel. Il s'agissait plus de se conformer à une esthétique générale du sommet alpin que de répondre à de véritables enjeux de sécurité. C'était d'ailleurs toute l'absurdité de la situation : il fallait, pour rassurer les invités du sommet sur le caractère inéluctable de la paix marchande, transformer celui-ci en zone de guerre.

Il fallait enfin écarter, chez les plus prudents des visiteurs, les Américains ou les Asiatiques, l'idée qu'on était là dans les Balkans, dans la poudrière de l'Europe, sur le territoire maudit de l'ex-Yougoslavie. La guerre ne viendrait plus d'Europe, plus jamais. Ida avait passé à cet effet un contrat avec une société de sécurité privée autrichienne dont les hommes en tenues impeccables, avec leurs oreillettes à cordons spirales translucides, sauraient faire oublier ces images des partisans débraillés qui avaient fait tellement de tort à l'image de la région.

Mais le Karst n'était pas seulement militarisé, trois jours par an. Il était militarisé, intellectuellement, pour l'éternité. La citadelle invincible de la finance mondialisée, de la finance mathématique : c'était cela qu'Ida avait réussi à construire. Fort Knox posé sur l'Acropole, ainsi que l'avait joliment écrit QPS. L'une des merveilles du monde. La banque centrale de l'idée de la paix perpétuelle.

Il était cependant désagréable que leur fils soit le seul à ne pas y croire.

Elle avait essayé, plusieurs fois, de parler avec lui. Elle l'avait trouvé immature, déraisonnable et irascible. Il tenait des propos inquiétants sur l'avenir du monde. Il se disait réaliste. Il avait l'air de ne plus vraiment tenir à la paix. Il disait que les multinationales avaient organisé le pillage des États et les banques leur racket.

On aurait dit une version déréglée de son père. Elle n'avait jamais considéré celui-ci comme un intellectuel immense, mais il avait de l'allure, du style, du lyrisme. Après une discussion avec lui, quand on se mettait à compter les arguments produits, le compte était maigre, pourtant sa force de conviction formait autour de lui un halo agréable. On était dans une sorte de zone de confort intellectuel. Il y avait un peu de Kant, pour l'optimisme et les idées téléologiques, un peu de Voltaire, pour le souffle du grand récit émancipateur, un peu de Sartre, pour le romantisme de la liberté.

Il était agréablement français, défauts inclus : sa vanité, vertigineuse, parvenait encore à la surprendre, plus de trente ans après leur rencontre. Il gardait de leur courte aventure une fatuité qui la surprenait toujours, une manière, oui, de considérer qu'elle s'était donnée à lui, que leurs échanges avaient été asymétriques et qu'il l'avait conquise. C'était une dialectique de la force traduite dans le langage de la liberté.

Ida se demandait parfois ce que ce genre d'attitude pourrait engendrer chez Olivier, et quels étaient ses rapports avec les femmes. Elle le connaissait en réalité très peu et elle avait été plus embarrassée qu'heureuse quand il lui avait annoncé qu'il voulait s'installer au Karst. Ida l'avait logé, comme autrefois, pendant sa boudeuse adolescence, dans une tour au toit pointu du palais et l'avait fait nommer maître du protocole. C'était une tâche essentiellement honorifique, le protocole n'étant en vigueur au Karst que pendant la semaine du Forum.

Il avait cependant un grand projet : il manquait au Karst un équipement touristique moderne. Olivier lui parla des vias ferratas des Dolomites et de son projet d'en recouvrir le rocher de la citadelle, pour faciliter son ascension. Mais les expertises techniques tardant à rendre leur verdict sur la solidité de la paroi, Olivier avait plus modestement convaincu sa mère de le laisser organiser un événement de plein air pour le dernier jour du prochain Forum.

V

Spitz, le numéro un mondial des roulements en céramique, est le principal mécène du Forum de Karstberg, « le Davos des mathématiques financières ». L'événement rassemble chaque année en septembre les principaux décideurs du monde économique. Le thème retenu cette année, « Les crises », permettra à la communauté économique mondiale d'échanger sur son exceptionnelle résilience, dix ans après la crise, et alors que des défis nouveaux apparaissent : crise de la gouvernance de l'euro, crise des migrants, déséquilibres internationaux accrus, montée des populismes et révolution de l'IA.

Programme du Forum de Karstberg,
septembre 2015.

Que les mathématiques sorties du cerveau des hommes décrivent exactement le mouvement froid des astres : la grande énigme de l'Occident. Sauf si l'on considère les mathématiques comme une norme de politesse. Un fait de civilisation, un langage commun, une curialisation du mouvement des astres. Comment dit-on « normes de politesse » en français ? On dit « étiquette ». Les mathématiques comme étiquettes accrochées aux choses.

Fragments du gouffre

Olivier détestait son prénom – un prénom de soleil et de paix. Il avait arraché, adolescent, en visite avec sa classe sur l'Acropole d'Athènes, un rameau de l'olivier sacré d'Athéna, et l'avait utilisé comme marque-page, l'année suivante, quand il avait lu *Mein Kampf*, par souci d'objectivité historique et pour faire horreur à son père, son père qui lui reprochait depuis toujours de ne pas lire, de ne pas lire assez, de lire n'importe quoi, de lire Lovecraft et Tolkien au lieu de Shakespeare et Tolstoï, de mieux connaître la légende de Cthulhu que le mythe d'Hamlet et de préférer la Terre du Milieu à l'histoire de son continent.

QPS aurait été surpris d'apprendre que son fils venait de relire pour la quatrième fois *Le Parlement fantôme*.

La raison en était d'ailleurs relativement surprenante : Olivier était en couple, depuis quelques mois, avec la jeune fille qui figurait seins nus sur la couverture du livre.

Elle s'appelait Europe et Olivier l'avait rencontrée dans un mouvement qu'il avait rejoint – une paradoxale internationale nationaliste dont Griff était le lointain inspirateur, et qui avait pris le nom de « Parlement fantôme ».

Si les plus enragés de ses membres étaient allés combattre jusqu'en Syrie ou dans le Donbass ukrainien, si les plus fanatiques projetaient de harceler en Zodiac les bateaux de migrants qui se multipliaient en Méditerranée, la majorité se contentait de manifester, de pays en pays, contre la scélératesse de lois sociétales qui légalisaient un peu partout le mariage gay, pour un meilleur contrôle des frontières, contre la construction de nouvelles mosquées, pour la défense des racines chrétiennes de l'Europe. Cela restait à peu près bon enfant – une sorte de scoutisme pour jeunes adultes en colère.

Savaient-ils qui il était ? Il taisait en général son nom. Olivier, c'était déjà suffisamment difficile à porter.

Il s'était retrouvé intégré au mouvement de façon très progressive. Au début, il avait participé à des rencontres dans les catacombes de Paris – un groupe de cataphiles avait entrepris, pour des raisons d'intérêt patrimonial, de protéger l'abri Laval des déprédations des antifas, comme une partie de paintball qui se serait déroulée sous terre, et éternisée pendant des mois : il s'agissait essentiellement de repeindre en gris les murs que le camp opposé avait badigeonnés de rouge. Olivier ne s'était jamais battu, mais il s'était facilement reconnu dans l'imaginaire guerrier du *Parlement fantôme*.

Emporté par la passion de ses nouveaux amis pour l'histoire militaire, il était descendu avec eux à la recherche du fantomatique V2, dans le blockhaus d'Éperlecques et sous la coupole de celui d'Helfaut. Il avait exploré, tout près de Paris, le bunker qu'Hitler s'était fait construire à Margival. Son père était juif et Olivier ne témoignait d'aucune espèce de sympathie pour Hitler, dont le monotone *combat* l'avait exclusivement ennuyé, mais en descendant les escaliers étroits qui menaient à ses appartements secrets, Olivier avait eu pitié de l'homme, passé de son Autriche natale et verdoyante à ces réduits humides. Cela lui avait rappelé ces nouvelles de science-fiction dans lesquelles un enfant découvre qu'il a un frère monstrueux vivant dans la cave de sa maison. Mais Hitler s'était mis tout seul dans cette situation intenable. Il avait utilisé toute l'Europe comme instrument de sa malédiction, il avait parsemé le continent d'oubliettes, pour finalement mourir au fond de l'une d'elles.

Ces constructions l'avaient alors obsédé – c'était la première passion qu'il se découvrait. Il s'était souvenu, peut-être, de cette cabane fortifiée construite dans la forêt de Dourdan, quand il était interne, en France : l'un des rares moments de sa vie où il avait été vraiment heureux.

Il avait suivi ce motif guerrier sur tout le littoral européen, de la Scandinavie à Biarritz. Il avait vu les cernes du bois imprimés dans des centaines de dômes identiques. Cet effort d'harmonisation ne l'avait pas laissé insensible. Le peuple européen n'avait plus construit, depuis les cathédrales gothiques, depuis les cultures mégalithiques, de monuments à cette échelle.

Et ces blockhaus, à la résistance étudiée et au dessin standardisé, étaient à leur manière strictement rationnels – un peu de sable pincé sur le bord de la terre pour résister aux invasions capitalistes venues du monde anglo-saxon, une frontière maritime froncée comme une pâte à gâteau.

Olivier commençait mentalement à relier ces points de la périphérie aux points vitaux de l'Europe : temples grecs insulaires, chapelles romanes isolées, donjons suspendus des châteaux médiévaux. C'était une carte de l'Europe qu'Olivier s'était fabriquée peu à peu – comme un trésor destiné à lui seul. Une chose que ni son père ni sa mère ne posséderaient jamais. Et il leur en voulait d'avoir tenté de faire de lui un citoyen du monde, un être universel et volatil. Il n'avait ainsi nulle part où aller vraiment, il errait à travers l'Europe et le monde, d'une résidence de son père à une autre, allumant la lumière, le chauffage ou la climatisation, transmettant quelques ordres simples aux domestiques, vérifiant que les codes wi-fi n'avaient pas changé, puis il passait deux ou trois semaines au bord de la piscine avant de revenir à Paris ou à New York – et maintenant à Karstberg.

Il se sentait plus à l'aise quand il explorait un blockhaus resserré. Face à la mer, devant les minuscules meurtrières, il lui arrivait d'envier le sort de ceux qu'on avait forcés à rester là, qu'on avait forcés à tenir – à tenir à quelque chose.

Chaque voyage de son père, chaque dollar que celui-ci payait à ses innombrables fixeurs, chaque chemise neuve qu'il exhibait à son retour dans les médias lui avait toujours fait l'effet d'un vol, d'une dilapidation anticipée de son héritage. Il ne s'était jamais cru riche, il s'était toujours cru dépossédé. Et quand il avait fini par comprendre que la carrière de son père, émaillée de bestsellers optimistes, était plutôt une source de profits que de pertes, il ne s'en était senti que plus spolié : son père était plus intelligent, plus libre, plus heureux qu'il le serait jamais, et c'était ce capital spirituel qu'on lui avait volé – il n'était tout simplement pas possible, en ce monde, d'être le fils de QPS.

Quant à sa mère, il aurait bien voulu l'aimer, mais il ne ressentait pas grand-chose. Il l'avait admirée, enfant, quand elle était la reine de New York, mais il ne l'avait jamais considérée autrement qu'avec distance et gêne. Il était toujours un peu timide en sa présence, comme si elle était une star de cinéma qui aurait eu le soudain caprice de se montrer gentille avec ce petit Français inconnu. Et il lui avait semblé, plusieurs fois, que sa mère ressentait au fond la même gêne qu'une star en présence de son plus grand fan : un mélange d'empathie et d'embarras. Et le fait qu'elle soit désormais retirée, comme Grace Kelly, dans une principauté d'Europe n'y changeait rien.

Ni son père ni sa mère, Olivier en était convaincu, ne s'étaient jamais sentis européens. Ils roulaient comme des gouttes d'eau sur la surface plastifiée de la carte. Il les avait entendus, pourtant, c'était leur seul point commun, défendre inlassablement cette Europe qu'ils connaissaient si mal, et qu'ils présumaient transparente et ouverte comme n'importe laquelle de ces institutions qui prétendaient la représenter – transparente comme la mort.

L'Europe d'Olivier était plus secrète et plus profonde. Elle se refermait aussi doucement qu'une vallée des Alpes. On était bien, là-bas, dans l'espace cloisonné de la très vieille Europe – un paysage à la fois éternel et directement menacé. Olivier ne pouvait plus s'empêcher de frissonner quand il apercevait un minaret au loin ou une femme voilée sur le trottoir d'en face. Il vivait dans un fantasme d'envahissement soudain, de grand remplacement, d'invasion concertée. La moindre chapelle désaffectée, le plus mince crucifix au bord d'une route déserte, la plus vague allusion de Griff aux empires disparus ou à une chrétienté réunifiée et conquérante suffisait à le bouleverser. Il ne croyait pas en Dieu mais aux guerres de Religion, aux croisades, à la Reconquista.

Olivier avait bien reçu le message de l'ancien président de la République : oui, le problème de l'Europe, c'était bien sa proximité avec l'Afrique, c'était criant sur une carte, l'énorme masse de l'Afrique écraserait un jour la délicate Europe. On pouvait craindre que l'Europe ne disparaisse, aspirée comme le cerveau d'une momie par les minces narines de Gibraltar et de Lampedusa.

Olivier participait l'été à des chantiers de la jeunesse, et passait un mois ou deux, en compagnie d'Européens de son âge, à restaurer des chapelles, à remonter des murs de pierres sèches ou à défricher d'anciens oppidums à travers toute l'Europe. C'est là qu'il avait rencontré, à la frontière entre la Croatie et la Bosnie, la jeune et belle Europe.

Être aléatoire c'est n'être pas repérable. Il existe de très grands nombres qui sont toutes les mathématiques terrestres. Des nombres articulés comme des démonstrations, des nombres qui contiennent toute une axiomatique et son déroulé exact sur des générations d'univers. Des nombres encore plus grands qui sont toutes les mathématiques de tous les univers. Des nombres qui croient à eux-mêmes en tant que nombres plutôt qu'aux univers.

Fragments du gouffre

Europe – c'était un pseudonyme – était apparue pour la première fois en 2012 sous le tag *Czech streets* du site pornographique YouPorn, une compilation de jeunes Tchèques, filmées dans les rues de Prague, à qui un homme proposait de l'argent en échange de diverses faveurs sexuelles. Ce sous-genre pornographique, naturaliste et spontané, allait connaître un immense succès dans toute l'Europe, et réactiver le mythe sexuel un peu déclinant des filles de l'Est, en corrigeant au passage son fétichisme initial, les Tchèques petites et brunes ayant pris la place des Ukrainiennes blondes et évaporées.

427

La carrière de l'effrontée Europe était désormais lancée. La jeune fille tourna dans plusieurs déclinaisons du concept, de Varsovie à Bucarest, qui réalisèrent à chaque fois des records de vues. Désormais célèbre, elle se consacra exclusivement à son activité de camgirl. Elle se caressait en répondant, l'air mutin, aux sollicitations des internautes, ses petits seins se balançant dans le vide lorsqu'elle passait d'un bond de son lit au clavier de son ordinateur. Et elle racontait à voix basse, le reste du temps, de vieilles légendes que lui avait racontées sa grand-mère, des histoires d'ours et de forêts, de brigands et de châteaux, en faisant tourner sa main dans une culotte rose. Elle abordait, aussi, des questions politiques, se disait chrétienne et fière de ses racines, voulait fonder une famille, éduquer ses enfants dans le respect de l'autorité et des valeurs traditionnelles. Un an plus tard, elle intégrait le classement *GQ* des cent femmes les plus puissantes de l'année, directement à la quarantième place, et devenait l'une des Européennes de l'Est les plus connues au monde. Elle avait commencé dès lors à recevoir plusieurs propositions pour figurer, à des places assez hautes, sur des listes de candidats aux prochaines européennes.

Émue de l'honneur qui lui était fait, elle dut alors mettre en ligne sa première vidéo non explicite, vidéo dans laquelle elle remerciait les Tchèques de leur confiance, et avouait son modeste mensonge : elle vivait bien à Prague, où elle faisait des études de commerce, mais elle était karste et ne pouvait pas se porter candidate sur une liste tchèque – elle ne pouvait d'ailleurs pas se porter candidate tout court, son pays n'étant pas membre de l'Union.

Ses larmes sincères et les sanglots qui faisaient rebondir ses seins eurent le mérite d'attirer l'attention du public sur la situation ambiguë des micro-États d'Europe, empêchés à jamais de rejoindre l'Union, en raison de leur taille – à moins d'imaginer l'éclatement définitif des États-nations et le triomphe infranational de l'Europe des régions dans une confédération de cités-États, de terroirs et d'ethnies.

C'était là, précisément, la solution que Griff préconisait à la fin de chacune de ses propres vidéos : non pas une fédération d'États, non pas les États-Unis d'Europe, mais une alliance de peuples libres, débarrassés de toutes les technocraties nationales ou supranationales, et enfin rendus à eux-mêmes.

L'adhésion du Karst était alors plus ou moins en suspens : personne n'avait rien contre, mais personne n'avait non plus envie, à Bruxelles, de partager son pouvoir avec une entité si modeste. La question des principautés était ambiguë : il était aussi étrange de ne pas les admettre parmi les États membres que d'envisager de leur donner des commissaires ou de les faire accéder à la présidence tournante de l'Union. Ces débris mal concassés de l'ancien monde perturbaient peu les rouages de l'Europe démocratique, mais il était agaçant que l'Europe, ce prétendu empire de la norme, cette tentative inédite d'homogénéisation d'un continent entier, ait laissé perdurer de telles anomalies. Le tamis des institutions avait beau être secoué dans tous les sens, Monaco, Andorre, le Liechtenstein, Saint-Marin et le Karst restaient à l'extérieur – donnant l'impression paradoxale que ces vestiges du lointain Moyen Âge, ces calculs mal résorbés du Saint Empire ou du royaume de France étaient devenus plus gros que les États eux-mêmes.

Il y avait, aussi, derrière tous ces statuts spéciaux négociés avec des stagiaires de commission qu'on laissait s'exercer ainsi à la diplomatie communautaire, la désagréable question suisse : le pays le plus central de l'Europe, et peut-être le plus riche du monde, avait refusé d'intégrer l'Union. La Suisse, se rassuraient les europhiles, s'était mise hors jeu en ratant les deux guerres mondiales : elle n'avait pas accompli le sacrifice que l'Europe attendait de ses futurs membres. Restait l'énigme de cette zone de non-droit bancaire et d'insolence démocratique au cœur de l'arc alpin – la Suisse, comme concession internationale plutôt que comme pays d'Europe. Cela participait à cette gêne, cet empêchement à être jamais un continent entier et une union hégémonique.

Ce n'était rien, sans doute, qu'un agacement de technocrate. Mais la question des minorités dans l'Empire austro-hongrois n'avait pas été tellement plus que cela, au début : un agacement de technocrate.

L'univers est comme une grille partiellement remplie. Une succession de grilles dans l'ordre du temps. Il pourrait exister des lois. Il faudrait pour cela imaginer des entités qui se faufilent d'une grille à l'autre comme des singes qui sortent de leur cage. Ces singes sont faits de cases. De cases inertes devenues vivantes dans le filtre du temps. Le temps est le tiroir aux scarabées d'un musée d'histoire naturelle. Ils sont toujours immobiles quand on l'ouvre. Ils pourraient être en vie quand le tiroir est fermé. Qui ouvre le tiroir ? A-t-il été suffisamment délicat pour ne pas avoir créé lui-même l'illusion de la vie ?

Fragments du gouffre

Griff s'était laissé pousser une grande barbe de penseur slave qui avait démultiplié son charisme, comme le nimbe doré d'une icône orthodoxe.

Son public n'avait jamais été si jeune, il avait rajeuni à mesure que ses livres avaient perdu en taille, et si les lecteurs fervents du *Nombre de Gorinski* avaient maintenant la cinquantaine, ceux de ses pamphlets avaient rarement plus de trente ans, et ceux qui regardaient ses vidéos avaient à peine connu le XXᵉ siècle. Le 11 septembre était un vague souvenir d'enfance, l'URSS un autre Saint Empire englouti et indéfinissable.

Griff arrivait de Berlin, où il avait soldé ses derniers comptes avec son éditeur historique. La maison d'édition lui avait refusé tous ses pamphlets postérieurs au *Nombre de Gorinski*, se contentant d'exploiter son œuvre de romancier nobélisable, de romancier exubérant, de visionnaire grotesque – l'Europe éprouvait alors pour les Balkans la même fascination effrayée que l'Amérique du Nord pour l'Amérique latine, et on le comparait souvent à García Márquez.

Il s'était un peu baladé dans la ville mythique de la guerre froide, et il avait été frappé, pour la première fois, par la disparition non seulement du mur, mais même de son empreinte – Checkpoint Charlie avait l'air aussi faux qu'un décor de cinéma, le no man's land était partout construit, la ligne dessinée sur le sol était indifférente, et les détails qui rendaient le passage d'une partie à l'autre de la ville si pittoresque, comme les deux types de bonshommes des feux piétons, tendaient à disparaître. Le mur était devenu moins visible, dans le tissu urbain, que les petits pavés en bronze donnant, devant les portes des immeubles, les noms et les âges de leurs résidents juifs assassinés. La Seconde Guerre avait repris ses proportions mythiques et la guerre froide n'était plus qu'un épiphénomène de celle-ci, qui avait laissé moins de traces que la dernière gay pride. Il était même possible, vingt ans après la chute du mur, de venir visiter Berlin et d'ignorer son existence.

Griff, avant de commencer à parler, avait regardé longuement son auditoire. Les plus fervents étaient sur les solives de la chapelle en bois qu'on était en train de bâtir, dans le cadre d'un camp d'été de réarmement idéologique, quelque part au nord du Kosovo. La petite chapelle était bien avancée, et devait être terminée à la fin du mois. Griff connaissait ces jeunes, venus en général des dernières grandes familles chrétiennes du continent – des familles qui avaient presque tout perdu en deux siècles, à l'exception d'une chose, la capacité à se reproduire, dans tous les sens du terme : les dernières familles blanches à pouvoir faire plus d'une demi-douzaine d'enfants et à savoir leur transmettre leurs valeurs ancestrales. On assistait même, de plus en plus, à un renforcement de celles-ci : les fils étaient plus durs que les pères, les filles moins modérées que les mères. Les dernières conquêtes des modernes avaient été, peut-être, les batailles de trop. Elles avaient réveillé ces familles endormies et la rue, comme on l'avait vu en France à l'occasion de la promulgation du mariage homosexuel, s'était retrouvée, un instant, entre les mains des grands perdants de 1789. Avec les débats sur la gestation pour autrui, on avait enfin réveillé la vieille, la très vieille et très indestructible cellule familiale – la cellule dormante de la révolution conservatrice –, celle qu'on pensait depuis longtemps défaite, reléguée loin des villes dans le grand camp pavillonnaire de la société de consommation.

On n'avait pas vu venir la réaction de la bête mourante, la Réaction elle-même, l'Ancien Régime intact, l'Europe de l'Église et des Rois, des empereurs et des papes.

Cette chapelle en bois en était l'avant-poste. Il y en avait des dizaines comme elle, un peu partout. Des camps d'été, des arsenaux plus fournis que ceux de la guerre froide, des réseaux plus serrés que ceux de la CIA ou du KGB. Des caches d'armes, des imprimeries clandestines, des VPN et des cartes SSD remplies de Bitcoins, des Raspberry Pi sur lesquels on avait stocké le programme d'impression du Gutenberger, une arme à feu imprimable, version européenne améliorée du Liberator américain. Et, dans chacun des pays de l'Union, des guildes de joueurs mieux entraînées que des réseaux de partisans. Des versions pirates des livres de Griff, enfin, cachées un peu partout, et des phrases entières connues par cœur de ce nouveau peuple de la forêt – les veilleurs de l'âme européenne.

Ce que Griff réalisait, et qui lui procurait presque des frissons, c'était que la chrétienté, autour de son visage compatissant d'empereur d'Orient et d'Occident, d'évêque de Rome et de Constantinople, s'était enfin réconciliée. Cette chapelle était orthodoxe, mais ses bâtisseurs, hurlant son nom en brandissant leurs tronçonneuses jaune et rouge, ses bâtisseurs étaient indifféremment catholiques, protestants, orthodoxes ou païens.

On peut transformer n'importe quel cours d'eau, n'importe quel delta alluvial, n'importe quelle rayure sur le dos d'un animal en porte logique. On peut utiliser n'importe quelle horloge médiévale, n'importe quel système de poulie qui commande à l'ouverture d'un pont-levis, n'importe quel labyrinthe des rues du vieux Karstberg, comme une porte logique. Avec un minimum d'ajustement, n'importe quelle châtaigne étoilée, n'importe quel rond de sorcière, n'importe quelle section annelée du tronc d'un arbre mort peut servir de machine à calculer. Le monde tel qu'il est, le monde plein de remous et de triples corps, le monde à l'échine frémissante, est encore en plein calcul. Un calcul obéissant à des procédures inconnues, dans une langue intacte, selon des lois inexplorées.

Fragments du gouffre

La crise grecque était à peine terminée et les résultats du référendum sur le Brexit encore inconnus quand Ida menaça d'organiser à son tour un référendum. La minuscule question karste, l'anecdotique question des principautés, s'invita dès lors dans le débat européen.

Bruxelles ayant bien spécifié, à plusieurs reprises, que le dossier de l'adhésion du Karst ne pourrait pas être examiné, Ida se faisait peu d'illusions sur sa demande d'adhésion, qu'elle avait jusque-là surtout utilisée comme un moyen de pression afin d'obtenir, pour les roulements Spitz, les meilleurs tarifs douaniers possible.

Le désordre géopolitique généré par ce projet de candidature n'avait cependant pas été négligeable – Ida avait trouvé là un levier pour faire parler du Karst bien au-delà des frontières de l'ancien Empire austro-hongrois, de l'ex-Yougoslavie et de la communauté mathématique. La question karste était devenue, en quelques mois, une question continentale.

Juncker, le paradoxal président luxembourgeois de la Commission, avait refusé de venir, mais il avait promis d'envoyer Schlenk, son directeur de cabinet, pour négocier directement avec Ida. Il était évident qu'Ida ne mettrait pas sa menace à exécution. Il fallait cependant savoir ce qu'elle voulait. Elle avait pour l'instant seulement déclaré qu'elle désirait pousser sa candidature à un point où aucune autre principauté ne l'avait encore poussée – au point de la Turquie, peut-être.

On connaissait Ida, on connaissait bien le Forum de Karstberg, et on appréciait généralement l'outil d'influence qu'il représentait. Un libéralisme agressif qui contrebalançait avantageusement l'inertie de Bruxelles ; comme avait dit la chancelière Merkel : « L'Europe regroupe 7 % de la population mondiale et 25 % du PIB du monde, ses dépenses sociales en représentent 50 % », et on comptait sur les mathématiciens karstes pour aider à résoudre cette équation impossible.

Mais la candidature du Karst ne pourrait pas être envisagée de façon sérieuse, avait dû réaffirmer Juncker, à moins de forcer la nature des textes, et de faire de l'Europe, réduite à son lointain échec médiéval, une ligue hanséatique ou lombarde élargie au continent entier. Un jour peut-être, avait-il ajouté, prophétique ou moqueur, le Karst rentrerait de plain-pied dans l'Europe – quand l'échelon national aurait été aboli.

C'étaient les souverainistes, le camp de ceux qui considéraient les États comme sacrés, qui s'étaient dès lors mobilisés, arguant que rien ne justifiait ce mépris, sinon la taille du Karst. L'Histoire n'avait pas découpé l'Europe en parts égales, et la Commission ne pouvait l'ignorer. La controverse avait particulièrement bien pris dans les pays fondateurs, où la question européenne, devenue un peu lointaine, était en général convoquée dans le débat public par ceux qui voulaient qu'elle s'éloigne encore plus. L'adhésion du Karst, ce pays ridicule, était une occasion rêvée pour affaiblir les institutions européennes. On ramena ainsi, en France, l'affaire karste à cette discussion sur le gabarit des fromages qui avait agité l'opinion publique vingt ans plus tôt, et qui continuait à servir d'argument aux eurosceptiques : après avoir réglementé la taille des pavés de brebis, l'Europe entendait-elle aujourd'hui réglementer la taille des pays ?

Le débat avait bien rebondi dans les petits pays de l'Union, de Malte et Chypre à la Lituanie.

Mais c'était le mouvement transeuropéen de Griff qui sut le mieux en tirer profit, en faisant de l'adhésion du Karst un point central du programme de sa liste aux européennes, liste qu'il avait appelée « L'Europe commence à Karstberg ».

On soupçonna Ida de financer le mouvement, sans pouvoir le prouver. Des journalistes d'investigation anglais et allemand avaient ainsi rapporté la présence surprenante du fils d'Ida à un rassemblement au Kosovo.

Imaginez que le mot « mathématique » n'existe pas. Des techniques de trigonométrie sont mises en œuvre pour partager les champs, des techniques de projection sont utilisées pour construire des escaliers, des techniques de calculs sont utilisées en comptabilité, mais on n'a aucune idée d'un domaine commun entre ces tâches qui ne se ressemblent en rien. L'Empire romain : un peuple d'ingénieurs. Pourrait-il manquer au-dessus de la politique une science plus haute : une technocratie ? Une cyber-nétique ?

Fragments du gouffre

Griff en voulait parfois à Ida, sa reine et sa bienfaitrice, d'avoir retardé sa prise de conscience nationaliste, il lui en voulait d'avoir tari, dans ces mois décisifs passés au Karst après ses années de guerre, sa veine épique. Le poème, en sept chants, autant qu'il y avait de républiques dans l'ancienne Yougoslavie, était prêt, dans sa tête, quand elle avait fait de lui son otage, n'acceptant de le libérer qu'à condition qu'il mette en forme sa vision du monde, la sienne, celle d'une impératrice de Wall Street qui vivait un conte de fées européen. Le poème s'était dissous très vite, et irréversiblement, dans ces pages hypocrites qu'il avait consacrées au rêve d'une autre. Il n'oubliait pas, non plus, et c'était cela dont il avait le plus honte, qu'elle lui avait promis, alors, de lui obtenir le Nobel – et qu'il l'avait crue.

Toute la suite, toute cette vie absurde et amère d'activiste paneuropéen, n'avait été qu'une tentative de renouer avec cette veine épique, avec ce trésor de guerre si bêtement gaspillé. La politique, le grand jeu des esprits diminués, était désormais l'unique poème qu'il se sentait la force d'écrire – Périclès comme un pourrissement d'Homère, Alcibiade comme un parasite de Socrate, Alexandre comme une tumeur aristotélicienne. On l'avait privé de son discours à Oslo, mais Oslo était partout où il se trouvait. Il n'en finirait jamais, comme ici, pour l'inauguration d'une chapelle orthodoxe dans une vallée kosovare, avec son discours de réception du Nobel.

Tout en haranguant la foule, Griff avait repéré, parmi la masse inculte de ses adorateurs, ce garçon qui semblait plus intense, plus passionné que les autres. Un garçon très beau, et très révolté. L'un des seuls à avoir des préoccupations qui dépassaient la menuiserie et l'alcoolisation rituelle du soir.

Il l'avait déjà aperçu l'été précédent à Medjugorje, en Herzégovine. Et il lui avait paru bizarrement familier. Le jeune homme construisait déjà quelque chose, à l'époque pas une chapelle, non, mais des sanitaires en bois destinés aux pèlerins qui venaient chaque année plus nombreux implorer la Vierge apparue à six adolescents, peu après la mort de Tito, avec un sens du timing impeccable. Griff avait eu le sentiment qu'on lui avait réservé là-bas un triomphe encore plus grand qu'à la Vierge – c'était à ce moment qu'il avait basculé définitivement d'écrivain maudit à leader politique. Ils ne devaient pas être loin de mille autour de lui, monté sur le toit des sanitaires en bois comme sur une estrade. Et il y avait eu quelque chose de délicieux à venir parler, là-bas, en Herzégovine, dans la partie la plus catholique de la Bosnie multiconfessionnelle, du péril islamique et du retour toujours possible de la domination ottomane.

Griff se renseigna, cette fois-ci, sur ce jeune homme auprès d'Europe : c'était son petit ami français, ce garçon si riche et si mystérieux qu'elle fréquentait depuis quelques mois. Elle lui avait dit son prénom : Olivier.

Évidemment. Olivier Stern. Les beaux yeux noirs de sa mère sous l'insupportable chevelure romantique de son père. C'était bien cela, oui : le fils d'Ida et de QPS. Il avait failli l'avoir pour élève, pendant qu'il écrivait *Le Nombre de Gorinski*, quand Ida cherchait un précepteur pour ce fils aux résultats scolaires si déshonorants. Il se souvenait tout au plus d'un adolescent maussade, à qui il n'avait parlé qu'une seule fois, pendant la cérémonie du sacre, pour le seul plaisir d'irriter QPS, que sa seule présence mettait visiblement en rage, et qui n'avait pas cessé de les surveiller – il avait surtout dit des horreurs sur le prince Jan, des horreurs qui l'avaient beaucoup amusé : il avait décrit son sacre comme la consécration de sa carrière de gigolo, il avait évoqué les riches héritières qu'il avait conduites à la faillite, et il avait même parlé d'un enfant secret abandonné quelque part. Et Griff regretta, soudain, d'avoir refusé par orgueil la proposition d'Ida. Il allait heureusement avoir une seconde chance.

Europe était allée le chercher.

— Oui, nous nous connaissons, avait dit Olivier timidement. Et je suis un de vos grands admirateurs. Je fais partie du comité d'organisation. Je m'occupe des activités sportives et du stage de survivalisme. Les courses d'orientation, les tournois de paintball, les feux de joie, tout ça. Merci de passer ces trois jours avec nous. Votre présence, dès qu'on a pu l'annoncer, a fait doubler le nombre d'inscrits. Ils ont l'air un peu apathiques, comme ça, mais ils vous admirent tous. Vous êtes le premier intellectuel qu'ils voient, ça les rend nerveux.

Le jeune homme ne manquait pas d'esprit, finalement, et il était surprenant qu'il exerce l'activité, certes joyeusement barbare mais un peu limitée, de coach sportif.

— Je peux vous poser une question ?

Olivier voulait connaître la signification profonde de cette sorte d'appendice au *Nombre de Gorinski* qu'il avait écrit en deux jours pour une revue hongroise, avant d'autoriser un petit éditeur serbe à l'éditer. *Le Parlement fantôme* avait connu un certain succès. Pas celui du *Nombre de Gorinski*, bien sûr, il était resté plus confidentiel et réservé à quelques initiés seulement, qui se le passaient sous le manteau. Mais il avait ainsi conquis des dizaines de milliers d'âmes à travers toute l'Europe sans jamais voir la lumière du jour.

— Qu'avez-vous voulu dire, demanda Olivier avec ferveur, avec cette notion de parlement fantôme ? J'adore ce livre, je l'ai lu plusieurs fois, c'est comme la préhistoire de notre mouvement. Les fondations imputrescibles de notre chapelle sont ici, dans ces pages. Mais le sens de l'expression m'échappe.

— C'est très simple, très littéral. L'idée, c'est qu'il ne faut pas que vous vous laissiez intimider par Bruxelles. Il y a là-bas des outils intéressants. C'est la seule instance politique officielle où vous êtes représentés. Vous y êtes même parfois entendus. Cela vous donne l'occasion de vous rassembler, de mesurer vos forces, de faire front commun contre tous vos ennemis. Je vais vous faire rire : j'aimerais, à terme, que le Parlement européen et cette sorte de congrès que j'ai inauguré ce soir finissent par fusionner. On sait que nos mouvements épars, et si difficiles à éliminer du jeu démocratique, font leurs meilleurs scores aux élections européennes.

Tout cela amusait beaucoup Griff. Il avait été marqué, jeune romancier, par Le *Jeu des perles de verre* d'Hermann Hesse : le vieil humaniste avait inventé là un pays d'opérette gouverné par une sorte de pape qui exerçait sa magistrature à travers ce mystérieux jeu que l'écrivain ne décrivait jamais en détail, mais qui décidait de tout, un jeu minutieux, obstiné et grandiose comme l'étaient ces mathématiques qui présidaient en secret aux destinées de son Karst natal, ou comme l'étaient devenues ces institutions européennes invisibles et omniprésentes. La fantaisie de Hesse devait être particulièrement réussie pour que la censure yougoslave ait laissé passer un tel livre, empreint du plus délicat, du plus kantien des idéalismes bourgeois – à moins qu'elle n'ait fait une interprétation orthodoxe du jeu des perles de verre, compris comme un ordinateur central, une machine destinée à administrer l'économie. Mais c'était la fin du livre qui avait le plus marqué Griff. Qui l'avait le plus déçu aussi, même si cette déception l'avait rendu encore plus inoubliable. Devenu le maître du jeu des perles de verre, dans une Europe en péril, le héros du roman démissionnait soudain, pour devenir le précepteur du fils de son ancien camarade d'études, aux tentations politiques inquiétantes. Être l'empereur spirituel du monde et démissionner pour devenir précepteur, cela avait intrigué Griff, et il appréciait l'ironie de la situation : comme ce pape démissionnaire qui s'entichait soudain d'un jeune éphèbe nazi, il allait dorénavant prendre soin du fils de ses ennemis.

Il lui offrit ainsi, quelques mois plus tard, de prendre la tête de la liste de son parti aux prochaines européennes. Olivier accepta.

Les premières grandes perplexités mathématiques
sont nées, telles des dunes imperceptibles, sous les
doigts des premiers hommes qui ont transféré aux
choses, au sable, aux cailloux, aux bâtons ou à l'argile,
un sentiment de vertige – les mathématiques comme
dévalement du temps, comme production paniquée de
suites et de structures répliquantes, comme sentiment
de l'inertie elle-même et forme de la chute.

Fragments du gouffre

C'était la forêt dont lui parlait son père quand il était
enfant. C'était la forêt que son grand-père avait essayé
d'acheter – jusqu'à devenir ami avec Tito. C'était en
réalité à peine plus qu'un ravin à l'aplomb du rocher, qui
recevait toute son ombre et servait de décharge sauvage à
la principauté. Les carcasses de blindés et de machines-
outils rendaient les abords de la dernière forêt primaire
du continent impénétrables. Il avait fallu faire venir un
ferrailleur de la Slovénie voisine.

Mais Olivier avait dû auparavant convaincre sa mère.
Il lui avait montré les photographies d'une passerelle

suspendue à plus de trois cents mètres au-dessus des gorges de Zhangjiajie en Chine. Le plancher en verre permettait d'admirer l'immense forêt humide qui s'était développée là sur un chaos rocheux – de très anciennes structures karstiques effondrées, dont celles de la forêt du Horvdt étaient comme une reproduction à l'échelle du dixième. Le Karst était trop petit, trop accidenté pour négliger cette partie de son territoire. Ce serait aussi une intéressante activité à proposer aux participants du prochain Forum – autre chose que la sempiternelle découverte du Karst en hélicoptère, avec son coup de théâtre un peu fatigué qui voyait le pilote se placer cent mètres à la verticale de la citadelle et annoncer à ses passagers qu'ils avaient maintenant la principauté entière sous les yeux : les gorges du Grave et la forêt du Horvdt, la vieille ville, avec en son centre la cathédrale, et tout autour les toits en shed, comme des Alpes miniatures, des ateliers Spitz – encore quelques secondes d'ascension verticale et l'Autriche et la Slovénie se refermeraient sur la principauté.

Mais c'était l'argument écologique qui avait le mieux porté : l'état de la forêt du Horvdt était indigne. On avait vraiment l'impression qu'on s'était débarrassé là, précipitamment, de tout un arsenal. C'était l'occasion, oui, de nettoyer tout cela.

Ida avait ainsi fini par céder à Olivier : il pourrait installer son parcours d'accrobranche, ces passerelles à trente mètres du sol entre les arbres millénaires de la vallée du Horvdt, à condition que toutes ses installations soient démontables et aux normes européennes. La forêt du Horvdt avait en effet rejoint, à la fin des années 90, le réseau mondial des réserves de biosphère de l'Unesco. Un fonctionnaire européen venait même d'arriver pour effectuer divers prélèvements, lui apprit Ida, et elle l'avait particulièrement choyé, en le logeant dans la citadelle et en le recevant à dîner – on ne pouvait prendre aucun risque, surtout en ce moment, avec ces enfantillages, alors que nous sommes en pleines négociations.

La société Stern, c'était ainsi acté, n'exploiterait pas les arbres fabuleux du Horvdt. Pourtant Olivier, à sa manière, allait peut-être venger son grand-père, réaliser une partie de son rêve – tirer enfin profit des arbres mythiques du Horvdt.

C'était une idée étrange – il se souvenait à peine du vieil homme. Son père, au fond, avait voulu échapper, comme lui, à son propre père. Il avait toujours géré la société d'assez loin, presque avec mépris, comme si la chose portait en elle tout le tragique de l'Histoire – les forêts des anciennes légendes juives. Olivier était certain qu'il finirait par la vendre – par le priver, lui, le mauvais fils, le rejeton illibéral, de ses racines terrestres, après les avoir utilisées pour financer ses voyages et ses diverses aventures autour du monde, une vie de Tintin reporter, de singe savant du capitalisme, une vie à se balancer de guerre en guerre, de branche en branche, une cascade permanente qu'il l'avait vu descendre en rappel dans toutes les zones de conflit pour prendre deux ou trois photos et repartir aussi vite.

Olivier se souvenait d'un exercice mathématique qu'il avait fait autrefois : quelle longueur fallait-il ajouter à une corde qui faisait le tour de la terre au niveau de l'Équateur pour qu'elle se retrouve à un mètre du sol, tenue par une grande farandole d'enfants – comme sur les cartes de vœux dont l'Unicef bombardait autrefois l'Occident ? C'était cela, le monde de son père. Ne jamais toucher la terre. C'était le grand fantasme globaliste. Vivre à un mètre du sol, passer d'un aéroport à l'autre, dévaler sans fin la même tyrolienne.

« L'énigme de la corde » : cela sonnait bien. Ce pourrait être un bon nom pour la future attraction. Olivier anticipait déjà, avec une joie mauvaise, le spectacle du prochain Forum – toutes les élites mondiales accrochées aux branches et forcées de jouer une allégorie d'elles-mêmes.

Il s'était maintenant enfoncé au-delà du passage que les ferrailleurs avaient nettoyé. Le sol était devenu presque spongieux et il devait écarter des branches de plus en plus nombreuses. La nuit semblait tombée d'un coup.

Olivier ne voulait pas encore admettre qu'il était perdu. À quelques mètres à peine de l'orée de la forêt. Il aurait dû dérouler une corde derrière lui.

« L'énigme de la corde, l'énigme de la corde », répétait-il, rageur. Il s'enfonçait maintenant jusqu'aux genoux dans un sol de plus en plus meuble, seulement transpercé ici ou là, comme les dents d'un râteau, de fins rochers tranchants. Il commençait même à s'y accrocher, de peur d'être emporté dans la substance visqueuse qui se dérobait sous ses pas – et il s'imaginait tomber dans ces grands puits de matière en décomposition et s'empaler sur des arêtes invisibles.

— La réponse à l'énigme de la corde, c'est 6 mètres 28. Ajouter 6 mètres 28 de mou pour gagner un mètre de rayon tout autour du monde. Et cela vaut pour une balle de ping-pong aussi bien que pour une planète aussi grosse que Jupiter. C'est la beauté du paradoxe.

Il reconnaissait la voix. L'homme – ou le garçon, plutôt, car son visage n'avait presque pas changé en vingt ans – était accroupi sur un rocher au-dessus de lui, il tenait une sorte de détecteur à la main et son visage était nimbé de lumière.

C'était Flavio, le garçon de Dourdan. Et, pendant un bref instant, Olivier se crut retourné là-bas, revenu en 1989, l'année de ses neuf ans. C'était le garçon qui l'avait alors détrôné, celui à cause de qui il était retourné, humilié, vivre en Amérique. Et il y avait encore autour de lui comme une aura de triomphe.

Il reprit cependant une apparence normale en sautant du rocher sur une petite plateforme en face d'Olivier.

— Tu es bien Flavio ? Mais que fais-tu là ?

— Je ramasse des échantillons. J'enregistre le taux de concentration en dioxyde de carbone. Je suis en mission scientifique pour la Commission européenne. Un des innombrables sous-dossiers de la possible intégration du Karst à l'Union. Je suis devenu fonctionnaire européen après mon doctorat. C'est une blague en vogue, à Bruxelles – dans mon service, en tout cas : la forêt du Horvdt sera sanctuarisée le jour où on aura accumulé en formulaires divers l'équivalent de la biomasse qu'elle représente.

Un instant silencieuse, la forêt se remit en mouvement : des frémissements au loin et des chants d'oiseaux mal coordonnés.

— C'est drôle, de se retrouver ici. La dernière fois c'était dans la forêt de Dourdan. Tu avais passé une année avec nous, un peu moins, peut-être.

— Oui, je suis parti en cours d'année.

— Tout cela est presque fabuleux. Deux rivaux d'enfance qui se retrouvent, et partout où ils sont réunis, une forêt apparaît autour d'eux ! Tu te rappelles les grands blocs de grès dans la cour de l'école ? On jouait à la guerre avec des figurines. Tu étais venu avec un briquet et tu faisais fondre tes ennemis. Tu continues à jouer à la guerre ? Que fais-tu là ?

— Je vis ici. Je suis karste. Par ma mère. Je suis le fils de la chancelière.

— Incroyable ! Tu es le prince héritier ?

— Non, je ne suis pas le fils du prince Jan. Je suis né avant leur rencontre. Mon père est une sorte d'aventurier français. Pas un conte de fées, plutôt un roman-feuilleton.

— Qu'est-ce que tu fabriques, alors, dans la forêt ? Tu ourdis un complot contre ton beau-père ? Tu as pris le maquis et tu organises la résistance ?

— Ma mère a vu que je m'ennuyais. Et elle m'a nommé quelque chose comme chef du protocole. Je vais organiser ici, pour elle et pour des hommes que je méprise – les invités du XXe Forum de Karstberg – une grande après-midi de divertissement en plein air. J'ai pensé à les promener ici, sur des ponts suspendus, entre les arbres millénaires.

— Impossible ! On ne touche pas à la forêt primaire ! C'est pour ça que je suis ici.

— Les câbles ne seront pas directement en contact avec le tronc, ils écraseront des coins en bois tendre.

Flavio, tout en parlant, avait guidé Olivier jusqu'à l'orée de la forêt. Lui comptait profiter des deux heures de soleil qu'il restait pour continuer ses relevés.

— Je ne sais pas si nous nous reverrons. Je repars demain matin, et j'ai un rapport à rédiger ce soir…

— Je te ferai inviter, si tu veux, au prochain Forum, en septembre. Tu viendras constater par toi-même la réversibilité de mes installations. Ce sont des charpentiers spécialisés dans la restauration de vieilles chapelles en bois qui vont s'en charger.

Olivier s'était déjà éloigné de quelques mètres quand Flavio lui posa sa question. Il ne pourrait jamais expliquer pourquoi mais il savait que c'était l'unique question qu'il devait poser, la dernière chance qu'il aurait de savoir – et il continuerait, longtemps après, à avoir des frissons en repensant à sa mystérieuse prescience :

— Une dernière chose : le prince Jan a-t-il un héritier ?

— Certains disent qu'il a eu un enfant autrefois, mais qu'il ne l'a jamais reconnu.

Olivier était déjà trop loin, sans doute, pour voir Flavio blêmir. Celui-ci s'était retourné vers la forêt obscure. Les larmes aux yeux, il s'avança à pas rapides, mécaniquement, vers le lieu où était sa station météo.

Il connaissait maintenant tout le mystère de ses origines, et il avait même dîné, incognito, avec son père la veille. Il avait du mal à réfléchir, il devait absolument marcher.

Il ressentit le grand calme de la forêt, cette atmosphère humide et odorante qui dégageait une douceur amniotique.

Il demeurerait le fils d'un vieux couple de forestiers. Il était le fils de toutes les forêts du continent, l'enfant sauvage de l'Europe.

Deux conséquences contradictoires de l'intuitionnisme : la mise en lumière de l'élément psychologique,
de l'élément individuel, du drame intime de la pensée
comme fondement des mathématiques ; l'acceptation
de la machine à calculer en tant que mathématicien
légitime. Le moteur de l'Europe. Parallèle avec le calvinisme. La grâce devenue simultanément étrangère aux
hommes et étroitement calculable.

Fragments du gouffre

Les larmes de Flavio avaient déjà séché quand il
parvint devant la petite structure en bois blanc de
la station météo qu'il avait découverte dix ans plus
tôt et dans laquelle il avait remisé ses capteurs. C'était
un modèle ancien, aux quatre faces recouvertes de
persiennes, mais beaucoup plus ouvragé que ce qu'on
trouvait habituellement. Elle ressemblait en fait plutôt à un reliquaire, à un ex-voto ou à un stupa boud-
dhique.

Flavio défit un cadenas, ouvrit la petite porte, prit
consciencieusement des mesures et changea une batterie.
C'est en refermant la porte qu'il vit qu'on l'observait

– Olivier était là, de l'autre côté, son visage à moins d'un mètre du sien.

Olivier avait été surpris de la rapidité avec laquelle Flavio s'était retourné tout à l'heure et il l'avait suivi, sur un soupçon infime, une intuition invérifiable.

Il avait les mêmes yeux que le prince Jan et tout correspondait.

Il se souvenait de tout, en réalité. De l'humiliation que lui avait fait subir cet externe, autrefois. Cet orphelin au prénom ridicule. Ce garçon un peu autiste qui vivait chez ses grands-parents. Et qui avait fait rire toute la classe le jour où, le plus innocemment du monde, il avait déclaré au maître qu'il ne connaissait pas ses parents véritables mais qu'ils étaient certainement roi et reine.

Mais Flavio était plus à l'aise que lui, il n'avait pas peur de la forêt, et il l'avait très vite perdu de vue. Il n'y avait plus rien autour de lui, plus de chemins, plus rien qui ait une forme humaine. Les arbres n'avaient plus leur silhouette familière, tout avait l'air brisé, déraciné, anéanti, même le ciel absent avait l'air d'avoir été arraché à la terre. Quelque chose craqua au loin, la forêt se refermait sur lui.

Le paysage ne ressemblait plus à rien de connu – ni une forêt, ni un chaos rocheux, peut-être le sol d'une planète aux roches décomposées et au sol effervescent soudain figé dans une instantanéité atroce. Olivier avait l'impression d'évoluer dans une épaisse apesanteur. Il était perdu, dans toutes les directions possibles. Que cherchait-il exactement ? Désirait-il vraiment assassiner l'héritier du trône ? Désirait-il autre chose, de plus obscur encore ?

Il repensa à un conte philosophique que lui avait raconté son père : si Dieu existait, il pouvait, à la rigueur, pour l'édification des parents, reprendre leurs enfants, mais il était intolérable qu'il permette qu'une biche puisse se blesser et agoniser lentement, dans la solitude injustifiable d'une forêt. Il suffisait cependant qu'un promeneur égaré tombe sur la biche pour que l'univers retrouve, instantanément, toute sa moralité perdue. Pourquoi reliait-il cela à des photographies aériennes du camp d'Auschwitz que son père lui avait montrées un jour ? Cela devait faire partie de la même histoire.

Que le promeneur puisse être un chasseur, cela ne changeait rien à l'expérience de pensée. Olivier prit une grande respiration, et se mit à la recherche de sa proie. Tant qu'il resterait concentré sur elle, cela écarterait la peur.

Il avançait entre deux parois de rocher en essayant de poser le moins possible ses pieds sur le sol.

L'obscurité, qui tombait plus vite qu'il ne l'aurait cru, l'obligea rapidement à se trouver un abri. Il devrait sans doute passer la nuit dans la forêt. Cela plairait à Griff quand il lui raconterait.

C'est alors qu'il aperçut la chapelle, une belle chapelle en bois, toute blanche, quoique d'une forme inconnue – Olivier se demanda à quel culte elle pouvait se rattacher.

Mais ce qu'il avait pris pour un bâtiment s'avéra être, quand il s'en approcha, de taille ridiculement petite – à peine plus haut qu'un homme, en réalité. Et pas n'importe quel homme. Olivier avait retrouvé là Flavio, qui effectuait, pendant qu'il s'avançait sans bruit, un rituel mystérieux. Peut-être pleurait-il, se dit Olivier, en voyant ses épaules se soulever comme s'il sanglotait.

Il avait pourtant la voix posée – et il n'avait même pas sursauté en le découvrant en face de lui.

— Ça ira comme ça encore quelques saisons. Idéalement, il faudrait pouvoir transmettre les données par satellite, mais je crois qu'on est dans l'ombre du rocher. Tu t'es encore perdu ?

— J'ai eu des scrupules à t'abandonner là tout seul.

— La forêt ne nous laissera jamais tranquilles. Viens, je vais te montrer quelque chose, puisque tu es là. Je l'ai découvert tout à l'heure, je voulais regarder ça de plus près après mes relevés.

Olivier suivit Flavio sur une sorte de sentier pendant quelques minutes, jusqu'à ce que la chose apparaisse. Il crut d'abord à un rocher plus gros que les autres, un rocher bizarrement creusé. Mais ce n'était pas naturel : c'était l'entrée fortifiée d'un bunker, un bunker d'une forme qui lui était inconnue, trop ouvragée peut-être, bizarrement orientale.

Les deux garçons s'engagèrent à l'intérieur, Flavio le premier, avec sa petite lampe dynamo, Olivier à sa suite, son doigt posé sur la lumière de son portable pour en atténuer la lueur éblouissante.

Ils avançaient comme cela, pas à pas, dans la rougeur de la lumière transcutanée.

> L'Europe comme histoire providentielle des mathé-
> matiques.
>
> *Fragments du gouffre*

— À partir de là ça redevient une construction naturelle, un *foiba*, commenta Flavio. C'est bizarre qu'on ait
construit un bunker au-dessus, qu'on se soit donné autant
de mal. C'était normalement une méthode d'extermina-
tion plutôt artisanale. C'est comme cela que les partisans
de Tito tuaient les fascistes italiens, pendant la reconquête
de l'Istrie. Des grottes très primitives. Une bulle qui vient
crever le sous-sol calcaire et éclater à sa surface. J'avais
un moniteur de spéléologie qui en avait exploré plusieurs
et qui m'a raconté. Ce sont des machines à tuer remarquables : si on jette une personne à l'intérieur, le choc la
tuera. Dix ou cent personnes, les premiers cadavres amor-
tiront leur chute. Ils mourront étouffés, ou bien de faim.
Techniquement, il est possible de survivre plusieurs jours
dans un *foiba*, voire plusieurs semaines : jusqu'à ce que la
viande humaine soit trop avariée pour être consommée.
Ou que les gaz de décomposition des corps aient saturé

456

l'atmosphère. Les témoins parlent d'une puanteur abominable. Il faudrait aller voir. Qu'est-ce qui méritait qu'on ferme à ce point celui-ci ? Regarde, en plus de la porte d'entrée, il devait y avoir une grille, ici. Un véritable sas. Pour quel genre de prisonniers ? Il faudrait revenir avec des archéologues. Si tout se passe bien tu pourras rajouter un escape game à ton programme de septembre.

Ils étaient arrivés, au bout du couloir, dans une petite salle au milieu de laquelle se trouvait une trappe. Flavio s'approcha du bord et éclaira l'intérieur :

— C'est profond, il faudrait des cordes.

Olivier, encore moins rassuré que dans la forêt, l'avait écouté sans rien dire, de plus en plus irrité par son calme, sa spectrale assurance.

— Tu ne me demandes pas ce que je fais là, pourquoi je t'ai suivi dans la forêt, finit-il par demander à Flavio, pour se donner du courage – le courage de l'inéluctable.

— Si, je pense que je sais. Tu viens pour me tuer. Tu voudrais te venger. Mais personne ne se tue plus depuis longtemps en Europe. Nous nous sommes battus, autrefois, sans nous toucher une seule fois. Tu avais une armée entière mais c'est moi qui t'ai vaincu. Tout seul, et sans même faire exprès. Tu as découvert qui j'étais. Le fils du souverain légitime, l'héritier miraculeux. Tu respectes trop tout cela, je le sens, toutes ces vieilleries hémophiles, tout ce sang versé à travers l'Europe historique et immobilisé dans le corps sacré des grandes familles régnantes. Tu as pour cela le respect des bâtards. Cette aberration historique que je représente, c'est la chose que tu n'auras jamais, la seule que tu convoites. Hier soir, quand je lui ai dit mon âge, ta mère m'a dit qu'elle avait un fils du même âge. Elle s'inquiétait, je crois. Tu sais comment elle te surnomme ? Elle t'appelle Hamlet.

— Ne me provoque pas. Tu ne sais pas ce dont je suis capable. Tu ne sais même pas qui je suis et de quel père j'ai à me venger…

— Nous sommes les deux bâtards de la forêt de Dourdan. Ça ferait une jolie légende. Tu as lu Norbert Elias ? Il explique ça, au début de *La Dynamique de l'Occident* – c'est comme s'il avait découvert la première impulsion de cette dynamique : le roi de France était autrefois très faible, souvent plus faible que ses vassaux, il n'arrivait même pas à passer d'un fleuve à l'autre, de la Seine à la Loire. Il existait une ligne infranchissable entre la tour de Montlhéry et celle de Dourdan, une forêt inextricable. Plus dense, peut-être, que la forêt du Horvdt. Quand le roi a enfin réussi à franchir cette ligne féodale, le royaume de France, le prototype des futurs États-nations du continent, était, d'une certaine façon, achevé. C'est drôle que nous nous soyons connus là-bas, il y a un quart de siècle, sur la ligne de partage entre le monde ancien et les États modernes.

— Qu'est-ce que tu vas faire ? Faire valoir tes droits sur la Couronne ?

— J'ai été élevé par des gens qui n'étaient pas mes parents. Et pourtant je n'ai jamais cherché à savoir. Je crois que je savais, confusément, de quoi j'étais l'enfant. Le rejeton, l'hybride de toutes les grandes familles de l'Europe. Celles qui régnaient encore et celles qui avaient disparu. Je sentais qu'on avait fait porter sur moi des espoirs délirants. J'étais le petit prince de l'Europe. Tout cela est confus mais je peux t'en donner un exemple amusant : j'avais, enfant, une admiration irrationnelle et absolue pour Jacques Delors, le président de la Commission européenne. Et j'avais un rêve secret : devenir président à mon tour de cette Commission mystérieuse et toute-puissante. Et le jour où j'aurais été nommé, j'aurais révélé qui j'étais vraiment.

Le retentissement en aurait été considérable. Je te passe les détails, c'est un peu ridicule, mais je finissais empereur. Alors héritier du Karst, demi-héritier, bâtard du prince Jan, par rapport à ce rêve, c'est un peu décevant. Mais comme tu vois, je ne suis pas devenu Jacques Delors non plus. Je suis un petit fonctionnaire de la Commission. Je m'occupe des arbres de l'Europe et j'en suis très heureux. C'est ce que faisaient parfois les princes, ils renonçaient à leur position pour entrer dans des monastères et travailler exclusivement au salut de leur âme. Je ne crois pas en Dieu, mais la question du salut ne m'est pas tout à fait étrangère. Je supervise un grand mouvement de plantation d'arbres. Je capture du carbone. L'Europe doit faire sa part du travail global. J'ai un collègue qui se demande, après les expériences pyrénéennes, si le moment ne serait pas venu d'introduire un couple d'ours slovènes dans la forêt du Horvdt. Cela t'amuse, je le vois. Au fond de moi je sais pourtant que c'est plus important qu'un quelconque couronnement ou qu'une quelconque restauration monarchique. Je ne vais pas usurper la place de ces ours, je vais repartir sans rien dire à personne. Notre continent a été ravagé par tellement d'orgueil.

— Et toi, tu n'es pas orgueilleux ?

— Je suis un peu décevant, peut-être, comme personnage historique, reprit Flavio. Mais mes convictions écologiques sont cohérentes. J'ai plus de convictions que toi, je crois. Et plus de convictions que mon père biologique. Hier soir, le prince Jan m'a paru fatigué. Il m'a demandé si j'avais collectionné les timbres, enfant. Il semblait y attacher une grande importance. Il a dit quelque chose d'assez mélancolique, ensuite, sur le fait que les machines à oblitérer avaient fait beaucoup de mal à l'Europe. Je n'ai pas osé lui parler d'internet.

— C'était un séducteur, un très grand séducteur, presque un gigolo, avant sa rencontre avec ma mère. Ce mariage a eu pour lui des conséquences inespérées.

— Je réalise soudain que nous sommes presque demi-frères. C'est incroyable que nous nous soyons croisés enfants.

— Le charme des pensionnats pour riches indésirables... Tu ne veux pas savoir qui est ta mère ?

— J'ai toujours été particulièrement bien reçu, à Monaco, où mes parents adoptifs possédaient un appartement...

— Et c'est tout ?

— Qu'est-ce que tu veux que je fasse ? Ce n'est pas ma vie. Je vais retourner à ma grande forêt et enseigner à mes concitoyens comment vivre avec elle.

— Tu ne te demandes pas, vraiment, quelle force mystérieuse t'a attiré jusqu'ici ? Tu ne crois pas aux coïncidences, aux forces de la terre, au destin ?

— Et pourquoi pas à Abel et Caïn... Mais je ne veux pas te provoquer, tu as raison, tu me tuerais et tu le regretterais aussitôt. Regarde, je vais même m'écarter du bord. Si je suis lâche, c'est à partir de maintenant. Mais note que mon sang chevaleresque m'a fait risquer la mort pendant de longues minutes !

À ces mots, il s'éloigna d'un pas de l'entrée de la trappe. Les épaules des deux garçons se touchèrent. Avec un aplomb qui l'étonna lui-même, Flavio donna un petit coup affectueux à Olivier, qui comprit à cet instant, en s'en trouvant flatté, que ce sentiment, cette haine qui l'envahissait, relevait d'un élan plus mystérieux. Et regrettant instantanément son geste Olivier poussa soudain Flavio dans le vide.

Il faut imaginer une mince feuille d'or avalée par les rouages en céramique blanche d'un calculateur – un calculateur plus cupide encore que le diable. Mais il existerait une propriété de l'or qui le ferait s'étirer de plus en plus sans jamais rompre, qui le ferait se transformer en filet translucide d'épaisseur atomique, en main invisible au toucher presque divin, en souffle chaud de la matière, une propriété de malléabilité si prodigieuse qu'elle verrait l'or, à la brillance surnaturelle, se répandre sur les surfaces de contact de toutes les roues du monde telle une eau miraculeuse. Il y aurait désormais un fantôme dans la machine – il y avait un fantôme depuis le début. L'empreinte à cire perdue de la liberté – le mécanisme seul comme liberté suffisante.

Fragments du gouffre

Trois mois avaient passé.

Le XXe Forum commençait dans quelques jours mais on ne parlait encore que d'une seule chose dans tout le Karst : du miracle, du double miracle qui s'était produit au début de l'été. L'apparition du Horvdt.

Des spéléologues italiens avaient obtenu du prince Jan, personne ne savait trop comment, le droit d'explorer la forêt du Horvdt à la recherche d'éventuels *foibe*. C'était la mission historique qu'ils s'étaient attribuée : offrir aux plus occidentales des victimes du communisme, aux fascistes italiens massacrés en terre yougoslave, des sépultures décentes. Ils exhumaient ainsi, en Istrie croate ou slovène, quelques dizaines de squelettes par an, qu'ils rapatriaient, selon les autorisations qu'ils avaient pu négocier et après de sommaires expertises médico-légales, dans un village italien, situé près de Predappio, qui avait mis une fosse commune à leur disposition. Ils avaient poussé cet été-là leurs explorations beaucoup plus au nord que d'habitude, presque à la frontière autrichienne, et avaient ainsi découvert un *foiba* inexploré et au fond de lui une créature encore vivante.

On ne se lassait pas, dans les cafés de Karstberg, de mimer leur effroi. L'homme, très déshydraté, était là depuis presque une semaine. Sa lampe dynamo fonctionnait encore mais il avait, quand les spéléologues étaient arrivés dans la grotte, arrêté depuis longtemps de lancer des SOS. Il déclarerait plus tard que sa principale angoisse, pendant ses journées d'agonie interminable, était qu'à force d'allumer et d'éteindre sa lampe il ne se souvenait plus si « SOS » se codait en morse avec trois courts, trois longs, trois courts, ou l'inverse – et il avait cru dans son délire, en voyant les trois skinheads italiens apparaître au-dessus de lui, qu'il avait réellement convoqué le mauvais monde et qu'ils venaient le chercher pour le conduire en enfer.

Il était caractéristique de son optimisme, conviendrait-il plus tard, qu'il ait pu imaginer un instant un endroit pire que celui-ci. Il avait passé presque une semaine dans le royaume de la mort. Il avait d'abord essayé de construire des échelles avec les fémurs et les tibias qui avaient amorti sa chute, mais les os, humides, se cassaient, et il n'y avait rien non plus à attendre des lambeaux de vêtements qui y étaient restés accrochés – tout avait achevé de se déliter entre ses doigts quand il avait essayé de tresser une corde, et même en utilisant des cheveux de femmes en guise d'âme, il n'avait pas dépassé un mètre.

Il avait survécu en léchant les parois pour se déshydrater, et en lisant un petit carnet qu'il avait récupéré dans la poche d'un pantalon. Il lisait un peu l'allemand, et les pages du carnet était si serrées que l'écriture était par endroits restée lisible.

Il avait lu plus de cent fois ces quelques sentences énigmatiques jusqu'à les connaître presque par cœur. C'était heureux car le gradient thermique fit presque instantanément pourrir le carnet quand il fut hissé, avec lui, à l'extérieur du gouffre. Cela ressemblait, pour ce qu'il en avait compris, aux notes d'un ethnologue qui aurait entrepris de décrire les mathématiques de l'extérieur, et presque sans se soucier de leur logique interne, comme si, dans le monde d'où il venait – un monde dont Flavio avait rêvé les rares fois où il s'était endormi –, les hommes n'avaient pas découvert cette science, ou ne lui avaient pas attribué de fonction heuristique particulière.

Le miraculé fut conduit en hélicoptère à l'hôpital de Klagenfurt, mais le prince Jan et la princesse Ida l'invitèrent à passer sa convalescence au château. C'est alors que le second miracle se produisit : l'homme fut reconnu par le prince Jan comme son héritier légitime.

En réalité, c'était Ida qui l'avait reconnu. Elle n'avait pas remarqué ce détail quand ils avaient dîné ensemble, ni cette fois ni la fois précédente, d'ailleurs, quand Flavio était venu au Karst en 2000. Mais sa maigreur cadavérique avait singulièrement fait ressortir ses yeux bleus – et c'étaient ceux de Jan.

Prudente, Ida avait mandé des analyses ADN, qui avaient bientôt confirmé sa vertigineuse intuition.

Le nom de sa mère ne fut pas divulgué – mais on connaissait trop la réputation donjuanesque du jeune Jan pour s'en étonner. Ida avait veillé le nouveau prince jour et nuit jusqu'à son complet rétablissement.

Flavio ne mentionna jamais Olivier. Il avait seulement évoqué une imprudence, un banal accident de spéléologie. Il avait en revanche dicté à Ida, dès qu'il eut repris suffisamment de forces, tout ce qu'il avait mémorisé du carnet, et il se l'était ainsi attachée de façon irréversible : le carnet, elle en eut la conviction instantanément, était celui de Joachim.

Verninkt, qui vivait dans l'une des tours de la citadelle, là même où Gorinski et Griff avaient autrefois eu leurs appartements, le confirma : on était en présence de réflexions authentiquement intuitionnistes. Et sur bien des points, l'élève avait dépassé le maître, et transformé ce qui ne relevait jusque-là que de la philosophie des mathématiques en quelque chose de beaucoup plus général, et dont on pouvait sans risque présumer l'exceptionnelle fécondité. Une discipline injustement négligée, et autrefois glorieuse, la philosophie de l'histoire, pourrait même en être relancée.

On identifia bien Joachim parmi la centaine de dépouilles qu'on remonta du *foiba* à la suite du miraculé – Flavio le Miraculé : cela resterait son surnom officiel. Il fit sa première apparition publique, encore très affaibli, pendant les funérailles de Joachim, qu'on enterra, privilège normalement réservé aux von Karst, dans la crypte de la cathédrale. Les derniers spécialistes du protocole, issus des plus anciennes familles de Karstberg, remarquèrent à cette occasion que Flavio était assis à droite du prince Jan, la place réservée à l'héritier du trône. C'était Olivier, son demi-frère, le chef du protocole, qui l'avait d'ailleurs emmené jusque-là à son bras, avant de s'installer, lui, à sa place habituelle, deux rangées en arrière.

> Un monde plus doux s'entrouvre par les sources du
> Karst. La paix européenne, les épanchements du droit.
> Les arbitraires délicieux des langages et le monde au
> loin comme une fonction lointaine.
>
> *Le nombre de Gorinski*

Olivier avait témoigné d'un courage authentique :
ayant été l'un des premiers informés du miracle, il aurait
eu largement le temps de fuir.

La vraie raison de sa témérité tenait peut-être à la
succession d'erreurs qu'il avait accumulées depuis le
jour fatal. Il s'était d'abord violemment disputé avec
son père, par téléphone, dès le lendemain, en exigeant
qu'il renonce à sa paternité, puis avec sa mère, en exigeant que Jan l'adopte – cela n'avait aucun sens, c'était
absurde et insultant, c'était le plus mauvais coup d'État
qu'on ait jamais vu. QPS était presque plus fâché de la
bêtise de son fils que de sa trahison, et Ida commençait
à envisager de se passer de ce chef du protocole aussi
incompétent qu'ingérable.

Olivier répétait, hors de lui, à travers les pièces du palais, qu'il était le seul à vraiment risquer quelque chose, dans toute cette affaire, en se privant à jamais de la fortune paternelle pour un trône hypothétique : il exigeait, en hurlant, qu'on lui reconnaisse au moins le caractère chevaleresque de sa trahison. C'était insensé. Il n'avait pas fait de crise pareille depuis ses quatorze ans. Ida et QPS étaient désemparés. Tactiquement, Ida finit par laisser entendre qu'elle en discuterait avec Jan, et cela l'avait soudain calmé – Olivier était en tout cas remonté dans sa tour.

Il avait passé là de longues heures à méditer sur son crime en se rongeant les ongles, assis sur le rebord de la fenêtre à contempler les mouvements de respirateur artificiel des grands arbres de la forêt du Horvdt.

Le prince se souviendrait-il, au moment de l'adopter, de l'existence oubliée de ce fils qu'il s'apprêtait à définitivement déshériter ? Ce serait, pour Olivier, presque plus cruel et meilleur de le voir mourir ainsi, dans la mémoire de son père, que de l'imaginer, comme en ce moment, au fond de son trou, quelque part sous ces arbres malveillants.

Il avait en réalité un scrupule : il n'avait pas osé regarder dans quoi Flavio était tombé, et il lui était impossible de savoir s'il était bien mort. Et il regardait les arbres bouger atrocement en sachant qu'il n'aurait jamais la force de retourner là-bas pour vérifier.

Il avait alors commis, après plusieurs journées de remords insupportable, la pire erreur de son existence : il avait appelé Griff pour lui annoncer qu'il déclinait son offre et qu'il ne serait pas sa tête de liste aux prochaines européennes. Il aurait mieux à faire : il serait sans doute, à cette date, prince héritier du Karst. Il le ferait nommer ministre de la Culture, ou de n'importe quoi, à sa convenance. Sa subsistance matérielle serait assurée et il aurait la vieille bibliothèque des von Karst à sa disposition pour écrire, sur l'histoire de l'Europe, tous les livres qu'il voudrait. Mais qu'il ne compte plus sur lui pour financer son mouvement – c'était un peu exagéré, Olivier avait tout au plus soutiré cinq mille euros à QPS, et autant à sa mère, pour financer le chantier de la chapelle kosovare.

Olivier était dans un état d'excitation bizarre. Griff lui avait seulement enjoint de se méfier d'Ida :

— Je ne sais pas ce qu'elle t'a laissé entendre, mais tu n'as aucune chance. Le prince Jan a un enfant caché. Je suis l'un des seuls à le savoir, d'ailleurs – je ne sais même pas si le vieil imbécile est au courant. Mais je me suis toujours dit qu'Ida devait le savoir, et le garder en réserve pour l'un des coups dont elle a le secret.

À ces mots, Olivier avait ri :

— Il existe bien un héritier présomptif. Mais je l'ai tué, il y a six jours de cela. Je l'ai jeté au fond d'un trou, dans la forêt du Horvdt.

— Il faut que tu me donnes l'emplacement exact. Même si je pense savoir de quel endroit il s'agit. Je vais envoyer une équipe. Ne fais rien sans m'en parler.

Le Miraculé n'avait pas mis longtemps à ressusciter. C'était Ida qui lui avait annoncé la nouvelle, le lendemain, en venant le réveiller. La dernière fois qu'elle l'avait réveillé ainsi, se dit-il beaucoup plus tard, c'était pour lui apprendre la mort de la princesse Diana.

On ignorait à ce stade qui il était, mais on pouvait déjà considérer l'apparition du Miraculé comme le principal fait divers depuis l'indépendance. Ida éprouva d'ailleurs un court instant de mélancolie en pensant aux années qui avaient suivi l'indépendance du Karst, quand il avait fallu rédiger, ex nihilo, un code de lois et une constitution. Qui d'autre avait eu cette chance, ce privilège et cette charge ? Elle avait tout fait elle-même, ou presque, avec l'aide de QPS pour les principes fondamentaux et de quelques juristes d'Europe de l'Ouest, spécialisés dans le nation-building, et qui, après la Roumanie ou la Pologne, avaient daigné s'intéresser au Karst. Et quand il avait fallu punir le premier crime, un ouvrier alcoolisé qui avait frappé un homme dans un café, elle avait ressenti un délicieux vertige. Tout cela était loin, déjà, la justice karste avait traité une grosse dizaine d'affaires criminelles, mais le miraculé réveillait chez elle le souvenir de ces mois incertains où elle s'était sentie plus puissante qu'elle l'avait jamais été à New York, plus vivante que jamais. Qui d'autre qu'elle avait connu cela ? Qui d'autre avait à son actif la résurrection d'un pays ? Il y avait dans tout cela quelque chose de sacré – un sacré qui n'aurait pas été invisible, mais qu'elle aurait manipulé à pleines mains. Et ce fut comme si elle avait elle-même modelé cette créature surnaturelle qui venait de s'échapper du sol.

Mais c'est de façon encore plus mystique qu'Olivier enregistra cette information catastrophique. Il y vit un signe de Dieu – mieux qu'un signe, une résurrection complète, exacte et merveilleuse.

Il n'hésiterait ainsi pas une seconde, quand le Miraculé fut amené au palais : il s'agenouilla devant lui et remit son sort entre ses mains.

Flavio le releva et l'embrassa sur les deux joues :

— Soyons amis, mon frère.

Il est cohérent qu'une civilisation basée sur les mathématiques voie les mathématiques s'y dérouler sans accident. Les mathématiques comme science première et fondamentale : un mythe européen.

Fragments du gouffre

« Je rappelle le principe de base : il est impossible de tomber. Vous serez toujours accrochés. Soit par un mousqueton, pour les ponts de cordes et les filets, soit par cette petite poulie, pour les tyroliennes. Et cette accroche, là – Olivier désigna un mousqueton semi-fermé, en tirant plusieurs fois dessus –, est impossible à défaire. La petite encoche que vous voyez ici est plus étroite que le câble qui sert de ligne de vie. Elle permet juste de passer, comme cela – il mit le morceau de métal de profil et le fil coulissa de part et d'autre d'une languette métallique –, les points où le câble est accroché aux troncs. Que ce soit dans les tyroliennes, dans les escaliers aériens, dans les tunnels ou dans les toiles d'araignées, vous serez toujours accrochés à ce câble. Il est ininterrompu. Le corollaire de cela, c'est que, quand quelqu'un est arrêté, il bloque tous les autres. On ne peut pas se décrocher en cours de route. Il faut parcourir la totalité du parcours. C'est le jeu. Bienvenue à trente mètres au-dessus du sol. Bienvenue aux Gouffres du Horvdt ! »

À ces mots Olivier s'élança, depuis la plateforme où il venait de prononcer ce petit discours, sur la première tyrolienne.

Ce fut ensuite le tour de Flavio, le Miraculé, puis des mathématiciens, et enfin de tous les invités tentés par l'aventure : des fonctionnaires, des journalistes, des lobbyistes, des délégués aux petits États, un élégant diplomate turc, la commissaire slovène aux Transports, et enfin, tout au bout de la chaîne, la ministre croate de la Culture, une ancienne violoniste, amie d'Ida, qui fermait symboliquement la marche, en tant que représentante du vingt-huitième et dernier État membre.

Elle venait de s'élancer quand l'événement se produisit – un petit clic inhabituel, à peine plus sonore que celui d'un mousqueton quand il se verrouillait.

Flavio était à ce moment juste derrière Olivier sur la dernière plateforme, à une dizaine de mètres du sol. Il ne leur restait plus qu'une tyrolienne à descendre avant de retrouver le sol. Olivier essaya plusieurs fois de s'élancer, mais sans y parvenir.

— Ça ne marche pas, il y a un petit arceau vissé qui bloque.

— Tu peux le contourner ?

— Non, il est sur ma ligne de vie. Ça ne passe pas.

— Tu n'as pas essayé le parcours ce matin ?

— Si. Ça a dû être rajouté après.

— On peut le défaire ?

— Pas sans outil. Les vis sont trop serrées.

— Il faudrait repartir à l'envers, cela impliquerait de remonter deux tyroliennes. Et que vingt-six personnes avant nous remontent deux tyroliennes de cent cinquante mètres chacune.

— Deux vis. Un attentat de Sarajevo avec deux vis, commenta bizarrement Flavio.

— Tu penses qu'on est danger ?

— Je crois même savoir qui a monté ce piège ridicule. Tes anciens amis. Mes sauveteurs. Les spéléologues italiens. À sa demande, à lui – ça ressemble à du Griff, ça en a la romanesque grandiloquence.

Olivier avait tout raconté à Flavio. Sa jalousie abominable, sa sombre joie et son remords, son appel ambigu à Griff. Il lui avait parlé aussi du Parlement fantôme, de cette haine inexplicable qui montait en lui depuis des années, et d'un mystérieux désir de purification qu'il avait ressenti en retour. Flavio lui avait tout pardonné.

Olivier se retourna vers l'équipe qui les suivait, et qui traversait un pont de corde.

— Faites demi-tour. Rejoignez une plateforme. Dites à ceux qui vous suivent de faire pareil. Que personne ne soit au-dessus du vide. Rapprochez-vous des arbres.

Mais on entendit soudain un grand fracas dans la forêt – comme le bruit étouffé d'un arbre qui tombe. C'étaient toutes les passerelles, tous les ponts suspendus, tous les escaliers aériens qui s'étaient abattus d'un coup, comme si la main qui les tenait par des fils invisibles les avait soudainement lâchés. Il ne resta bientôt plus aucune structure entre les arbres – seulement les câbles de sécurité sur lesquels étaient accrochés ceux qui n'avaient pas eu le temps de rejoindre une plateforme, et qui se balançaient à la façon de gros fruits ridicules et fluo. On pouvait difficilement aller les secourir pour le moment.

Olivier se voulut rassurant :

— Je ne pense pas que nous risquions quoi que ce soit. Le câble va tenir. Ne vous détachez pas. Essayez seulement de coulisser vers la plateforme la plus proche. Les secours vont rapidement arriver.

Mais est-ce qu'il y avait seulement des pompiers au Karst ? Sans doute, oui. Ou peut-être pas. Olivier n'avait en fait jamais imaginé qu'il puisse y avoir des accidents dans un pays d'opérette. C'était aussi absurde, bien sûr, que de penser qu'une biche ne pouvait pas se blesser dans la solitude de la forêt. Mais c'était l'image la plus précise qu'il se faisait du Karst – un lieu où la mort n'existait pas, et où même sa tentative de la réintroduire avait échoué.

— Regarde, c'est comme cela qu'ils s'y sont pris.

Flavio venait de trouver, caché sous l'un des coins en bois qui tenait la plateforme, un petit boîtier électronique noir. Il le cassa pour l'ouvrir : il y avait une carte Raspberry Pi à l'intérieur, une pile et un petit moteur électrique, relié à une mince cordelette de nylon.

— Ils ont dû en installer des dizaines un peu partout. La cordelette devait déclencher l'ouverture d'une sorte de nœud magique.

— C'est de ma faute. Ils ont dû infiltrer la société qui a réalisé l'installation. Je connaissais, en plus, l'existence de ces boîtiers. Mais ils m'ont dit que c'étaient des sortes de tensiomètres pour vérifier que les câbles n'endommageraient pas les arbres. Ils m'ont dit que c'était à ta demande qu'ils les avaient installés.

Près d'eux, au-dessus du vide, deux mathématiciens discutaient en se balançant doucement, et en parcourant des yeux le parcours de la ligne de vie :

— C'est un graphe ouvert. Il faut que nous nous considérions comme des nœuds. La solution doit être collective.

— Oui, ça doit être une sorte d'énigme mathématique. Gorinski a écrit sur les graphes ?

— Il faut demander à Berudikc. C'est le seul qui peut savoir ça.

— Tu penses que c'est une sorte d'épreuve de mathématiques appliquées ?

— C'était la grande obsession de Gorinksi : "Même mentales, il n'existe de mathématiques qu'appliquées. Comme un catalogue de savoir-faire."

— Ça me rappelle une note, quelque part dans Bourbaki. Une note qui se moque de l'intuitionnisme : ils voudraient nous apprendre à faire des mathématiques comme des scouts apprennent à faire des nœuds.

Nous sommes convaincus que Fermat – bien qu'il n'ait pas eu les outils mathématiques nécessaires à une telle démonstration – avait établi sa conjecture avec toute la fermeté requise. Nous sommes certains, même, qu'il nous en aurait convaincus avec facilité en résumant sa preuve à quelques gestes et à quelques mots. L'intuition : quelques gestes et quelques mots. La sociabilité des mathématiques. Les mathématiques sont les normes de politesse de l'Europe savante. L'unique langue officielle de l'Europe.

Fragments du gouffre

Ce matin-là, QPS avait mystérieusement dormi. Retenu à Paris, il était arrivé la veille, à la nuit tombée, pour la dernière journée du Forum, et il n'avait encore vu ni Ida, ni Olivier. Il avait passé la soirée de la veille avec le prince Jan, à échanger des souvenirs du bon vieux temps, de cette jet-set déclinante qu'ils avaient bien connue, et dont ils étaient un peu des vétérans, de cette guerre qu'ils n'avaient pas vraiment faite, mais dont ils étaient des héros. Ils avaient parlé de leurs enfants, aussi, dont l'amitié inattendue les avait un peu rapprochés, et d'Ida, enfin, mais avec toute l'élégance et la retenue que requérait la situation, et tous les hommages que leur imposaient sa beauté intacte et son intelligence hors du commun.

Le prince avait paru fatigué, peut-être, et QPS avait mis ça sur le compte de l'alcool, c'est vrai qu'ils avaient beaucoup bu. Le philosophe avait rejoint sa chambre de la citadelle après minuit, sans se soucier du programme du lendemain, et il avait dormi presque jusqu'à midi. C'était inhabituel, presque fantastique. Il s'était réveillé dans une citadelle déserte. Les tables étaient déjà dressées pour le dîner mais aucun serveur, nulle part, aucun majordome à interroger.

QPS finit par trouver quelqu'un en cuisine, qui lui apprit qu'un grand pique-nique populaire était organisé dans la forêt du Horvdt – toute la population avait été conviée. Pourquoi ne l'avait-on pas réveillé ? Il s'approcha d'une meurtrière et vit, en contrebas, les immenses tables qu'on avait dressées dans la prairie entre la forêt et le fleuve. On aurait dit un tableau de Bruegel privé de personnages – à l'exception de quelques serveurs en jaune et noir.

C'était comme si la forêt avait avalé les invités.

Les frondaisons des grands arbres formaient des dômes immobiles. Cela ressemblait, un peu, à San Marco vue du Campanile. Pas tout à fait une forêt des Alpes, quelque chose de byzantin plutôt. La pointe occidentale de l'Empire ottoman. QPS se souvenait du débat qui l'avait opposé, ici même, dans une salle de la citadelle invaincue, à Aydemir. Un débat qu'il avait perdu à cause du nom de ce mathématicien qui lui avait échappé à un instant crucial de son argumentation – et cela avait été la toute première fois, depuis l'effondrement de l'URSS, qu'il s'était empêtré dans sa défense classique, passionnée, canonique du libéralisme. Un premier signe de vieillissement, peut-être, ou pire, un signe de vieillissement de cette idéologie qui se prétendait la guérison de toutes les autres. Il repensait à tout cela en fixant les coupoles des arbres quand il retrouva soudain le nom du mathématicien indirectement responsable de son humiliation. C'était tout simplement Gorinski. Gorinski, le héros national karste. Celui-là même que le titre du best-seller de Griff avait rendu mondialement célèbre.

Et cette révélation ressuscita aussi le souvenir d'une discussion qu'il avait eue, longtemps auparavant, à New York avec Ida. Ce devait être le soir où elle lui avait annoncé qu'elle allait se marier. Ils avaient beaucoup bu, et refait l'amour, pour la dernière fois. Elle lui avait parlé, dans l'obscurité, sans qu'il ait jamais vraiment compris de quoi il retournait, d'une machine spéciale, une machine conçue par son père. C'était, dans son souvenir, comme une sorte d'athanor mathématique. Et cette machine était liée à Gorinski. Celui-ci aurait découvert le point faible de l'économie dirigée. Il aurait démontré, oui, bien avant les travaux fondateurs des Néophilosophes, la fausseté *mathématique* du communisme. Mais la machine avait connu d'autres usages, beaucoup plus sombres. Pourquoi reliait-il cela à la Shoah ? Que lui avait dit Ida, exactement, cette nuit-là ? Elle était par la suite restée très évasive.

La découverte récente, par le fameux Miraculé, de l'infamant tombeau de Joachim tendait peut-être à confirmer cela : on avait eu, clairement, la volonté de faire disparaître un témoin ou un acteur encombrant – Ida n'avait manifesté aucun doute sur la responsabilité de Ferdinand Spitz, son oncle, dans cet assassinat.

Mais cette machine disparue, il en avait maintenant la certitude, il la connaissait. Il l'avait aperçue entre les mains d'Aydemir. Il l'avait prise pour un briquet, à chaque fois qu'ils s'étaient vus, bien qu'il se soit étonné, aussi, qu'au moment d'allumer sa cigarette, après avoir ostensiblement joué avec l'objet, le diplomate l'ait toujours remis dans sa poche pour en sortir à la place des allumettes – il avait cru à une forme paroxystique de dandysme.

QPS finit par discerner quelque chose dans la forêt. Des taches fluo entre les arbres. Une sorte d'énorme structure cachée, circulaire, grande comme une montgolfière ou un château gonflable.

— Goran, il se passe quelque chose. Il faut aller là-bas.

Ils descendirent en voiture jusqu'à l'orée de la forêt. Les préparatifs du pique-nique se déroulaient dans le calme. QPS interrogea un serveur qui lui apprit qu'une grande attraction avait été installée là-bas – tout droit par ce sentier, à moins d'un kilomètre.

QPS imaginait déjà une sorte de Disneyland camouflé sous les arbres quand il arriva dans la clairière. Il devait y avoir une centaine de personnes, dont quelques-unes portaient d'étranges baudriers, et qui toutes regardaient vers le ciel.

Il y avait là, entre les arbres, des dizaines de pendus, des pendus en tenue fluo, des pendus lumineux comme des algues scintillantes.

QPS pensa aussitôt à une exécution de masse. Non. Ils bougeaient encore. Ils n'étaient pas pendus, seulement accrochés par la taille. En s'approchant encore, QPS vit qu'ils formaient un hémicycle clairsemé, l'hémicycle d'une assemblée un peu dilettante où les représentants du peuple seraient venus en très petit nombre mais se seraient mis à leur place habituelle : ici l'un d'eux en haut à gauche, là-bas un groupe de trois en bas à droite – mais pour écouter quel discours ?

Tout là-haut, sur une petite plateforme, aussi perchée qu'une cabine de traducteur, c'étaient Olivier, et Flavio, le Miraculé. Ils semblaient s'être libérés de leur baudrier mais ils étaient bien trop haut pour sauter.

Il y avait enfin, sur une sorte d'estrade, un homme qui hurlait des choses auxquelles il ne comprenait rien dans un mégaphone, tout en tenant une corde de son autre main.

> L'Histoire n'est pas un générateur de nombre aléatoire. L'Histoire pourtant n'a pas de lois secrètes. L'Histoire n'arrête pas de compter.
>
> *Fragments du gouffre*

QPS s'approcha juste assez pour reconnaître Griff, et pour entendre une partie de ce qu'il disait :

« *Vous souvenez-vous de ce courageux parachutiste autrichien qui a franchi le mur du son en chute libre ? Étonnant retour de l'Europe, peut-être, dans la compétition spatiale, après Gagarine et Armstrong. Une chute libre sponsorisée par une marque de boisson énergisante – un peu absurde, sans doute. Mais ce qui m'a spécialement intéressé, c'est ce qu'il a déclaré à la presse quelques jours à peine après son petit exploit stellaire : il souhaitait sincèrement, le petit archange, la venue prochaine d'une dictature européenne de type modéré, le régime politique, disait-il, le plus efficace qui soit. Une sorte de gouvernement des sages. N'est-ce pas déjà l'objet de ce Forum ? N'est-ce pas, aussi, le projet politique de notre cher Platon ?* »

— Goran, il ne faut pas qu'il nous voie. Et il me faut ton arme.

Elle était plus lourde qu'un smartphone, mais moins qu'une caméra. QPS et Goran se mirent à courir en contournant la scène dont ils ne perçurent que des éclats stroboscopiques.

« On s'est étonné, il y a quelques années, quand la Serbie a enfin livré Karadžić aux Américains, de sa grande barbe et du métier de naturopathe qu'il avait exercé pendant ses années de clandestinité. Mais c'était la guerre en Yougoslavie : nous exercions tous le métier de naturopathe, nous vivions au milieu des herbes, comme à la préhistoire. J'ai eu l'impression de revivre avec la première grenade que j'ai lancée. »

La corde que tenait Griff montait tout droit jusqu'à la plateforme où se trouvait Olivier. QPS n'avait pas beaucoup de temps pour intervenir.

« J'ai vécu à Paris, à Vienne et à New York, les capitales mondiales de la névrose. Tous les gens que j'ai connus, mes amis, les femmes que j'ai aimées, mes éditeurs et mes lecteurs ont passé des années en psychanalyse. Moi, je n'ai pas connu la douceur des divans, le rêve éveillé des peuples civilisés du XXᵉ siècle. Moi, j'ai passé ces années en prison sur des matelas fins comme des livres intimistes. Puis je suis venu là et j'ai dormi dans le froid, dans la boue, dans la peur de la mort. Et je me suis senti enfin libéré. Entier et libre. Je vous le dis : je suis le seul homme qui ait entièrement achevé sa psychanalyse. »

Une dizaine d'hommes, tous habillés en treillis militaire, tenaient d'autres cordes, reliées à d'autres plateformes – menaçant sans doute de faire tomber ceux qui s'y étaient réfugiés. « Des fascistes. Des fascistes revenus au cœur de l'Europe » : QPS ne put s'empêcher de le répéter plusieurs fois à voix haute pour se convaincre vraiment que tout cela était réel.

« *Je regarde le ciel incolore comme l'unique compagnon de mon âme. "Aussi loin que le ciel bleu s'étendait" : c'est la définition exacte de l'empire de Gengis Khan.* »

À ces mots, il se produisit un larsen interminable, comme le cri d'un oiseau exotique.

« *L'Europe n'est peut-être qu'un rêve. C'est le nom de la seule partie du continent que les grands conquérants de la steppe, les Attila, les Gengis Khan, les Tamerlan n'auront pas réussi à conquérir. Un dernier bout de péninsule. Une appendicite celte. Tout cela n'existe peut-être vraiment qu'à l'état de maladie.* »

QPS, arrivé au terme de son grand mouvement tournant, était maintenant presque derrière Griff, et il entendait directement sa voix, sans les distorsions du mégaphone. Il parlait, bizarrement, d'une voix lasse et avait l'air essoufflé – il avait l'air drogué ou malade. QPS vit aussi que la main qu'il tenait dans son dos tremblait anormalement.

« *J'ai beaucoup réfléchi à ce que vous appelez la construction européenne. Et je pense pouvoir vous livrer ma conclusion définitive : c'est l'ultime sursaut de ce tourment impérial qui agite régulièrement les doigts fiévreux de l'Europe. Et la chose, que vous servez si aveuglément, est déjà morte. Comme était mort à Canossa le Saint Empire à peine deux siècles après sa proclamation confuse – ce qui ne l'empêcha aucunement, vous êtes ici pour en attester, les administrations impériales sont dotées de spectaculaires facultés de survie, de se maintenir comme fantasme et comme fétiche, pendant plus d'un demi-millénaire, jusqu'à ce qu'un autre empereur vienne signer son abandon définitif.* »

QPS aperçut brièvement Ida dans un groupe de technocrates désemparés et tenu à distance par des gardes armés. Personne n'osait rien faire et tout le monde était condamné à écouter le discours délirant de Griff.

« *D'ailleurs qu'est-ce que la construction européenne ? C'est un complot de gibelins. Une autre tentative de faire triompher l'empereur et d'abaisser le pape. La suite du travail de réforme anthropologique commencé par Luther : il faut que l'Europe catholique du Sud se soumette aux standards du capitalisme rhénan et anglo-saxon. On ne discute pas de normes, à Bruxelles, on y parle exclusivement de Dieu, et comment il pourra le plus efficacement se retirer du monde pour laisser les hommes enfin s'organiser seuls selon les commandements de la grâce économique.* »

QPS passa en rampant derrière une femme en treillis et vit distinctement qu'elle portait une kalachnikov. C'était soudain beaucoup plus réel que les menaces invisibles de Sniper Alley. Sa première impulsion aurait été de fuir aussitôt dans la direction opposée et d'abandonner aussitôt tout projet d'héroïsme, s'il n'avait pas été retenu par les propos provocateurs de Griff.

« *Pauvre petite Europe, mauvais centre du monde. Le vrai cœur du monde est peut-être ailleurs. Dans la grande marche turque, entre l'Orient et l'Occident. Dans les républiques nomades de l'Asie centrale. Le mystère du monde est peut-être là-bas. Il faudra que nous nous y rendions un jour. Dans la grande machinerie du monde. L'Europe n'est peut-être que l'ombre de ce grand mécanisme, le Karst son dernier remontoir. Il nous faudra sauter par-dessus les Dardanelles. Il nous faudra franchir les rivages syrtéens de la Caspienne.* »

On aurait dit qu'il récitait à haute voix la suite du *Nombre de Gorinski*, devenu le grand poème lyrique du mal.

« *Nous allons accomplir ensemble un grand rituel purificatoire. Disons le mot : un sacrifice.* »

Impossible d'expliquer les mathématiques à un
enfant. Où vont les retenues ? Sur la roue d'à côté ?
Dans quel cerveau voisin ? La position intermédiaire
d'une roue dentée pour tout platonisme.

Fragments du gouffre

QPS remarqua alors la beauté exceptionnelle de la
femme à la kalachnikov. Elle avait les cheveux blonds,
le nez retroussé, la peau légèrement mate, les yeux
bleus, presque transparents, et la mâchoire ovale – un
mélange improbable entre le type bosniaque et le type
scandinave. Les traits sensuels et lourds d'une catholique romaine, avec, dans les yeux, un peu de glace calviniste, mais le tout fondu dans quelque chose de plus
oriental – quelque chose de juif, de rom ou d'arabe.

*« Je vous propose de sauter par-dessus le Bosphore en direc-
tion de l'Asie huileuse et confucéenne, d'aller répandre cette
liberté neuve par-delà les steppes, jusqu'à la Cité interdite,
jusqu'au tableau de Mendeleïev humain de l'Inde des castes.
Nous irons au-delà de l'Indus, là où ni Alexandre ni Maho-*

met ne sont arrivés, nous allons déplacer l'Europe au cœur de l'Asie, comme dans le mythe originel. »

QPS finit par reconnaître la milicienne : il s'agissait d'Europe, l'héroïne de téléréalité, le mannequin qui tournait depuis quelques années autour de Griff et de ses mouvements paneuropéens. La version cool et sexy de l'extrême droite européenne. La girl next door des mouvements néofascistes, infiniment belle et absurdement métaphorique. Le seul adjectif qui venait à QPS pour la définir était *alpestre*. C'était la surrection esthétique de l'Europe. Quelque chose de beaucoup plus troublant qu'une Vénus grecque en marbre – sa version veinée, taillée dans un porphyre rouge. Une Diane, plutôt, une Diane aux joues légèrement colorées par l'excitation de la chasse et assombries par des traces de terre. Lui jouait clairement le rôle d'Actéon – un Actéon qui, pour une fois, survivrait. Et c'est pris d'une fureur mythologique qu'il s'avança jusqu'à la jeune fille pour écraser le canon de son arme dans son cou adorable.

— Griff, je tiens la fille ! Libère les otages et je lui sauve la vie.

Rien ne se passa. Il n'avait pas parlé assez fort, il avait eu le trac, soudain, et pour la première fois de sa vie. On n'ose jamais crier dans le monde réel. On crie dans les parcs d'attractions, on crie dans les stades et on crie à la guerre. QPS n'avait connu de la guerre que les planques de Sarajevo. Traverser une rue tête baissée. Reprendre son souffle agenouillé derrière une barricade. Ramper dans les caniveaux pendant que les balles ricochent contre la bordure en béton. De la guerre, il connaissait à peine plus que les sifflements d'oiseaux malades des balles perdues.

Europe se retourna, la bouche entrouverte, les yeux agrandis, superbe et implorante, en jetant son arme au sol. Cela fit étonnamment plus de bruit que ses cris d'intellectuel.

Griff était à l'opposé de la clairière, avec un groupe d'hommes armés qui tentaient de décrocher quelque chose. Ils se retournèrent soudain.

— QPS ! Tu étais mon seul regret ! Le seul invité que je me désolais de ne pas avoir ! Laisse cette pauvre Europe en paix, voyons ! Lève plutôt la tête et salue ton fils.

À ce moment, il tira sur sa corde et fit trembler la petite plateforme. QPS dut laisser Europe partir, et tint désormais son arme à l'oblique, pointée vers le sol, sans plus vraiment savoir comment l'utiliser. La situation était infiniment plus délicate que tout ce qu'il avait connu jusque-là. Il était sur un théâtre de guerre, pour la première fois, en tant que belligérant. Mais le plus étonnant était qu'il n'envisageait aucune solution de repli. Il n'avait absolument pas peur – et il devait bien s'avouer qu'il en était le premier surpris. Il avait un rôle à jouer dans tout cela, dans cette étrange bataille, et il fallait qu'il reste concentré.

Il chercha Ida du regard, et fut touché de la confiance qu'il lut dans son regard – c'était comme si le rôle qu'il avait joué depuis toujours était enfin devenu réel. Il vit aussi que Goran, qui avait ramassé la kalachnikov d'Europe, était prêt à intervenir.

« *Ou en étions-nous,* reprit Griff dans son stridulant mégaphone. *Les arbres, sans doute. Notre belle forêt primitive. Voilà. Regardez ce que nous y avons cueilli. Un délicat diplomate turc.* »

QPS reconnut Aydemir, en combinaison rose fluo, que les hommes de Griff venaient de décrocher.

« *J'aurais tellement de choses à dire. Je voulais vous parler de l'empereur byzantin Héraclius. Le contemporain de Mahomet et le dernier empereur à ne pas avoir eu à se soucier de l'islam : il a complètement ignoré ce qui se passait là-bas, en Arabie, aux frontières de son empire. Dorénavant la Méditerranée serait coupée en deux. L'Empire romain ne se reformerait jamais. Il y aurait l'Europe sur sa rive nord et le monde musulman sur sa rive sud. C'est en cela qu'Héraclius est le premier des Européens. Mais comme Colomb, qui n'a jamais su qu'il avait découvert l'Amérique, Héraclius n'a jamais su que la Méditerranée était désormais coupée en deux. Il n'a d'ailleurs jamais su qu'il existait des frontières naturelles au nouveau continent : on raconte qu'il avait une peur phobique de l'eau et que pour lui faire traverser le Bosphore on devait disposer des branches tout autour de lui, dans sa barque, pour effacer toute présence aquatique. Le stratagème évoque un peu l'histoire du cheval de Troie et mon hypothèse, depuis longtemps, est que Troie reviendra un jour pour se venger. Des bateaux de migrants errent partout en Méditerranée. Tellement de bateaux qu'on pourrait presque traverser la Méditerranée à pied sec.* »

Un des hommes en treillis força le diplomate turc à s'agenouiller devant Griff.

« *Soyons attentifs aux signes du temps : vous avez pleuré comme moi sur la mort du petit Aylan – la photo est étrange, on dirait qu'il est tombé à la renverse dans un bac à sable et que, manque de chance, il restait une flaque d'eau, un peu d'humidité lacrymale dans l'Aral méditerranéen.* »

Griff posa le canon de son arme contre la nuque de son prisonnier.

« *Vous avez suivi, aussi, j'imagine, le retour à l'envoyeur autrichien du concept de chambre à gaz – et encore, je devrais parler d'une sorte de ping-pong. C'est vous, n'est-ce pas, les inventeurs du concept de génocide ? La prise de Bagdad par Tamerlan, le génocide arménien : vous êtes des artistes de l'Histoire. Combien y avait-il de migrants, déjà, dans ce camion frigorifique retrouvé la semaine dernière abandonné au bord d'une autoroute autrichienne ? Soixante-dix, c'est ça ? Allez, monsieur Aydemir : le coup du cheval de Troie, ça ne réussit pas à tous les coups. Il vous a manqué quelque chose du génie d'Ulysse, quelque chose du génie européen. Et un peu d'oxygène. »*

Aydemir se contenta de hausser les épaules et de sortir une cigarette.

« *Hélas pour vous, en réalité, nous sommes quelques-uns à vouloir vraiment que vous échouiez. À penser que nous pourrons facilement nous passer un millénaire encore d'un empire ottoman. Nous allons enlever les branchages, monsieur le diplomate, nous allons rouvrir le Bosphore pour quelques millénaires. Je vais vous tuer, maintenant, et je crois qu'on ne parlera plus pendant longtemps de ce fantasque projet d'adhésion de la Turquie à l'Union européenne : la voilà, notre frontière. Et elle passera par votre nuque.* »

Il posa enfin son mégaphone et Aydemir ferma simplement les yeux.

Les seuls éléments incalculables, la toute dernière axiomatique, les derniers paradoxes qui résisteront seront reformulés en langue naturelle. L'histoire humaine : une longue démonstration en langue naturelle. L'Europe : le fragment le mieux connu de ce théorème. La logique est barbare, la preuve ne suffit pas : l'histoire de l'Europe.

Fragments du gouffre

Ce fut la jalousie et pas autre chose, la jalousie seule qui conduisit QPS à agir. L'absence de peur sur le visage d'Aydemir lui était insupportable. La provocation était insoutenable, et il n'avait aucun doute sur le fait qu'elle lui était personnellement adressée.

Il courut vers Griff et tira sans réfléchir. Il se concentrait d'ailleurs non pas sur la main qui tenait l'arme mais sur l'autre main, qu'il gardait en arrière, les doigts un peu écartés, comme un élégant escrimeur.

L'écrivain roula sur le sol.

Il tira encore trois ou quatre coups dans la direction de ses hommes de main. Il les rata et les vit distinctement pointer leurs armes sur lui. Il se vit mort et n'eut, pour dernière satisfaction, que de leur opposer un sourire identique à celui qu'il avait cru discerner sur le visage d'Aydemir.

Il fut surpris de ne ressentir aucune douleur alors qu'il avait entendu plusieurs coups de feu. Il fut encore plus surpris de réussir à rouvrir les yeux.

C'était Goran qui avait tiré, exclusivement Goran. Et celui-ci lui avait clairement menti quand il lui avait autrefois soutenu qu'il ne s'était jamais battu.

Les hommes de Griff tombaient les uns après les autres.

Et QPS se surprit à penser à eux en termes logistiques : devait-on les enterrer ici même, et si oui, devait-on d'abord brûler leurs cadavres ? Ce fut le visage de Griff qui le ramena à des considérations plus humanistes. Il respirait encore. QPS s'approcha de lui et put recueillir ses dernières paroles.

Elles le bouleversèrent.

L'homme avait été pour lui ce qui ressemblait le plus à un ami – du moins à un ennemi trop constant pour qu'il ne se crée pas entre eux quelque chose de l'ordre d'une reconnaissance.

Il ne lui restait qu'Aydemir. Un adversaire, plutôt qu'un ennemi. Si l'embrassade que celui-ci lui adressa resta un peu mécanique, si ses premiers mots furent un peu grandiloquents – « C'est au nom de mon gouvernement et du lien indéfectible entre la Turquie et l'Europe que je vous adresse mes remerciements » –, QPS apprécia néanmoins la simplicité maladroite d'un autre geste du diplomate : il lui fit cadeau de son briquet cylindrique.

Les prisonniers des arbres furent descendus un à un pendant que les corps des assaillants étaient recouverts à mesure, faute de draps blancs, par des débardeurs fluo.

Goran n'avait pas épargné Europe, ce que QPS n'eut pas le cœur de lui reprocher. Olivier s'agenouilla auprès d'elle et lui ferma les yeux avant d'aller serrer, virilement, la main de Goran, de prendre son père dans ses bras, et d'aller enfin rassurer sa mère, au milieu des autres invités du Forum, qui s'écartèrent respectueusement devant lui.

Puis il rejoignit Flavio, qui venait d'aider la dernière prisonnière, la ministre croate de la Culture, à glisser jusqu'au sol.

Les deux demi-frères proposèrent de se charger des cadavres : ils connaissaient un lieu proche où on pouvait les conserver, en attendant de les rendre à leurs familles. On les emmena au plus profond de la forêt, et leurs yeux morts reflétèrent une dernière fois le ciel à travers les branchages.

Tous les invités, spontanément, se joignirent au cortège et ce fut, pour Griff, comme des funérailles nationales. Olivier et Flavio ouvraient le chemin tandis que des ouvriers des usines Spitz portaient respectueusement sa dépouille. QPS lui-même, son meurtrier, marchait juste derrière lui en serrant la main d'Ida dans la sienne.

Il lui montra l'objet qu'Aydemir lui avait offert en signe de gratitude. Ida le reconnut : c'était un cylindre Spitz exactement identique à celui qu'elle avait détruit à New York. Aydemir devait seulement lui déclarer, un peu plus tard, qu'il le tenait de son père, ancien ambassadeur à Berlin.

On atteignit enfin le bunker sans avoir échangé une parole. Les cadavres des assaillants furent alignés près de l'entrée – onze hommes et une femme, Europe, plus belle encore dans la mort qu'elle ne l'avait été dans la vie.

QPS échangea quelques mots avec Ida, et celle-ci donna des instructions pour qu'on descende les corps des deux citoyens karstes, Griff et Europe, dans la fosse. On récita quelques-uns de ses poèmes, ceux qu'on savait de mémoire, et qui dataient de la guerre, puis on retourna lentement à la civilisation.

ÉPILOGUE

QPS fut gracié du meurtre de Griff par le prince Jan, déjà très diminué, et dont ce fut l'une des dernières décisions, avec la modification de la loi fondamentale qui faisait de Flavio l'héritier du trône.

Cette grâce, comme celle de Goran, fit l'objet d'un recours, lancé par les familles des membres assassinés du Parlement fantôme auprès de la Cour européenne des droits de l'homme. Le geste de QPS fut ainsi diversement apprécié par les juristes du continent, qui en contestèrent parfois, de façon insidieuse, le caractère légitime – un tir sans sommation presque dans le dos de son adversaire. On protesta surtout dans les anciens pays de l'Est, notamment ceux du groupe de Visegrád, au cœur de la révolution conservatrice européenne – c'était là que Griff avait encore le plus de lecteurs, et qu'on avait toujours le moins apprécié QPS. La question, compliquée par les rivalités européennes, la vague populiste, la reformation d'un front est-ouest, et les tensions entre États sur la question migratoire et sur l'influence de la Russie, se transforma, pendant l'année qui suivit, en « affaire QPS », quand un mandat d'arrêt international fut émis contre lui par l'Autriche, dont on découvrit à cette occasion que Griff avait été citoyen, et que le philosophe se retrouva persona non grata dans toute l'Union européenne, ainsi qu'aux États-Unis.

Le gouvernement français l'avait remarquablement peu soutenu. Il était alors moins associé, dans l'opinion publique, au président Mitterrand et à son voyage à Sarajevo qu'au président Sarkozy, dont on disait qu'il avait offert à QPS la guerre dont il rêvait depuis toujours en bombardant la Libye de Kadhafi. On tenait le philosophe pour responsable de la mort du dictateur et de la crise migratoire qui s'était ensuivie, quand le littoral libyen, livré aux passeurs, était devenu la principale frontière entre l'Afrique et l'Europe. Pire que Soros, le philanthrope hongrois apôtre des sociétés ouvertes, QPS s'était ainsi retrouvé à incarner l'ennemi absolu, le traître, le juif universel. Il écrivit une pièce de théâtre vengeresse sur cette Europe inconséquente qui trahissait, en sa personne comme en celle des réfugiés qui mouraient autour d'elle, ses idéaux et ses principes – elle fut beaucoup jouée, mais fut singulièrement refusée par la plupart des théâtres nationaux d'Europe.

Sa seule satisfaction, assez mélancolique, fut d'apprendre la mort de l'entarteur, dans un accident de vélo, près du casino d'Ostende.

Alors qu'Israël s'imposait comme le territoire d'exil le plus évident, QPS décida pourtant de s'installer à demeure au Karst. Cela coûta à la principauté tous ses espoirs d'adhésion à l'Union européenne. Mais celle-ci, divisée sur la question migratoire et fragilisée par ses dissensions internes sur la question du libéralisme, avait perdu beaucoup de son charme.

Les roulements Spitz continuaient à se vendre et Ida, avec un pragmatisme un peu désolé, se résolut à rouvrir la branche Défense.

Il n'y eut pas de Forum les années suivantes.

Jan était désormais très malade, et Flavio s'apprêtait à lui succéder.

Ce fut QPS qui avait eu l'idée : le cylindre Spitz que lui avait remis Aydemir serait scellé dans le nouveau sceptre princier, dissimulé dans la tête de celui-ci.

Flavio passa ses dernières semaines de liberté à tenter de déchiffrer, en lumière rasante ou ultraviolette, les pages perdues du carnet de Joachim. Il arriva, peu à peu, à doubler le nombre de fragments exploitables, et il supervisa, avec l'aide du vieux Verninkt, leur édition critique : *Les Fragments du gouffre*. Quand Ida lui demanda pourquoi il se donnait autant de mal, il répondit qu'il s'agissait de la constitution de son futur royaume – une constitution mathématique. Elle s'était alors souvenue de quelque chose que lui avait dit Verninkt autrefois, une légende selon laquelle Gödel aurait découvert une inconsistance dans la constitution américaine, une inconsistance qui aurait pu faire basculer la démocratie dans la dictature.

QPS occupait, lui, ses journées à rédiger une biographie de Griff, et à mettre en forme les dernières confessions que celui-ci lui avait faites en mourant. Ce serait de loin son meilleur livre, un livre qui serait lu dans l'Europe entière, qui lui vaudrait d'être enfin réhabilité et de pouvoir échapper à son trop long exil. Ce serait, peut-être, la dernière chance de paix que le continent de la douceur réussirait à saisir. Une chance de réconciliation. Il avait d'ailleurs décidé d'écrire ce livre à quatre mains avec son fils.

Ce que lui avait dit Griff était presque incroyable. Il était l'enfant d'un soldat autrichien et d'une ouvrière karste. Son père était mort sur le front de l'est avant sa naissance et sa mère, enceinte de huit mois, s'était retrouvée, à la libération, enfermée dans un *foiba* – emmurée vivante avec une centaine d'autres collaborateurs, ou présumés tels. Cela avait pris des jours entiers pour que la terre se taise enfin. Les bourreaux, fascinés et effrayés, ne pouvaient s'empêcher de revenir et de poser l'oreille contre la trappe, qu'ils laissaient parfois entrouverte pour rendre le spectacle plus long et plus abominable. Les cris, dans les *foibe*, s'arrêtaient en général après deux ou trois jours. Il ne restait plus que la terreur de la mort, le son assourdissant des cœurs et une sorte de sifflement désespéré – le bruit d'une longue suffocation collective. Au septième jour, le silence était acquis et définitif. On attendait encore quelque temps, et on revenait, avec des pioches et des échelles, pour récupérer dents en or et bijoux oubliés. Le partisan venu ce matin-là avait entendu des cris inexplicables. Des cris de nouveau-né. Il avait soulevé la trappe et vu distinctement, quand il s'était approché du bord de la fosse, deux mains en sortir et lui tendre un nouveau-né. Il s'en était emparé sans réfléchir. C'était un vieil ouvrier. Il s'appelait Josef Griff. Il donna son nom à l'enfant qu'il ramena chez lui et qu'il éleva comme son fils.

Composition : Nord Compo
Achevé d'imprimer par Normandie Roto Impression s.a.s.,
le 11 juin 2019.
Dépôt légal : juin 2019.
Numéro d'imprimeur : 1902227

ISBN : 978-2-07-277179-8 / Imprimé en France.

329497